Código Penal para el Estado de Querétaro
Código Nacional de Procedimientos Penales
Jurisprudencia

Código Penal para el Estado de Querétaro
Código Nacional de Procedimientos Penales
Jurisprudencia

3ª Edición

MIGUEL CARBONELL

tirant lo blanch
Ciudad de México, 2026

© EDITA: TIRANT LO BLANCH
DISTRIBUYE: TIRANT LO BLANCH MÉXICO
Av. Tamaulipas 150, Oficina 502
Hipódromo, Cuauhtémoc, 06100, Ciudad de México
Telf: +52 1 55 65502317
infomex@tirant.com
www.tirant.com/mex/
www.tirant.es
ISBN: 979-13-7040-138-2

ÍNDICE

CÓDIGO PENAL PARA EL ESTADO DE QUERÉTARO

CÓDIGO NACIONAL DE PROCEDIMIENTOS PENALES

Nota preliminar

Miguel Carbonell
Director del Centro de Estudios Jurídicos Carbonell AC

El Derecho penal constituye una de las manifestaciones más intensas del poder punitivo del Estado y, al mismo tiempo, uno de los ámbitos en los que con mayor claridad se ponen a prueba los principios del constitucionalismo contemporáneo, la protección de los derechos humanos y las garantías del debido proceso[1]. El estudio riguroso de esta disciplina exige una comprensión integrada del derecho penal sustantivo y del derecho procesal penal, pues solo a partir de su interacción es posible valorar adecuadamente la legitimidad de la intervención penal y la corrección de las decisiones jurisdiccionales[2]. Esta obra responde a esa exigencia al reunir, en un solo volumen, el **Código Penal para el Estado de Querétaro** y el **Código Nacional de Procedimientos Penales**.

El **Código Penal para el Estado de Querétaro**, en su versión vigente y actualizada, establece las bases normativas del ius puniendi local. Desde sus disposiciones generales, el ordenamiento define con precisión los principios de aplicación de la ley penal en el espacio, en el tiempo y respecto de las personas, así como las categorías fundamentales de la teoría del delito: tipicidad, antijuridicidad, culpabilidad, imputabilidad, tentativa, formas de intervención y concurso de delitos. Estas reglas constituyen el andamiaje dogmático indispensable para una interpretación racional y garantista del sistema penal.

La parte general del Código queretano refleja una preocupación constante por la proporcionalidad de las penas, la individualización judicial de las sanciones y la incorporación de medidas de seguridad orientadas a la reinserción social y a la protección de las víctimas. Especial relevancia adquieren las disposiciones relativas a la responsabilidad penal de las personas jurídicas, a la

---

1 Carbonell, Miguel, *El debido proceso*, México, Centro Carbonell, 2018.

2 "Esquemas y culturas penales y procesal-penales... están siempre conectadas entre sí. Y esta conexión es histórica, además de teórica, puesto que los avatares del derecho penal material y de la teoría del delito han estado siempre modelados sobre las instituciones judiciales, y a la inversa", Ferrajoli, Luigi, *Derecho y razón*, Madrid, Trotta, 1995, p. 538.

reparación integral del daño y a los mecanismos de sustitución y suspensión de penas, que evidencian una concepción moderna del Derecho penal, menos centrada en la retribución y más atenta a la prevención y a la justicia restaurativa.

Por su parte, la parte especial del Código Penal desarrolla un catálogo amplio y sistemático de tipos penales que tutelan los bienes jurídicos fundamentales, como la vida, la integridad personal, la libertad, la seguridad, el patrimonio, la administración pública y la fe pública. En este ámbito, el legislador local ha incorporado figuras que responden a problemáticas sociales contemporáneas, como el feminicidio, los delitos relacionados con la violencia de género y diversas conductas de alto impacto social, lo que obliga a una lectura cuidadosa y técnicamente fundada de cada tipo penal.

La obra se complementa con el **Código Nacional de Procedimientos Penales**, eje del sistema penal acusatorio en México. Este ordenamiento regula las etapas del procedimiento penal, los derechos y deberes de las partes, los estándares probatorios, las técnicas de investigación, las salidas alternas y las formas de terminación anticipada del proceso. Su inclusión resulta indispensable para comprender cómo las normas sustantivas del Código Penal se aplican en la práctica, bajo un modelo procesal basado en la oralidad, la contradicción, la inmediación judicial y el respeto estricto al debido proceso.

Desde una perspectiva pedagógica, esta edición permite al lector advertir con claridad la relación funcional entre el tipo penal, la teoría del delito y las reglas procesales que rigen su investigación, enjuiciamiento y sanción. Para estudiantes de derecho, ofrece una visión integral del sistema penal; para operadores jurídicos —jueces, ministerios públicos, defensores, asesores jurídicos y litigantes—, constituye una herramienta de consulta confiable y actualizada para la argumentación jurídica y la toma de decisiones.

La comprensión detallada del proceso penal debe enmarcarse dentro de la prohibición existente en los Estados contemporáneos de la histórica venganza privada. Son los órganos públicos y no los propios afectados los que deben imponer las sanciones a aquellas personas que violan las normas jurídico-penales, tal como lo señala el artículo 17 de la Constitución mexicana. Se tiende, en consecuencia, a un sistema de "hetero-composición" de los conflictos sociales[3].

---

[3] Alcalá-Zamora y Castillo, Niceto, *Proceso, autocomposición y autodefensa. Contribución al estudio de los fines del proceso*, 3ª edición (reimpresión), México, UNAM, 2018.

Esta tarea de los órganos públicos en materia punitiva requiere de límites claros, pues también la persecución penal puede caer en excesos y ser fuentes de graves injusticias. La historia demuestra que la imposición de las penas y de los castigos por parte del Estado ha sido una permanente fuente de injusticias. El proceso penal moderno intenta limitar dichos excesos a través, por ejemplo, de resaltar la presunción de inocencia a la que alude precisamente el artículo 2 del Código Nacional de Procedimientos Penales (y que se encuentra enunciado de manera más amplia en el artículo 13 del mismo Código), el cual es un derecho humano reconocido por la Constitución, por los tratados de derechos humanos firmados por México y desarrollado en la jurisprudencia de nuestra Suprema Corte de Justicia de la Nación.

Todo proceso penal moderno debe luchar por la consecución del objetivo de proteger a las personas inocentes y evitar los excesos en el ejercicio de la facultad de imponer sanciones a cargo del Estado, requiere una estricta formalización de la respuesta jurídico-penal frente a la realización de conductas que la ley señala como delitos. Al respecto Claus Roxin y Bernd Schünemann apuntan que "Los límites de la facultad de intervención estatal, que protegen al inocente en contra de persecuciones injustas y de excesivas restricciones de la libertad, y, que también deben garantizar al culpable de salvaguardia de todos sus derechos de defensa, caracterizan al *principio de formalidad* del procedimiento"[4].

Solamente el respeto a dicha formalidad va a permitir que exista una justicia penal que resguarde a la vez el valor de la verdad (aunque sea una verdad contextualizada por las exigencias y finalidades del proceso penal)[5], evite castigos arbitrarios, permita a las víctimas obtener reparación y respeto a sus derechos humanos, y (al menos como aspiración), permita restaurar la paz social[6].

---

4 Roxin, Claus y Schünemann, Bernd, *Derecho procesal penal*, Buenos Aires, Ediciones Didot, 2019, p. 58.

5 Sobre las exigencias contextuales que existen en el proceso moderno en relación al objetivo de la búsqueda de la verdad, ver las atinadas reflexiones de Taruffo, Michele, *La prueba de los hechos*, Madrid, Trotta, 2002, páginas 21 y siguientes; así como las aportaciones de Gascón, Marina, *Los hechos en el derecho. Bases argumentales de la prueba*, 3ª edición, Madrid, Marcial Pons, 2010, páginas 113 y siguientes.

6 Roxin, Claus y Schünemann, Bernd, *Derecho procesal penal*, cit., p. 59.

En un contexto de permanente debate sobre los límites y alcances del Derecho penal, esta obra aspira a contribuir a una práctica jurídica más técnica, responsable y respetuosa de los derechos fundamentales. Su propósito es servir como instrumento de estudio y trabajo que facilite la comprensión sistemática del derecho penal y procesal penal, y que fortalezca la calidad de la justicia penal en el ámbito local y nacional.

Se ha añadido al final una selección jurisprudencial en la que el lector podrá encontrar algunos criterios del Poder Judicial de la Federación que abordan temas relevantes del derecho penal mexicano en sus vertientes sustantiva y adjetiva.

Código Penal para el Estado de Querétaro

Última reforma 7 de noviembre de 2025

LIBRO PRIMERO

TÍTULO PRIMERO
APLICACIÓN DE LA LEY PENAL

CAPÍTULO I
APLICACIÓN EN EL ESPACIO

Artículo 1. Este Código se aplicará a los hechos que el mismo regula que se realicen en el Estado de Querétaro y sean de la competencia de sus Tribunales.

Artículo 2. También se aplicará a los hechos que regula que se inicien, preparen o cometan en otra Entidad Federativa cuando produzcan o se pretenda que tengan efectos dentro del Territorio del Estado de Querétaro, siempre y cuando el imputado se encuentre en este y no se haya ejercitado acción penal en su contra en la entidad federativa donde cometió el delito que sea de la competencia de sus Tribunales.

CAPÍTULO II
APLICACIÓN EN EL TIEMPO

Artículo 3. Es aplicable la Ley Penal vigente en el tiempo de realización del delito.

Artículo 4. Cuando entre la perpetración del delito y la extinción de la pena o medida de seguridad se pusieren en vigor una o varias Leyes aplicables al caso, las autoridades competentes estarán a lo previsto por la Ley más favorable al reo.

Artículo 5. La Ley dictada para regir por tiempo determinado o en una situación excepcional, se aplicará por los hechos cometidos durante su vigencia y aún después de haber cesado ésta.

CAPÍTULO III
APLICACIÓN EN CUANTO A LAS PERSONAS

Artículo 6. Las disposiciones de este Código se aplicarán por igual a todas las personas con las excepciones que establezcan las Leyes.

CAPÍTULO IV
LEYES ESPECIALES

Artículo 7. Cuando se cometa un delito tipificado en otra Ley, se aplicará ésta observándose las disposiciones de este Código en lo no previsto por aquélla.

CAPÍTULO V
CONCURSO APARENTE DE NORMAS

Artículo 8. Cuando una misma materia aparezca regulada por diversas disposiciones, la especial prevalecerá sobre la general, la de mayor alcance absorberá a la de menor amplitud y la principal excluirá a la subsidiaria.

TÍTULO SEGUNDO
EL HECHO DELICTIVO

CAPÍTULO I
EL DELITO

Artículo 9. El delito es la conducta típicamente antijurídica y culpable.

CAPÍTULO II
NEXO CAUSAL DEL HECHO

Artículo 10. Solo podrá ser sancionado quien sea causa del resultado típico penal como resultado de su acción u omisión.

Las concausas, sean preexistentes, simultáneas o posteriores, no impiden la atribución del resultado al agente, salvo que excluyan la relación de causalidad por haber sido suficientes, por sí mismas, para producir el resultado, en cuyo caso sólo se sancionará la acción u omisión anterior cuando constituya delito por sí misma.

Lo dispuesto en el párrafo precedente, tendrá aplicación aún cuando la concausa preexistente, simultánea o posterior, consista en el hecho ilícito de otro.

Artículo 11. En los delitos de resultado material por conducta omisiva, responderá quien no lo impida, si podía hacerlo y debía jurídicamente evitarlo.

CAPÍTULO III
FORMAS DE INTEGRACIÓN TÍPICA

Artículo 12. Para los efectos de este Código, el delito es:

I. Instantáneo, cuando la consumación se agota en el mismo momento en que se han realizado todos los elementos de la descripción legal;

II. Permanente, cuando la consumación se prolonga en el tiempo pudiendo cesar por voluntad del agente.

III. Continuado, cuando con unidad de determinación se realizan varias conductas con solución de continuidad, violatorias al mismo precepto legal, y exista unidad en el sujeto pasivo. (Ref. P.O. No. 52, 19-XII-96)

CAPÍTULO IV
LA IMPUTABILIDAD

Artículo 13. Es imputable penalmente la persona mayor de dieciocho años que, en el momento de cometer la conducta típica tenga la capacidad para comprender su carácter ilícito y de determinar aquélla en razón de esa comprensión.

CAPÍTULO V
FORMAS DE CULPABILIDAD

Artículo 14. En orden a la culpabilidad los delitos son:

I. Dolosos;

II. Culposos, y

III. Derogada. (P.O. No. 39, 27-V-22)

Obra dolosamente el que, conociendo las circunstancias del hecho típico, quiere o acepta el resultado prohibido por la Ley.

Obra culposamente el que realiza el hecho típico que no previó siendo previsible o previó confiando en poder evitarlo, infringiendo un deber de cuidado que debía y podía observar según las circunstancias y condiciones personales.

CAPÍTULO VI
TENTATIVA

Artículo 15. Existe tentativa punible cuando la resolución de cometer un delito se exterioriza ejecutando u omitiendo, en parte o totalmente la conducta que debería producir o evitar el resultado, si aquélla se interrumpe o el resultado no acontece por causas ajenas a la voluntad del agente.

Cuando el delito no se pudiera consumar por inexistencia del bien jurídico titulado o del objeto material, no será punible la tentativa, a no ser que se trate de delitos contra la vida o la salud personal. Pero aún en estos casos, no será punible la tentativa cuando el agente emplee medios notoriamente inidóneos. (Ref. P.O. No. 60, 31-XII-91)

Si el sujeto desiste espontáneamente de la ejecución o impide la consumación del delito, no se impondrá pena ni medida de seguridad alguna, a no ser que los actos ejecutados u omitidos, constituyan por sí mismos delito, en cuyo caso se le impondrá la pena o medida señalada para éste.

CAPÍTULO VII
PERSONAS RESPONSABLES DE LOS DELITOS

Artículo 16. Responderá del delito quien ponga culpablemente una condición para su realización.

De igual forma responderá el que ofrezca auxiliar o auxilie al delincuente por una promesa anterior a la comisión del delito.

Artículo 17. Cuando sin acuerdo previo ni adherencia, varias personas intervengan en la comisión de un delito y se precise el daño que cada uno causó, se les sancionará por el que cada quien produjo.

Si no se precisa la causación específica, se aplicará a todos la pena prevista por el Artículo 84 de esta Ley.

Artículo 18. La responsabilidad penal no pasa de la persona y bienes del delincuente.

Artículo 19. Las personas jurídicas o morales serán penalmente responsables en los términos y supuestos establecidos por el Código Nacional de Procedimientos Penales. (Ref. P.O. No. 39, 27-V-22)

A las personas jurídicas o morales se les podrá imponer una o varias de las medidas de seguridad previstas en el Código Nacional de Procedimientos Penales. (Ref. P.O. No. 39, 27-V-22)

CAPÍTULO VIII
COMUNICABILIDAD DE LAS CIRCUNSTANCIAS

Artículo 20. Sólo será punible la conducta de los partícipes si el hecho del autor ha alcanzado a lo menos el grado de tentativa, y cada uno responderá en la medida de su propia culpabilidad.

Artículo 21. Las causas personales de exclusión de la pena, sólo favorecerán al partícipe en quien concurran.

Artículo 22. Las circunstancias del delito preponderantemente objetivas, que aumenten o disminuyan la sanción, aprovechan o perjudican a todos los que intervengan en su comisión.

Artículo 23. Las relaciones o cualidades personales y los demás elementos subjetivos de la descripción legal, que aumenten o disminuyan la sanción, no tendrán influencia sobre los partícipes, excepto cuando tengan conocimiento de ellas.

No es imputable al acusado el aumento de gravedad proveniente de circunstancias personales del ofendido, si las ignorare inculpablemente al cometer el delito.

CAPÍTULO IX
CONCURSO DE DELITOS

Artículo 24. Existe concurso ideal cuando con una sola conducta se cometen varios delitos.

Existe concurso real cuando con pluralidad de conductas se cometen varios delitos.

CAPÍTULO X
CAUSAS DE INEXISTENCIA DE DELITO

Artículo 25. Son causas de inexistencia de delito:

I. Incurrir el agente en actividad o inactividad involuntarias;

II. Cuando falte alguno de los elementos de la descripción legal;

III. Cuando se repela una agresión real, actual, o inminente, sin derecho, en protección de bienes jurídicos propios o ajenos, siempre que exista necesidad racional de la defensa o medios empleados y no medie provocación suficiente o inmediata por parte del agredido o de la persona a quien se defiende.

Se presumirá como legítima defensa, salvo prueba en contrario, cuando no habiendo posibilidad de auxilio inmediato se cause un daño a quien a través de la violencia, o por cualquier otro medio, trate de penetrar sin derecho, al hogar del agente, de la familia de éste, o a sus dependencias, o a las de cualquier persona que tenga el mismo deber de defender, o al sitio donde se encuentren bienes propios o ajenos respecto de los que exista la misma obligación; o bien, lo encuentre en alguno de aquellos lugares en circunstancias tales que revelen la posibilidad de agresión, o cuando se cause un daño a quien forme parte de un grupo de tres o más personas cuya actitud demuestre la inminencia de una agresión grave.

Existe exceso en el caso previsto en esta fracción cuando no haya proporcionalidad en el medio empleado y en el daño ocasionado;

IV. Cuando se obre por la necesidad de salvaguardar un bien jurídico propio o ajeno, de un peligro real, grave actual o inminente no ocasionado dolosamente por el agente y que no tuviere el deber jurídico de afrontar, lesionando otro bien de menor valor que el salvaguardado, siempre que la conducta sea proporcional al peligro y no exista otro medio practicable y menos perjudicial para superarlo.

Hay exceso en el caso previsto en esta fracción cuando el mal que se evita no sea racionalmente proporcionado al causado para evitarlo;

V. Cuando el hecho se comete con el consentimiento indubitable y libre del titular del bien jurídico afectado, siempre que se trate de aquéllos de que lícitamente se puede disponer;

VI. Obrar en forma legítima en cumplimiento de un deber jurídico o en ejercicio legítimo de un derecho, siempre que exista necesidad racional del medio empleado para cumplir el deber o ejercer el derecho y no se haga con el solo propósito de perjudicar a otro;

VII. Contravenir lo dispuesto en una Ley penal por impedimento legítimo o insuperable;

VIII. Producir un daño en la práctica de un deporte consentido por el Estado, siempre que se hayan observado las reglas del mismo;

IX. Derogada. (P.O. No. 12, 25-II-11)

X. Padecer ceguera o sordomudez de nacimiento con total falta de instrucción;

XI. Al momento de realizar el hecho típico, el agente padezca enajenación mental, trastorno mental transitorio, desarrollo intelectual retardado, o cualquier otro estado mental, que le impida comprender el carácter ilícito de aquél o conducirse de acuerdo con esa comprensión, excepto en los casos en que el propio agente haya provocado esa incapacidad para cometer el delito.

Tratándose de enajenación mental y de desarrollo intelectual retardado, se estará siempre a lo dispuesto en el Artículo 62 de ese Código.

En el caso de transtorno mental transitorio o de cualquier otro estado mental de la misma naturaleza, sólo se estará a lo dispuesto en el Artículo 62 de esta Ley si el sujeto requiere tratamiento; en caso contrario se le pondrá en absoluta libertad.

XII. Se realice el hecho bajo un error invencible respecto a alguno de los elementos esenciales que integran la descripción legal, o, por error igualmente invencible, estime el sujeto activo que su conducta es lícita, porque crea que está amparada por una causa de justificación o porque desconozca la existencia de la Ley o el alcance de ésta.

Si el error es vencible se estará a lo dispuesto por el Artículo 80 de este Código.

XIII. Cuando para salvar un bien jurídico propio o ajeno el sujeto obre bajo coacción o peligro de un mal real, inminente o actual, no ocasionado por él culpablemente sea o no provocado por acción de un tercero lesionando otro bien jurídico de igual valor.

XIV. Cuando atentas las circunstancias que concurran a la realización de una conducta antijurídica, no sea racionalmente posible exigir al agente una conducta diversa a la que realizó, en virtud de no haberse podido determinar conforme a derecho.

XV. Cuando se ejecute una conducta típica bajo el influjo de un temor fundado e irresistible de un mal inminente y grave. No favorecerá esta causa de inexistencia de delito a quien por su empleo o cargo tenga el deber legal de afrontar el peligro.

XVI. Obedecer la orden de un superior en el orden jerárquico aún cuando su ejecución constituya un delito si esta circunstancia no es notoria ni se prueba que el acusado la conocía.

XVII. Cuando se produzca un resultado típico por caso fortuito.

Artículo 26. Las causas que excluyen el delito se invetigarán y harán valer, en cualquier estado del procedimiento, de oficio o a petición de parte interesada.

TÍTULO TERCERO
PENAS Y MEDIDAS DE SEGURIDAD

CAPÍTULO I
REGLAS GENERALES

Artículo 27. Las penas son:
I. Prisión;
II. Tratamiento en libertad;
III. Semilibertad;
IV. Multa;
V. Reparación de daños y perjuicios;
VI. Trabajos en favor de la comunidad;
VII. Publicación de sentencia condenatoria;
VIII. Destitución, y
IX. Las demás que prevengan las Leyes.

Artículo 28. Son medidas de seguridad:
I. Vigilancia de la Autoridad;
II. Suspensión, privación e inhabilitación de derechos y funciones;
III. Confinamiento;
IV. Prohibición de ir a una circunscripción territorial determinada o de residir en ella;
V. Decomiso, destrucción y aplicación de los instrumentos y objetos relacionados con el delito;
VI. Tratamiento de inimputables permanentes y de quienes tengan el hábito de consumir estupefacientes, psicotrópicos, bebidas embriagantes o cualquiera otra substancia tóxica;

VII. Intervención, remoción, prohibición de realizar determinadas operaciones y extinción de las personas jurídicas colectivas;

VIII. Amonestación; (Ref. P.O. No. 39, 27-V-22)

IX. Caución de no ofender; (Ref. P.O. No. 39, 27-V-22)

X. Medidas para mejorar la convivencia cotidiana; (Adición P.O. No. 39, 27-V-22)

XI. Atención a comportamientos violentos y sensibilización en materia de género; y (Adición P.O. No. 39, 27-V-22)

XII. Las demás que prevengan las leyes y ordenamientos aplicables para lograr la reinserción del sentenciado y la seguridad de la víctima u ofendido del delito. (Adición P.O. No. 39, 27-V-22)

La Fiscalía General del Estado de Querétaro, podrá solicitar la imposición de las medidas de seguridad. (Adición P.O. No. 39, 27-V-22)

Artículo 29. Las penas y medidas de seguridad se entienden impuestas en los términos y con las modalidades señaladas por este Código y por la ley encargada de su ejecución; serán aplicadas por las autoridades competentes, con los propósitos previstos por el artículo 18 de la Constitución Política de los Estados Unidos Mexicanos, ajustándose a la resolución judicial respectiva. (Ref. P.O. No. 77, 17-XI-06)

Las penas y medidas de seguridad que se impongan, deberán ser las necesarias, idóneas y pertinentes para la reinserción social, así como para la protección de las víctimas u ofendidos del delito y la reparación del daño ajustándose a la resolución respectiva. (Ref. P.O. No. 39, 27-V-22)

SUBTÍTULO PRIMERO
DE LAS PENAS

CAPÍTULO II
PRISIÓN

Artículo 30. La prisión consiste en la privación de la libertad, su duración será de tres días a cincuenta años, y se extinguirá en los establecimientos que señale el órgano ejecutor de sanciones. (Ref. P.O. No. 14, 2-IV-99)

CAPÍTULO III
TRATAMIENTO EN LIBERTAD

Artículo 31. El tratamiento en libertad de imputables, es una medida sustitutiva de prisión fijada por el juez de la causa, consistente en la aplicación de medidas laborales, educativas y curativas, autorizadas por la ley y conducentes a la reinserción social del sentenciado, bajo la orientación y cuidado de la autoridad ejecutora. (Ref. P.O. No. 34, 17-VI-11)

El juez cuidará que la medida no exceda del tiempo correspondiente a la pena de prisión sustituida e informará al Ejecutivo para que proceda a su cumplimiento. (Ref. P.O. No. 77, 17-XI-06)

Artículo 32. Cuando el sujeto haya sido sentenciado por un delito que obedezca al efecto producido por el consumo o abuso de bebidas alcohólicas, estupefacientes, psicotrópicos o sustancias que produzcan efectos similares, además de la pena que corresponda, en sentencia el juez ordenará la aplicación de un tratamiento de deshabituación o desintoxicación, según el caso, informando al Ejecutivo para que proceda a su cumplimiento. (Ref. P.O. No. 77, 17-XI-06)

La duración del tratamiento a que se refiere el párrafo anterior, inicialmente será por el tiempo que dure la pena impuesta pero si transcurrida ésta, la autoridad ejecutora considera, a través de los estudios realizados, que es notoria la conveniencia de continuar con el tratamiento curativo, éste podrá prolongarse, únicamente con el consentimiento previo del sentenciado. (Ref. P.O. No. 77, 17-XI-06)

CAPÍTULO IV
SEMILIBERTAD

Artículo 33. La semilibertad implica alternación de periodos de privación de la libertad y de tratamiento en libertad. Se aplicará, según las circunstancias del caso del siguiente modo: Externación durante la semana de trabajo o educativa, con reclusión de fin de semana; salida de fin de semana, con reclusión durante el resto de ésta; o salida diurna, con reclusión nocturna. La duración de la semilibertad no podrá exceder de la correspondiente a la pena de prisión substituída.

CAPÍTULO V
MULTA

Artículo 34. La multa consiste en el pago de una cantidad de dinero al Estado, que se fijará por días multa, los cuales no podrán exceder de setecientos cincuenta, salvo los casos que la propia ley señale. El día multa equivale a la percepción neta diaria del inculpado en el momento de consumar el delito, tomando en cuenta todas sus percepciones. Para los efectos de este Código, el límite inferior del día multa será el equivalente al valor diario de la UMA vigente en el momento en que se consumó el delito. (Ref. P.O. No. 26, 28-III-18)

Por lo que toca al delito continuado se atenderá al valor diario de la UMA en el momento consumativo de la última conducta; para el permanente, se considerará el valor diario de la UMA en vigor en el momento en que cesó la consumación. (Ref. P.O. No. 26, 28-III-18)

Cuando se acredite que el sentenciado no puede pagar la multa o solamente puede cubrir parte de ella, el órgano jurisdiccional podrá substituirla total o parcialmente por prestación de trabajo a favor de la comunidad. (Ref. P.O. No. 34, 17-VI-11)

Cada jornada de trabajo saldará un día multa. Cuando no sea posible o conveniente la substitución de la multa por la prestación de servicios, el órgano jurisdiccional podrá colocar al sentenciado en libertad bajo vigilancia que no excederá del número de días multa substituidos. (Ref. P.O. No. 34, 17-VI-11)

Si el sentenciado se negare sin causa justificada a cubrir el importe de la multa, el Estado la exigirá mediante el procedimiento económico-coactivo.

La autoridad a quien corresponda el cobro de la multa, podrá fijar plazos para el pago de ésta.

En cualquier tiempo podrá cubrirse el importe de la multa descontándose de ésta, la parte proporcional a las jornadas de trabajo prestado en favor de la comunidad, o al tiempo de prisión que el reo hubiere cumplido, tratándose de la multa substitutiva de la pena privativa de libertad, caso en el cual la equivalencia será a razón de un día multa por día de prisión.

CAPÍTULO VI
REPARACIÓN DE DAÑOS Y PERJUICIOS

Artículo 35. La reparación de daños y perjuicios que deba ser hecha por el delincuente se exigirá de oficio por la Fiscalía General del Estado de Querétaro, con el que podrán coadyuvar el ofendido y su asesor jurídico, sus derechohabientes o sus representantes, en los términos que otorgue esta Ley y otras disposiciones aplicables. (Ref. P.O. No. 39, 27-V- 22)

Artículo 36. Quien se considere con derecho a la reparación de daños y perjuicios, que no pueda obtener ante el Juez Penal en virtud de no ejercicio de la acción por parte del Ministerio Público, sobreseimiento o sentencia absolutoria, podrá recurrir a la vía civil en los términos de la Legislación correspondiente.

Artículo 37. La reparación de daños y perjuicios comprende:

I. La restitución de la cosa obtenida por el delito y si no fuera posible, el pago del precio de la misma;

II. La indemnización del daño material y moral causado, incluyendo el pago de los tratamientos curativos que, como consecuencia del delito, sean necesarios para la recuperación de la salud de la víctima. En los casos de delitos contra la libertad e inexperiencias sexuales y de violencia familiar, además se comprenderá el pago de los tratamientos psicoterapéuticos que sean necesarios para la víctima; (Ref. P.O. No. 39, 27-V-22)

III. El resarcimiento de los perjuicios ocasionados; y (Ref. P.O. No. 39, 27-V-22)

IV. Las demás que contemple este Código y las disposiciones aplicables. (Adición P.O. No. 39, 27-V-22)

Artículo 38. En orden de preferencia, tienen derecho a la reparación del daño:

I. El ofendido, y

II. Las personas que dependen económicamente de él o tengan derecho a alimentos conforme a la Ley.

Artículo 39. La obligación de pagar el importe de la reparación de los daños y perjuicios es preferente con respecto al de la multa y se cubrirá primero que cualquier otra de las obligaciones personales que se hubieren contraido con posterioridad al delito, excepción hecha de las relacionadas con los alimentos y los salarios.

Artículo 40. Los responsables del delito están obligados mancomunada y solidariamente a cubrir el importe de la reparación de los daños y perjuicios.

Artículo 41. Si no se logra hacer efectivo todo el importe de la reparación de daños y perjuicios, lo que se obtenga se distribuirá proporcionalmente entre los que tienen derecho a ella, atendiendo a las cuantías señaladas en la sentencia ejecutoria, sin perjuicio de que si, posteriormente el sentenciado adquiere bienes suficientes, se cubrirá lo insoluto.

Artículo 42. Si las personas que tienen derecho a la reparación de daños y perjuicios renunciaren a ella, su importe se aplicará en favor de la Universidad Autónoma de Querétaro.

Artículo 43. La reparación de los daños y perjuicios será fijada por el Juzgador de acuerdo con las pruebas obtenidas en el proceso.

La reparación del daño moral será fijada al prudente arbitrio del Juez tomando en consideración la afectación moral sufrida por la víctima además de lo previsto en el Artículo 68 de este Código.

Artículo 44. El Juzgador, teniendo en cuenta el monto de los daños y perjuicios y la situación económica del obligado, podrá fijar plazos para el pago de la reparación de aquéllos, los que en conjunto no excederán de un año, pudiendo para ello exigir garantía si lo considera conveniente.

Artículo 45. Los objetos de uso lícito con que se cometa el delito, propiedad del imputado, se asegurarán de oficio por la autoridad jurisdiccional para garantizar el pago de la reparación del daño y solamente se levantará el aseguramiento o no se llevará a cabo, si se otorga caución bastante a juicio del Juez.

Artículo 46. La reparación de daños y perjuicios que deba exigirse a terceros, tendrá el carácter de responsabilidad civil y se tramitará en los términos establecidos por la normatividad aplicable en la materia. (Ref. P.O. No. 39, 27-V-22)

Artículo 47. Son terceros obligados a la reparación de los daños y perjuicios:

I. Los profesionistas, artistas o técnicos por los delitos que cometan sus auxiliares cuando estos obren de acuerdo con las instrucciones de aquellos;

II. Las personas físicas, las jurídicas colectivas y las que se ostentan con este carácter por los delitos que cometa cualquier persona vinculada por una relación laboral con ellas, cuando dicha comisión sea realizada con motivo y en el desempeño de sus servicios;

III. Las personas jurídicas colectivas o que se ostenten como tales, por los delitos cometidos por sus socios, gerentes, administradores o quienes actuen en su representación, cuando éstos sean realizados con motivo o con referencia a su relación con aquella.

En la sociedad conyugal cada cónyuge responderá con sus bienes propios, para la reparación de daños y perjuicios, y

IV. El Estado y los Municipios por los delitos que sus funcionarios o empleados cometan con motivo o en el desempeño de su servicio.

Artículo 48. El Estado cubrirá el daño material causado a quien hubiese obtenido el reconocimiento de su inocencia en los términos previstos en este Código o a sus derecho- habientes. La reparación del daño será dispuesta de oficio por la autoridad que resuelva el reconocimiento de la inocencia, tomando en cuenta el valor diario de la UMA vigente en el momento en que se hubiese supuesto la comisión del delito, a razón de una UMA por cada día en que la persona hubiera sido privada de su libertad durante el procedimiento y la ejecución de la pena o medida de seguridad. El juzgador mandará publicar los puntos resolutivos de la determinación correspondiente a costa del Estado, en los diarios de circulación mayor en el lugar en que resida el sujeto cuya inocencia se reconoce. (Ref. P.O. No. 26, 28-III-18)

Artículo 49. En caso de lesiones y homicidio y a falta de pruebas específicas respecto al daño causado, los jueces tomarán como base el valor diario de la UMA vigente en el momento que ocurran los hechos y las disposiciones que en materia de indemnizaciones sobre riesgos de trabajo establezca la Ley Federal del Trabajo. (Ref. P.O. No. 26, 28-III-18)

CAPÍTULO VII
TRABAJOS EN FAVOR DE LA COMUNIDAD

Artículo 50. El trabajo en favor de la comunidad consiste en la prestación de servicios no remunerados en instituciones públicas educativas o de asistencia social, o en instituciones privadas asistenciales y se desarrollará en forma que no resulte denigrante para el sentenciado, en jornadas de trabajo dentro de los periodos distintos al horario normal de sus labores, sin que exceda de la jornada extraordinaria que determine la Ley Laboral y bajo la orientación y vigilancia de la autoridad ejecutora. Cada día multa podrá substituirse por una jornada de trabajo en favor de la comunidad.

La extensión de la jornada de trabajo será fijada por la autoridad judicial, tomando en cuenta las circunstancias del caso. (Ref. P.O. No. 39, 27-V-22)

CAPÍTULO VIII
PUBLICACIÓN DE SENTENCIA CONDENATORIA

Artículo 51. La publicación de sentencia condenatoria consiste en la inserción total o parcial de ella hasta en dos periódicos que circulen en el Distrito Judicial en que se dicte la sentencia o en la capital del Estado, o por cualquier otro medio de comunicación social los cuales serán señalados por el Juez, quien resolverá la forma en que deberá hacerse la publicación.

La publicación se hará a costa del delincuente; si esto no es posible y lo solicita el ofendido, se hará a costa de éste o del Estado.

La publicación procederá a criterio del Juez, en delitos contra el honor de las personas y la administración o fe públicas.

Si el delito por el que se impuso la publicación de sentencia, fue cometido a través de un medio de comunicación social, además de la publicación a que se refiere este Artículo, se hará también por el medio empleado al cometer el delito, con las mismas características que se hubieren utilizado.

CAPÍTULO IX
DESTITUCIÓN

Artículo 52. La destitución consiste en la separación del reo de su cargo, función o empleo cuando tenga el carácter de servidor público en los casos que prevengan las leyes.

SUBTÍTULO SEGUNDO
DE LAS MEDIDAS DE SEGURIDAD

CAPÍTULO X
VIGILANCIA DE LA AUTORIDAD

Artículo 53. La vigilancia de la autoridad tendrá un doble carácter:

I. La que se impone por disposición expresa de la Ley, y

II. La que se podrá imponer, discrecionalmente, a los responsables de delitos de robo, lesiones y homicidio dolosos, y en aquellos casos en que el Juez lo considere conveniente.

En el primer caso la duración de la vigilancia será señalada en la sentencia. En el segundo, la vigilancia comenzará a partir del momento en que el sentenciado extinga la pena de prisión y no podrá exceder de un lapso de cinco años.

CAPÍTULO XI
SUSPENSIÓN, PRIVACIÓN E INHABILITACIÓN DE DERECHOS Y FUNCIONES

Artículo 54. La suspensión consiste en la pérdida temporal de derechos y funciones y puede ser de dos clases:

I. La que por ministerio de Ley es consecuencia necesaria de otra pena, y

II. La que se impone como pena independiente.

En el primer caso, la suspensión comienza y concluye con la pena de que es consecuencia.

En el segundo caso, si se impone con otra pena privativa de libertad, comenzará al quedar compurgada ésta. Si la suspensión no va acompañada de prisión, empezará a contar desde que cause ejecutoria la sentencia. En caso de que el reo se vea beneficiado con condena condicional, la suspensión comenzará a contarse a partir de la fecha en que cause ejecutoria la sentencia.

Artículo 55. La prisión suspende o interrumpe los derechos políticos y de tutela, curatela, apoderado, defensor, albacea, perito, depositario o interventor judicial, síndico o interventor en quiebra, árbitro, arbitrador o representante de ausentes. En todo caso, una vez que cause ejecutoria la sentencia el órgano jurisdiccional comunicará al Registro Nacional de Electores, la suspensión de derechos políticos impuesta al reo.

Artículo 56. La privación es la pérdida definitiva de derechos y funciones y surtirá sus efectos desde el momento en que cause ejecutoria la sentencia.

Artículo 57. La inhabilitación consiste en la incapacidad temporal o definitiva para obtener y ejercer derechos o funciones.

Tratándose de delitos por hechos de corrupción, la inhabilitación consistirá en la prohibición de participar en adquisiciones, arrendamientos, servicios u obras públicas, concesiones de prestación de servicio público o de explotación, aprovechamiento y uso de bienes de dominio del Estado o sus Municipios, por el mismo tiempo de la pena de prisión impuesta. (Adición P.O. No. 39, 27-V-22)

Son aplicables a la inhabilitación las disposiciones contenidas en el artículo 54 de este Código. (Ref. P.O. No. 39, 27-V-22)

CAPÍTULO XII
CONFINAMIENTO

Artículo 58. El confinamiento consiste en la obligación de residir en determinada circunscripción territorial y no salir de ella. El órgano jurisdiccional hará la designación de la circunscripción y fijará el término de su duración, que no excederá de cinco años conciliando las exigencias de la tranquilidad pública con las circunstancias personales del sentenciado.

CAPÍTULO XIII
PROHIBICIÓN DE IR A UNA CIRCUNSCRIPCIÓN TERRITORIAL DETERMINADA O DE RESIDIR EN ELLA

Artículo 59. El órgano jurisdiccional, tomando en cuenta las circunstancias del delito y las propias del delincuente, podrá disponer que éste no vaya a una circunscripción territorial determinada o que no resida en ella; esta prohibición no excederá de cinco años.

CAPÍTULO XIV
DECOMISO, DESTRUCCIÓN Y APLICACIÓN DE LOS INSTRUMENTOS Y OBJETOS RELACIONADOS CON EL DELITO

Artículo 60. El decomiso, aseguramiento, restitución o embargo se sujetarán a lo dispuesto por el Código Nacional de Procedimientos Penales y los bienes serán entregados a las instancias de la entidad, en la proporción equivalente y establecida en el ordenamiento antes mencionado. (Ref. P.O. No. 39, 27-V-22)

Artículo 61. Derogado. (P.O. No. 39, 27-V-22)

Artículo 61 Bis. En caso de que el objeto de aseguramiento o decomiso sean animales vivos, se canalizarán a lugares adecuados para su debido cuidado; se dará aviso a las autoridades correspondientes y serán trasladados a zoológicos, santuarios o unidades de control animal que cubran las necesidades totales del animal, durante el procedimiento y después del mismo. (Adición P.O. No. 64, 7-XI-14)

En cualquier momento la Fiscalía General del Estado de Querétaro o la autoridad judicial podrán disponer la entrega de animales domésticos para su cuidado y atención, privilegiando el mejor destino en los términos de la ley, a las asociaciones u organizaciones protectoras debidamente constituidas; en caso de que terceros aleguen derechos, podrá realizarse la entrega una vez que se cubran los gastos erogados correspondientes. (Ref. P.O. No. 39, 27-V-22)

CAPÍTULO XV
TRATAMIENTO DE INIMPUTABLES PERMANENTES Y DE QUIENES TENGAN EL HÁBITO DE CONSUMIR ESTUPEFACIENTES, PSICOTRÓPICOS, BEBIDAS EMBRIAGANTES O CUALQUIER OTRA SUBSTANCIA TÓXICA

Artículo 62. En el caso de los inimputables permanentes el órgano jurisdiccional dispondrá las medidas de tratamiento aplicables en internamiento o en libertad, previo el procedimiento correspondiente.

Si se trata de internamiento, el sujeto inimputable permanente, será recluido en la institución correspondiente para su tratamiento.

En caso de que los inimputables tengan el hábito o la necesidad de consumir estupefacientes, psicotrópicos, bebidas embriagantes o cualquier otra substancia tóxica, el juez de la causa o, en su caso, el juez competente de ejecución, ordenará también el tratamiento que proceda por parte de la autoridad sanitaria competente o de otro servicio médico bajo la supervisión de aquélla, independientemente de la prosecución del proceso o de la ejecución de la pena impuesta por el delito cometido. (Ref. P.O. No. 34, 17-VI-11)

Las mismas disposiciones del párrafo que antecede, se aplicarán para el caso de los imputables que tengan el hábito de consumir estupefacientes o psicotrópicos. (Adición P.O. No. 54, 19-IX-12)

Artículo 63. Los inimputables permanentes podrán ser entregados por el órgano jurisdiccional o por la autoridad ejecutora, en su caso, a quienes legalmente corresponda hacerse cargo de ellos, siempre que se obliguen a tomar las medidas adecuadas para su tratamiento y vigilancia, garantizando, por cualquier medio y a satisfacción de las mencionadas autoridades, el cumplimiento de las obligaciones contraídas.

La autoridad jurisdiccional podrá resolver sobre la modificación o conclusión de la medida, en forma provisional o definitiva, considerando las necesidades del tratamiento, las que se acreditarán mediante revisiones periódicas, con la frecuencia y características del caso. (Ref. P.O. No. 34, 17-VI-11)

Artículo 64. En ningún caso la medida de tratamiento impuesta por el órgano jurisdiccional, excederá de la duración que corresponda al máximo de la pena aplicable al delito. Si concluído este tiempo, la autoridad ejecutora considera que el sujeto continúa necesitando el tratamiento, lo pondrá a disposición de las autoridades sanitarias para que procedan conforme a las leyes aplicables.

CAPÍTULO XVI
INTERVENCIÓN, REMOCIÓN, PROHIBICIÓN DE REALIZAR DETERMINADAS OPERACIONES Y EXTINCIÓN DE LAS PERSONAS JURÍDICAS COLECTIVAS

Artículo 65. La intervención consiste en la vigilancia del manejo de los órganos de representación de la persona jurídica colectiva con las atribuciones que al interventor confiere la Ley, sin que su duración pueda exceder de dos años.

La remoción consiste en substituir a los administradores de la persona jurídica colectiva, encargando su función temporalmente a un interventor designado por el órgano jurisdiccional.

La prohibición de realizar determinadas operaciones se refiere exclusivamente a las que determine el juzgador, las que en todo caso deberán tener relación directa con el delito cometido.

La extinción consiste en la disolución y liquidación de la persona jurídica colectiva. Estas medidas de seguridad, se aplicarán en forma tal que se dejen a salvo los derechos de trabajadores y terceros frente a la persona jurídica colectiva.

CAPÍTULO XVII
AMONESTACIÓN

Artículo 66. La amonestación consiste en la advertencia que el órgano jurisdiccional hace al sentenciado en diligencia formal, explicándole las consecuencias del delito que cometió, exhortándolo a la enmienda y previniéndole de las consecuencias en caso de cometer otro delito.

La amonestación se hará en privado o públicamente a juicio del órgano jurisdiccional y procederá en toda sentencia de condena que cause ejecutoria.

CAPÍTULO XVIII
CAUCIÓN DE NO OFENDER

Artículo 67. La caución de no ofender consiste en la garantía que el órgano jurisdiccional puede exigir al inculpado para que no se repita el daño causado o que quiso causar al ofendido. Si se realiza el nuevo daño, la garantía se hará efectiva en favor del Estado, en la sentencia que se dicte por el nuevo delito.

Si desde que cause ejecutoria la sentencia que impuso la caución transcurre un lapso de tres años sin que el inculpado haya repetido el daño, el órgano jurisdiccional ordenará de oficio, o a solicitud de parte, la cancelación de la garantía.

Si el inculpado no puede otorgar la garantía, ésta será substituída por vigilancia de la autoridad durante un lapso que no excederá de tres años.

CAPÍTULO XIX
MEDIDAS PARA MEJORAR LA CONVIVENCIA COTIDIANA

(Adición P.O. No. 39, 27-V-22)

Artículo 67 Bis. Las medidas para mejorar la convivencia cotidiana son actividades de utilidad social realizadas personalmente por el sentenciado, destinadas al beneficio educativo, cultural, deportivo o cualquier otro que promueva la legalidad, el respeto a las instituciones y la convivencia comunitaria. (Adición P.O. No. 39, 27-V-22)

Las medidas para mejorar la convivencia cotidiana serán fijadas por la autoridad judicial las cuales podrán ser de 150 a 1500 jornadas, desarrollándose de forma que, no resulten denigrantes para el sentenciado, cuantificándose en jornadas laborales extraordinarias en periodos distintos al horario normal de sus labores según las circunstancias del caso, cuya duración no podrá exceder de los máximos legales aplicables a las jornadas extraordinarias previstas en la Ley Federal del Trabajo. (Adición P.O. No. 39, 27-V-22)

CAPÍTULO XX
ATENCIÓN A DELITOS VIOLENTOS Y SENSIBILIZACIÓN EN MATERIA DE GÉNERO

(Adición P.O. No. 39, 27-V-22)

Artículo 67 Ter. Para la atención de delitos violentos y sensibilización en materia de género, la autoridad judicial podrá imponer al sujeto activo el sometimiento a cualquier método de atención que otorgue el estado u organización privada, debidamente acreditada o certificada, para procurar que las conductas no se repitan y contribuyan en los procesos de reinserción social. (Adición P.O. No. 39, 27-V-22)

El juez podrá imponer como medidas de seguridad el tratamiento que estime idóneo y resulte procedente para acceder a los beneficios conmutativos o sustitutivos de la pena. (Adición P.O. No. 39, 27-V-22)

En ningún caso la medida de tratamiento impuesta por el órgano jurisdiccional, excederá de la duración que corresponda al máximo de la pena aplicable al delito. (Adición P.O. No. 39, 27-V-22)

La autoridad judicial podrá resolver sobre la modificación o conclusión de la medida, en forma provisional o definitiva, considerando las necesidades y avances del tratamiento. (Adición P.O. No. 39, 27-V-22)

TÍTULO CUARTO
APLICACIÓN DE PENAS Y MEDIDAS DE SEGURIDAD

CAPÍTULO I
REGLAS GENERALES

Artículo 68. La autoridad judicial fijará las penas y medidas de seguridad conforme a las disposiciones establecidas por el Código Nacional de Procedimientos Penales. (Ref. P.O. No. 39, 27-V-22)

La Fiscalía General del Estado de Querétaro, tratándose de los supuestos en que el sentenciado sea merecedor de un beneficio, podrá solicitar la imposición de medidas de seguridad, incluyendo las medidas para mejorar la convivencia cotidiana, de conformidad con las disposiciones aplicables. (Ref. P.O. No. 39, 27-V-22)

En aquellos delitos que tengan señaladas pena privativa de libertad en forma alternativa con cualquier otra, en todo caso se impondrá la de prisión al imputado cuando este haya cometido con anterioridad delito doloso y por el cual se haya dictado sentencia condenatoria ejecutoriada, o existiendo acumulación de expedientes, resulte responsable de los delitos a que se refieren los expedientes acumulados. (Ref. P.O. No. 39, 27-V-22)

El incumplimiento de penas y medidas de seguridad, impedirá el otorgamiento de beneficios ante la comisión de otros delitos. (Ref. P.O. No. 39, 27-V-22)

Artículo 69. Derogado. (P.O. No. 39, 27-V-22)

Artículo 70. Cuando este Código prevea la disminución o el aumento de una pena con referencia a otra, la pena se fijará aplicando la disminución o el aumento de los términos mínimo y máximo de la punibilidad que sirva como referencia.

CAPÍTULO II
PUNIBILIDAD EN CASO DE EXCESO

Artículo 71. Al que se exceda en los casos de legítima defensa, estado de necesidad, cumplimiento de un deber, ejercicio de un derecho y obediencia jerárquica en los términos del Artículo 25 de este Código, se aplicará pena de tres días a siete años de prisión.

CAPÍTULO III
PUNIBILIDAD EN CASO DE TENTATIVA

Artículo 72. La pena o medida de seguridad aplicable por la tentativa será de hasta las dos terceras partes de la que correspondería si el delito que el agente quiso realizar se hubiere consumado.

Artículo 73. Cuando el delito no se consume, por ser imposible en los términos del párrafo segundo del Artículo 15 de este Código se aplicará al imputado hasta un tercio de la pena que le correspondería al delito que quiso realizar o la medida de seguridad que corresponda.

Artículo 74. Cuando en los casos de tentativa no fuere posible determinar el daño que se pretendió causar, se impondrá de tres meses a cinco años de prisión y hasta cincuenta días multa, según proceda.

CAPÍTULO IV
PUNIBILIDAD DE LOS DELITOS CULPOSOS

Artículo 75. Los delitos culposos se penarán con prisión de tres días a siete años, de tres a noventa días multa y suspensión hasta por cinco años o privación definitiva de derechos para ejercer profesión u oficio, sin exceder de la mitad de la pena que correspondería si el delito hubiese sido doloso.

Las demás penas o medidas de seguridad, se aplicarán hasta en la mitad de las correspondientes al delito doloso, en cuantía o duración, con excepción de la reparación de daños y perjuicios. (Ref. P.O. No. 12, 25-II-11)

Artículo 76. Se impondrá prisión de dos a ocho años, de veinte a doscientos días multa y suspensión o inhabilitación, en su caso, hasta por cinco años del derecho de ejercer la profesión, oficio o actividad que motivó el hecho, sin perjuicio de las reglas del concurso, cuando se trate de homicidio culposo que haya sido originado por un conductor de vehículo de motor que preste servicio de transporte público, de personal o escolar. (Ref. P.O. No. 4, 20-I-12)

Las penas descritas se aumentarán hasta en una mitad, cuando concurra alguna de las circunstancias siguientes: (Ref. P.O. No. 39, 27-V-22)

I. Que el conductor se encuentre en estado de ebriedad o bajo el influjo de psicotrópicos, estupefacientes, substancias volátiles inhalables y otras substancias que produzcan efectos análogos; (Ref. P.O. No. 39, 27-V-22)

II. Que el conductor abandone a la víctima o no le preste auxilio; y (Ref. P.O. No. 39, 27-V-22)

III. Se prive de la vida a dos o más personas. (Ref. P.O. No. 39, 27-V-22)

La persona moral, jurídica o colectiva propietaria del transporte involucrado, responderá de los daños y la reparación respectiva, en términos de la legislación aplicable. (Ref. P.O. No. 39, 27-V-22)

Artículo 77. El delito culposo se sancionará únicamente con pago de la reparación del daño y de tres a noventa días multa, cuando la conducta origine alguno de los siguientes resultados típicos y observando para su persecución el requisito de procedibilidad que respectivamente contemplen éstos: (Ref. P.O. No. 68, 7-XI-12)

I. Derogada. (P.O. No. 54, 12-VII-19)

II. Cuando se originen lesiones de las comprendidas en las fracciones I, II, III y V del artículo 127 de este Código. (Ref. P.O. No. 68, 7-XI-12)

Este artículo sólo se aplicará cuando el imputado al cometer el delito no se encontrare bajo el influjo de estupefacientes, psicotrópicos, sustancias volátiles inhalables, bebidas embriagantes o cualquier otra sustancia que produzca efectos análogos, o cuando no se trate de delitos cometidos por un conductor de vehículo de motor que preste servicio de transporte público, de personal o escolar, en ejercicio de su actividad laboral. (Ref. P.O. No. 68, 7-XI-12)

Artículo 78. No se impondrá pena ni medida de seguridad alguna a quien por culpa ocasione lesiones u homicidio de su ascendiente, descendiente, hermano, cónyuge, concubina o concubinario, adoptante y adoptado, siempre y cuando el imputado no se encuentre al momento de cometer el delito, en estado de ebriedad o bajo los efectos de estupefacientes, psicotrópicos, substancias volátiles inhalables o cualquier otra que produzca efectos análogos.

CAPÍTULO V
PUNIBILIDAD DE LOS DELITOS PRETERINTENCIONALES

Derogado (P.O. No. 39, 27-V-22)

Artículo 79. Derogado. (P.O. No. 39, 27-V-22)

CAPÍTULO VI
PUNIBILIDAD EN CASO DE ERROR VENCIBLE

Artículo 80. Cuando los errores a que se refiere la fracción XII del Artículo 25 de esta Ley sean vencibles, se impondrá al sujeto que se encuentra en dicha situación hasta una mitad de las penas previstas al delito de que se trate.

CAPÍTULO VII
PUNIBILIDAD EN CASO DE CONCURSO DE DELITOS Y DELITO CONTINUADO

Artículo 81. En caso de concurso ideal, se aplicará la pena correspondiente al delito que merezca la mayor la cual se aumentará hasta en una mitad más del máximo de su duración, sin que pueda exceder de los máximos señalados en el Título Tercero.

Artículo 82. En caso de concurso real, la pena aplicable será la suma de las que correspondan a los delitos cometidos, sin que exceda de los límites señalados en el Título Tercero.

Artículo 83. En caso del delito continuado se aumentará hasta en una tercera parte de la pena correspondiente al delito cometido, sin que exceda del máximo previsto en el Título Tercero.

CAPÍTULO VIII
PUNIBILIDAD EN CASO DE AUTORÍA INDETERMINADA

Artículo 84. En el caso de autoría indeterminada, se impondrá como pena hasta las tres cuartas partes de la correspondiente al delito que se trate y de acuerdo a la modalidad respectiva, en su caso.

CAPÍTULO IX
PUNIBILIDAD DE LOS DELITOS COMETIDOS EN PANDILLA

Artículo 85. Cuando se cometa algún delito por pandilla, se aplicará a los que intervengan en su comisión además de las penas que le correspondan por el o los delitos cometidos, de tres meses a tres años de prisión.

Se entiende por pandilla, para los efectos de esta disposición, la reunión habitual, ocasional o transitoria, de tres o más personas que sin estar organizadas con fines delictuosos, cometen en común algún delito.

CAPÍTULO X
APLICACIÓN DE MEDIDAS DE SEGURIDAD A LAS PERSONAS JURÍDICAS COLECTIVAS

Artículo 86. Para la aplicación de medidas de seguridad a las personas jurídicas colectivas, se aplicarán las siguientes reglas:

I. Cuando se imponga la intervención, el órgano jurisdiccional designará un interventor que tendrá las facultades y obligaciones correspondientes al órgano de administración de la persona jurídica y ejercerá privativamente la administración de la misma por todo el tiempo fijado en la sentencia.

El interventor podrá solicitar la declaración de quiebra o concurso de la persona jurídica colectiva en los casos que proceda conforme a la Ley.

II. En los casos en que se declare la extinción por virtud de la sentencia, quedará disuelta la persona jurídica y se procederá a su liquidación.

El liquidador será nombrado por el Juez.

La extinción traerá como consecuencia la publicación de la sentencia y la cancelación de la inscripción del acta constitutiva en el Registro de Comercio.

III. En los casos en que se declare la prohibición de realizar determinadas operaciones, el órgano jurisdiccional declarará en la sentencia cuáles son esas operaciones que en todo caso deberán estar directamente relacionadas con el delito cometido, ordenando la inscripción en el Registro Público de Comercio del punto resolutivo correspondiente.

CAPÍTULO XI
CONMUTACIÓN DE SANCIONES

Artículo 87. La prisión podrá ser substituída, a juicio del Organo Jurisdiccional, cuando se paguen o garanticen por cualquier medio, los daños y perjuicios causados, apreciando lo dispuesto en el Artículo 68 de esta Ley, en los términos siguientes: (Ref. P.O. No. 23, 4-VI- 92)

I. Por trabajos en favor de la comunidad o semilibertad cuando la pena impuesta no exceda de cinco años; (Ref. P.O. No. 23, 4-VI-92)

II. Por tratamiento en libertad, si la prisión no excede de cuatro años; o (Ref. P.O. No. 23, 4-VI-92)

a) Por multa si la prisión no excede de tres años. (Ref. P.O. No. 23, 4-VI-92)

b) Para efectos de la substitución se requiere que el reo satisfaga los requisitos señalados en las fracciones I, II, y III del artículo 88. (Ref. P.O. No. 23, 4-VI-92)

CAPÍTULO XII
SUSPENSIÓN CONDICIONAL DE LA EJECUCIÓN DE LA PENA PRIVATIVA DE LIBERTAD

Artículo 88. Se confiere a los Organos Jurisdiccionales la facultad de suspender condicionalmente la ejecución de la pena de prisión, si concurren las siguientes circunstancias:

I. Que no hubiere sido condenado anteriormente, por sentencia ejecutoriada, por delito doloso. (Ref. P.O. No. 52, 19-XII-96)

II. Que tenga modo honesto de vivir y haya observado buena conducta con anterioridad al delito, probada por hechos positivos.

III. Que durante el proceso no se haya sustraido a la acción judicial;

IV. Que la pena de prisión impuesta no exceda de cinco años. (Ref. P.O. No. 14, 2-IV-99)

V. Que haya pagado la reparación de los daños y perjuicios y la multa. En caso de que el sentenciado acredite a satisfacción del juzgador que no tiene recursos económicos para el pago de la multa, la ejecución de ésta podrá ser suspendida, en cuyo caso seguirá la misma suerte que la pena de prisión. (Ref. P.O. No. 52, 19-XII-96)

Artículo 89. El plazo de suspensión de la ejecución de la pena será de dos a cinco años que fijarán los Tribunales a su prudente arbitrio, atendiendo a las circunstancias objetivas del delito y subjetivas del inculpado.

Artículo 90. El beneficiado con la suspensión condicional estará obligado a:

I. Observar buena conducta durante el término de suspensión.

II. Presentarse mensualmente ante las autoridades del órgano ejecutor de penas, las que le otorgarán el salvoconducto respectivo;

III. Quedar sujeto a la vigilancia de la autoridad;

IV. Presentarse ante las autoridades jurisdiccionales o ante el órgano ejecutor de penas cuantas veces sea requerido para ello;

V. Comunicar a las autoridades del órgano ejecutor de penas sus cambios de domicilio;

VI. Residir o no residir en circunscripción territorial determinada, que en todo caso será señalada por el órgano jurisdiccional;

VII. Desempeñar en el plazo que prudentemente se le fije, trabajo lícito;

VIII. No abusar del consumo de bebidas embriagantes y abstenerse del empleo de estupefacientes, psicotrópicos, substancias volátiles inhalables y cualquier otra que produzca efectos similares, salvo por prescripción médica; (Ref. P.O. No. 54, 19-IX- 12)

IX. Pagar o garantizar la reparación de los daños y perjuicios causados; y (Ref. P.O. No. 54, 19-IX-12)

X. En el caso de que se le haya considerado farmacodependiente, someterse al tratamiento correspondiente para su rehabilitación, bajo vigilancia de la autoridad ejecutora. (Adición P.O. No. 54, 19-IX-12)

Artículo 91. La infracción a cualquiera de estas obligaciones será motivo de revocación de la suspensión condicional de la pena.

Artículo 92. A fin de lograr el cumplimiento de todas estas obligaciones, el beneficiado con la suspensión condicional otorgará ante el órgano jurisdiccional una fianza que éste señalará tomando en consideración las posibilidades económicas del sentenciado, la pena impuesta, la naturaleza del delito y las circunstancias de su comisión.

Artículo 93. A los reos a quienes se conceda el beneficio de la suspensión condicional, se les hará saber las obligaciones que adquieren en los términos del Artículo 90 de esta Ley, lo que se asentará en diligencia formal, sin que la falta de ésta impida, en su caso la aplicación de lo prevenido en el mismo.

Artículo 94. Si transcurrido el término de suspensión el reo no ha cometido un nuevo delito, se extinguirá la pena suspendida y en caso contrario, se ejecutará.

Artículo 95. En caso de haberse nombrado fiador para el cumplimiento de las obligaciones contraídas en los términos del Artículo 90 de esta Ley, la obligación de aquél concluirá al extinguirse la pena impuesta.

Artículo 96. El reo que considere que al dictarse sentencia reunía las condiciones fijadas para la suspensión condicional de la ejecución de la pena y que está en aptitud de cumplir los requisitos que esta apareja, si es por inadvertencia de su parte o de los Tribunales que no obtuvo su otorgamiento, podrá promover que se le conceda, abriéndose el incidente respectivo ante el Juez de la causa quien resolverá lo conducente.

CAPÍTULO XIII
EJECUCIÓN DE PENAS

Artículo 97. La ejecución de penas privativas y restrictivas de libertad, así como el trabajo en favor de la comunidad, corresponderá a la autoridad competente. Este no podrá ejecutar ninguna pena en otra forma que la expresada en la Ley Nacional de Ejecución Penal. (Ref. P.O. No. 39, 27-V-22)

Artículo 98. La imposición de una pena de inhabilitación para ejercer funciones, empleos y comisiones, o de privación o de suspensión de derechos, origina el deber jurídico de cumplirlos, y su quebrantamiento constituye delito de quebrantamiento de pena.

Artículo 99. En todo caso, la sanción pecuniaria se hará efectiva por el órgano ejecutor de sanciones, sujetándose al procedimiento económico-coactivo.

TÍTULO QUINTO
EXTINCIÓN DE LA PRETENSIÓN PUNITIVA Y DE LA POTESTAD DE EJECUTAR LAS PENAS Y MEDIDAS DE SEGURIDAD

CAPÍTULO I
EXTINCIÓN PENAL

Artículo 100. La extinción de la pretensión punitiva y de la potestad de ejecutar las penas y medidas de seguridad, se resolverá de oficio o a petición de parte, en los términos del Código Nacional de Procedimientos Penales y demás disposiciones aplicables. (Ref. P.O. No. 39, 27-V-22)

Artículo 101. Derogado. (P.O. No. 39, 27-V-22)

Artículo 102. Derogado. (P.O. No. 39, 27-V-22)

CAPÍTULO II
CUMPLIMIENTO DE LA PENA O MEDIDA DE SEGURIDAD

Artículo 103. El cumplimiento de la pena o medida de seguridad impuesta, así como el de la que la sustituya o conmute, la extingue con todos sus efectos. La que se hubiere suspendido, a su vez, se extinguirá por el cumplimiento de los requisitos establecidos para su otorgamiento.

CAPÍTULO III
MUERTE DEL IMPUTADO

Artículo 104. La muerte del imputado extingue la pretensión punitiva o las penas o medidas de seguridad impuestas a excepción del decomiso y la reparación de los daños y perjuicios.

CAPÍTULO IV
AMNISTÍA

Artículo 105. La amnistía extingue la pretensión punitiva o las penas o medidas de seguridad impuestas, a excepción del decomiso y de la reparación de los daños y perjuicios, en los términos de la Ley que se dicte concediéndola. Si ésta no expresare su alcance se entenderá que la pretensión punitiva y las penas y medidas de seguridad se extinguen en todos sus efectos, con relación a todos los responsables del delito.

CAPÍTULO V
INDULTO

Derogado. (P.O. No. 79, 7-IX-18)

Artículo 106. Derogado. (P.O. No. 79, 7-IX-18)

CAPÍTULO VI
PERDÓN DEL OFENDIDO

Artículo 107. El perdón del ofendido o del legitimado para otorgarlo, extingue la pretensión punitiva respecto de los delitos que solamente pueden perseguirse por querella, siempre que se conceda antes de pronunciarse sentencia en primera o segunda instancia y aquél o aquellos a quienes se otorga no se opongan a ello. (Ref. P.O. No. 14, 2-IV-99)

Cuando el perdón se otorgue por el representante legal de un menor de edad o incapacitado, el Juez podrá a su prudente arbitrio, concederle o no eficacia y en caso de no aceptarlo, seguirá la causa.

Cuando sean varios los ofendidos y cada uno pueda ejercer separadamente la facultad de perdonar al responsable del delito y al encubridor, el perdón sólo surtirá efectos por lo que hace a quien lo otorga.

El perdón sólo beneficia al imputado en cuyo favor se otorga, a menos que el ofendido hubiese obtenido la satisfacción de sus intereses o derechos, caso en el cual beneficiará a todos los imputados y al encubridor.

CAPÍTULO VII
RECONOCIMIENTO DE LA INOCENCIA DEL SENTENCIADO

Artículo 108. Cualquiera que sea la pena o medida de seguridad impuesta en sentencia que cause ejecutoria, ésta quedará sin efecto, cuando se acredite que el sentenciado es inocente en los términos establecidos por el Código Nacional de Procedimientos Penales. (Ref. P.O. No. 39, 27-V-22)

CAPÍTULO VIII
REHABILITACIÓN

Artículo 109. La rehabilitación tiene por objeto reintegrar al sentenciado en el goce de los derechos de cuyo ejercicio se le hubiere suspendido, privado o inhabilitado en los términos señalados por las disposiciones jurídicas aplicables. (Ref. P.O. No. 39, 27-V-22)

CAPÍTULO IX
EXTINCIÓN DE LA MEDIDAS DE TRATAMIENTO DE INIMPUTABLES

Artículo 110. Cuando el inimputable sujeto a una medida de tratamiento se encontrare prófugo y posteriormente fuera detenido, la ejecución de la medida de tratamiento se considerará extinguida si se acredita que las condiciones personales del sujeto no corresponden ya a las que hubieren dado origen a su imposición.

CAPÍTULO X
PRESCRIPCIÓN

SECCIÓN PRIMERA
REGLAS GENERALES

Artículo 111. La prescripción es personal y consiste en la extinción de la pretensión punitiva o la potestad de ejecutar las penas y medidas de seguridad, por el transcurso del tiempo señalado por la Ley.

Artículo 112. En el caso de inimputables la medida de seguridad impuesta prescribirá en un término igual al de su duración más una cuarta parte.

SECCIÓN SEGUNDA
PRESCRIPCIÓN DE LA PRETENSIÓN PUNITIVA

Artículo 113. Los plazos de prescripción de la pretensión punitiva serán continuos y se contarán:

I. A partir del momento en que se consumó el delito, si fuere instantáneo;

II. A partir del día en que se realizó el último acto de ejecución o se omitió la conducta debida, si el delito fuere en grado de tentativa;

III. Desde el día en que se realizó la última conducta, tratándose de delito continuado, y

IV. Desde la cesación de la consumación en el delito permanente.

Artículo 114. El derecho para formular la querella prescribirá en un año, contado a partir del momento en que el ofendido o el legitimado para formular aquélla tenga conocimiento del hecho, y en tres años, independientemente de esta circunstancia.

Si el requisito inicial de la querella se hubiese ya satisfecho y deducido la acción ante los tribunales, se observará lo previsto por la Ley para los delitos perseguibles de oficio.

Artículo 115. Para que produzca sus efectos la prescripción de la pretensión punitiva, se atenderá al término medio aritmético de la pena privativa de libertad que señale la Ley para el delito de que se trate, cuando:

I. La pena sólo sea de prisión;

II. La pena sea de prisión con otra pena o medida de seguridad, y

III. El delito merezca pena alternativa.

En estos casos, el término para la prescripción nunca será menor de tres años. En los demás casos, la pretensión punitiva prescribirá en dos años.

Artículo 116. En los casos de concurso real o ideal los plazos de prescripción se computarán separadamente para cada delito.

Artículo 117. Cuando para ejercitar o continuar el ejercicio de la pretensión punitiva sea necesaria una declaración o una resolución previa de autoridad, la prescripción comenzará a correr hasta que sea satisfecho este requisito.

Artículo 117 Bis. El término de prescripción de los delitos previstos en el Título Octavo, del Libro Segundo, de este Código, cometidos en contra de una víctima menor de edad, comenzará a correr a partir de que ésta cumpla la mayoría de edad. (Adición P.O. No. 96, 11-XII-20)

Artículo 118. La prescripción de la pretensión punitiva se interrumpirá por las actuaciones que se practiquen para la investigación del delito y de los delincuentes, aunque por ignorarse quiénes sean éstos, no se practiquen las diligencias en contra de persona determinada. (Ref. P.O. No. 39, 27-V-22)

Si se dejare de actuar, la prescripción comenzará a correr de nuevo desde el día siguiente al de la última actuación.

Artículo 119. Las prevenciones contenidas en el artículo anterior, no comprenden el caso en que las actuaciones se practiquen después de que haya transcurrido la mitad del lapso necesario para la prescripción. Entonces ésta no se interrumpirá sino con la aprehensión del imputado.

SECCIÓN TERCERA
PRESCRIPCIÓN DE LA POTESTAD DE EJECUTAR LAS PENAS Y MEDIDAS DE SEGURIDAD

Artículo 120. Los plazos para la prescripción de la potestad para ejecutar las penas y medidas de seguridad serán continuos, y correrán desde el día siguiente a aquél en el que el sentenciado se sustraiga a la acción de la justicia, si las penas o las medidas de seguridad fueren restrictivas o privativas de libertad, y si no lo son, desde la fecha en que cause ejecutoria la sentencia.

Artículo 121. La potestad para ejecutar la pena privativa de libertad, prescribirá en un lapso igual al fijado en la condena pero no podrá ser inferior a tres años ni superior a quince.

Artículo 122. Cuando se haya cumplido parte de la pena privativa de libertad se necesitará para la prescripción un tiempo igual al que falte para el cumplimiento de la condena, tomando en cuenta, asimismo, los limites fijados en el Artículo anterior.

Artículo 123. La potestad para ejecutar la pena de multa prescribirá en dos años contados a partir de la fecha en que cause ejecutoria la resolución.

Artículo 124. La potestad para ejecutar las demás penas y medidas de seguridad prescribirán por el transcurso de un plazo igual al de su duración, pero éste no podrá ser inferior a dos años ni exceder de ocho, y las que no tengan temporalidad prescribirán en tres años a partir de la fecha que cause ejecutoria la resolución.

La prescripción de la potestad de ejecutarlas se interrumpirá por cualquier acto de autoridad competente para hacerlas efectivas y comenzará a correr de nuevo al día siguiente del último acto realizado.

SECCIÓN CUARTA
PRESCRIPCIÓN DE ANTECEDENTES PENALES

(Adición P.O. No. 12, 25-II-11)

Artículo 124 Bis. Los registros de las personas para conocer si han cometido algún delito y, en su caso, si han sido condenadas por alguno de ellos, conocidos como antecedentes penales, prescribirán en un plazo igual al de la pena de prisión impuesta, pero en ningún caso será menor de tres años; cuando se hubiere impuesto pena distinta a la de prisión, prescribirá en dos años. Este plazo empezará a correr a partir de que cause ejecutoria la sentencia. (Adición P.O. No. 12, 25-II-11)

Cuando el sentenciado se sustraiga a la acción de la justicia, el plazo para la prescripción de antecedentes penales empezará a correr una vez que concluyan los plazos para la prescripción de la potestad para ejecutar las penas y medidas de seguridad si fueren restrictivas o privativas de libertad; si no lo son, a partir de la fecha en que cause ejecutoria la sentencia. (Adición P.O. No. 12, 25-II-11)

Este beneficio se otorgará por una sola ocasión, siempre y cuando se hubiere compurgado la pena. (Adición P.O. No. 12, 25-II-11)

No prescribirán los antecedentes penales derivados de aquellos delitos que ameriten prisión preventiva oficiosa. (Ref. P.O. No. 39, 27-V-22)

La declaración de prescripción se hará en los términos establecidos por las disposiciones aplicables. (Ref. P.O. No. 39, 27-V-22)

LIBRO SEGUNDO
PARTE ESPECIAL

SECCIÓN PRIMERA
DELITOS CONTRA EL INDIVIDUO

TÍTULO PRIMERO
DELITOS CONTRA LA VIDA Y SALUD PERSONAL

CAPÍTULO I
HOMICIDIO

Artículo 125. Al que prive de la vida a otro, se le impondrá prisión de 10 a 20 años y de 1000 a 1500 días multa. (Ref. P.O. No. 39, 27-V-22)

Artículo 125 Bis. Para determinar que una persona ha perdido la vida, se estará a lo previsto en la Ley General de Salud. (Adición P.O. No. 35, 20-VI-08)

Artículo 126. Cuando concurra alguna de las circunstancias señaladas en el artículo 131 de este Código; el homicidio se sancionará con prisión de 20 a 50 años y de 500 a 750 días multa. (Ref. P.O. No. 39, 27-V-22)

CAPÍTULO I BIS
FEMINICIDIO

(Adición P.O. No. 28, 12-VI-13)

Artículo 126 Bis. Al que prive de la vida a una mujer por razones derivadas de su género, se le impondrán de 25 a 50 años de prisión y de 1000 a 1500 días multa. (Ref. P.O. No. 39, 27-V-22)

Se considera que existen razones de género, en cualquiera de las circunstancias siguientes: (Adición P.O. No. 28, 12-VI-13)

I. La víctima presente signos de violencia sexual de cualquier tipo; (Adición P.O. No. 28, 12-VI-13)

II. A la víctima se le hayan infligido lesiones o mutilaciones infamantes o marcas degradantes, previas o posteriores a la privación de la vida o actos de necrofilia; (Adición P.O. No. 28, 12-VI-13)

III. Existan datos que establezcan que hubo amenazas, acoso o lesiones del sujeto activo en contra de la víctima; (Adición P.O. No. 28, 12-VI-13)

IV. El cuerpo o restos de la víctima hayan sido expuestos, depositados, enterrados o arrojados en un lugar público, paraje despoblado o exhibidos por cualquier medio; (Ref. P.O. No. 70, 8-IX-23)

V. Existan antecedentes o datos de cualquier tipo de violencia, en el ámbito familiar, laboral, escolar o vecinal del sujeto activo en contra de la víctima; (Ref. P.O. No. 22, 8-V-15)

VI. La víctima haya sido incomunicada, cualquiera que sea el tiempo previo a la privación de la vida; y (Ref. P.O. No. 22, 8-V-15)

VII. Existan evidencias de que la víctima sufrió violencia física ejercida por persona con la que la haya tenido parentesco por consanguinidad, por afinidad o civil, relación de matrimonio, concubinato, noviazgo o amistad o de subordinación o superioridad que impliquen confianza. (Adición P.O. No. 22, 8-V-15)

Además de las sanciones descritas en el presente artículo, el sujeto activo perderá todos los derechos con relación a la víctima, incluidos los de carácter sucesorio. (Adición P.O. No. 28, 12-VI-13)

En caso de que no se acredite el feminicidio, se aplicarán las reglas del homicidio. (Adición P.O. No. 28, 12-VI-13)

Al servidor público que retarde o entorpezca maliciosamente o por negligencia la procuración o administración de justicia, se le impondrá pena de prisión de 3 a 8 años y de quinientos a setecientos cincuenta días multa; además, será destituido e inhabilitado de 3 a 10 años para desempeñar otro empleo, cargo o comisión públicos. (Adición P.O. No. 28, 12-VI-13)

Para los efectos previstos en la fracción III, se entenderá por amenaza, la sola exteriorización por cualquiera que sea el medio de causar un daño o afectación a su persona, bienes o familia, sin requerir el inicio de indagatoria alguna por dichas circunstancias. (Adición P.O. No. 39, 27-V-22)

Desde el inicio de la investigación, se deberá dar vista a la autoridad correspondiente a efecto de que las personas dependientes de la víctima de feminicidio que sean menores de edad o las personas en situación de discapacidad, accedan a la atención integral, que garantice cuando menos servicios psicológicos, educativos, de salud, seguridad y representación, en los términos de la legislación aplicable. (Adición P.O. No. 39, 27-V-22)

La pena se aumentará hasta en una tercera parte si la víctima fuera niña, adolescente o mujer con discapacidad. (Adición P.O. No. 73, 21-X-22)

CAPÍTULO II
LESIONES

Artículo 127. Al que cause a otro un daño en su salud se le impondrá la pena que corresponda de acuerdo a las fracciones siguientes:

I. De tres a nueve meses de prisión, o de diez a treinta días multa, o ambas sanciones a juicio del juez, si tardan en sanar hasta quince días. (Ref. P.O. No. 52, 19-XII-96)

II. De tres meses a un año de prisión si tardan en sanar más de 15 días; (Ref. P.O. No. 46, 1-XI-90)

Adicionalmente a las penas previstas, se impondrá de 30 a 50 días multa; (Adición P.O. No. 39, 27-V-22)

III. De tres meses a tres años de prisión cuando dejen cicatriz permanentemente notable en la cara; (Ref. P.O. No. 46, 1-XI-90)

Adicionalmente a las penas previstas, se impondrá de 50 a 80 días multa; (Adición P.O. No. 39, 27-V-22)

IV. De uno a tres años de prisión cuando disminuyan facultades o el normal funcionamiento de órganos o miembros; (Ref. P.O. No. 46, 1-XI-90)

Adicionalmente a las penas previstas, se impondrá de 80 a 110 días multa; (Adición P.O. No. 39, 27-V-22)

V. De dos a cuatro años de prisión si ponen en peligro la vida; (Ref. P.O. No. 46, 1-XI- 90)

Adicionalmente a las penas previstas, se impondrá de 110 a 150 días multa; (Adición P.O. No. 39, 27-V-22)

VI. De dos a cinco años de prisión si producen la pérdida de cualquier función orgánica, miembro, órgano o facultad, o causan una enfermedad cierta o probablemente incurable o deformidad incorregible; (Ref. P.O. No. 46, 1-XI-90)

Adicionalmente a las penas previstas, se impondrá de 150 a 180 días multa; (Adición P.O. No. 39, 27-V-22)

VII. De tres a seis años de prisión si causan incapacidad por más de un mes y menos de un año para trabajar en la profesión, arte u oficio del ofendido; (Ref. P.O. No. 46, 1- XI-90)

Adicionalmente a las penas previstas, se impondrá de 180 a 210 días multa; (Adición P.O. No. 39, 27-V-22)

VIII. De tres a siete años de prisión si causan incapacidad para trabajar por mas de un año, en la profesión, arte u oficio del ofendido. (Ref. P.O. No. 60, 31-XII-91)

Adicionalmente a las penas previstas, se impondrá de 210 a 240 días multa; (Adición P.O. No. 39, 27-V-22)

IX. De 6 a 12 años de prisión si causan incapacidad permanente para trabajar en cualquier arte, profesión u oficio.

Adicionalmente a las penas previstas, se impondrá de 240 a 270 días multa. (Adición P.O. No. 39, 27-V-22)

Artículo 127 Bis. Derogado. (P.O. No. 15, 14-III-08)

Artículo 127 Bis-1. Al que sabiendo que padece una enfermedad grave en periodo infectante, sin que la víctima u ofendido tenga conocimiento de esta circunstancia, ponga en peligro de contagio la salud de otro o de varias personas, por cualquier forma o medio de transmisión, o por relaciones sexuales, se le impondrán de tres a seis años de prisión o de tres a seis meses de trabajo a favor de la comunidad, así como las medidas de seguridad por confinamiento que sean necesarias. (Ref. P.O. No. 45, 2-VI-21)

Cuando la conducta anterior se realice en agravio de una persona mayor de sesenta años, un menor o persona que no tiene capacidad para comprender el significado del hecho o capacidad para resistirlo, sujeto a su tutela, custodia o guarda, se aumentará, hasta en una mitad, la pena señalada en este artículo. (Ref. P.O. No. 99, 18-XII-20)

Este delito se perseguirá de oficio, a excepción de cuando se trate de cónyuges, concubinarios o concubinas en cuyo caso solo podrá procederse por querella del ofendido. (Ref. P.O. No. 99, 18-XII-20)

Artículo 128. En los casos de las fracciones I, II, III y V del artículo 127 de esta Ley, el delito se perseguirá a petición del ofendido; a excepción de las lesiones descritas en la fracción V, por las cuales podrán querellarse el Ministerio Público o los representantes del ofendido cuando en razón de las lesiones inferidas no pueda manifestar su voluntad. (Ref. P.O. No. 55, 6-XII-02)

Artículo 129. Cuando en las lesiones concurra alguna de las circunstancias a que se refiere el artículo 131 de esta Ley o se infieran en agravio de una persona mayor de sesenta años, un menor o persona que no tiene capacidad para comprender el significado del hecho o capacidad para resistirlo, sujeto a su tutela, custodia o guarda, se aumentará, hasta en una mitad, la pena correspondiente a la lesión inferida. (Ref. P.O. No. 29, 8-VI-12)

Artículo 130. Si las lesiones se infieren en agravio de un menor o persona que no tiene capacidad para comprender el significado del hecho o capacidad para resistirlo, sujeto a la patria potestad, tutela, custodia o guarda, se privará al agente en el ejercicio de sus derechos, independientemente de las penas que correspondan conforme a los artículos anteriores. (Ref. P.O. No. 29, 8-VI-12)

CAPÍTULO III
DISPOSICIONES COMUNES AL HOMICIDIO Y LESIONES

Artículo 131. Se entiende que el homicidio y las lesiones son calificadas cuando:

I. El agente haya reflexionado sobre la comisión del delito;

II. El agente haya realizado el hecho empleando medios o aprovechando circunstancias tales que imposibiliten la defensa del ofendido y aquél no corra riesgo de ser muerto o lesionado, con conocimiento de esta situación;

III. El agente haya realizado el hecho quebrantando la confianza o seguridad que expresamente le había prometido al ofendido, o las tácitas que éste debia esperar de aquél, por las relaciones que fundadamente deben inspirar seguridad o confianza;

IV. El delito se cometa por medio de inundación, incendio, asfixia, minas, bombas, explosivos, ácido o cualquier otra substancia nociva a la salud, o con ensañamiento, crueldad o por motivos depravados o de odio manifiesto por la preferencia sexual o identidad de género de la víctima. (Ref. P.O. No. 39, 27-V-22)

Se entiende por odio manifiesto, que la víctima presente signos de violencia sexual o mutilaciones o quemaduras o asfixia o existan antecedentes o datos previos al hecho, que establezcan que hubo amenazas o acoso contra la víctima relacionadas a su preferencia sexual o identidad de género. (Ref. P.O. No. 91, 4-XII-15)

V. El delito se cometa dolosamente y no concurra ninguna de las circunstancias atenuantes señaladas en este Código, en agravio de su ascendiente o descendiente consanguineo en línea recta, hermano, cónyuge, concubina o concubinario, adoptante o adoptado, con conocimiento de ese parentesco o relación.

VI. Existan antecedentes de amenazas de la parte activa en contra de la víctima. (Ref. P.O. No. 39, 27-V-22)

Para los efectos previstos en la fracción VI, se entenderá por amenaza, la sola exteriorización por cualquiera que sea el medio de causar un daño o afectación a su persona, bienes o familia, sin requerir el inicio de indagatoria alguna por dichas circunstancias. (Adición P.O. No. 39, 27-V-22)

Artículo 132. La riña es la contienda de obra o la agresión física de una parte y la disposición material para contender de la otra, cualquiera que sea el número de contendientes, cuando actúen con el propósito de dañarse reciprocamente.

Al responsable de homicidio o lesiones en riña, se le impondrá hasta la mitad de la pena de prisión señalada para el delito simple, si se trata del provocador, y hasta la tercera parte en el caso del provocado.

Artículo 133. El órgano jurisdiccional, si lo estima pertinente, además de las penas que señalan los Artículos previstos en los capítulos I a III del presente Título, podrá, en su caso:

I. Declarar a los responsables sujetos a vigilancia de la autoridad, y

II. Prohibirles ir a una circunscripción territorial determinada o residir en ella.

Artículo 134. Se impondrá de un mes a 9 años de prisión y de 50 a 400 días multa al que, por móviles de piedad o por súplicas notorias y reiteradas de la víctima ante la inutilidad de todo auxilio para salvar su vida, le cause cualquier tipo de lesiones u homicidio. (Ref. P.O. No. 91, 15-X-18)

En ningún caso la sanción podrá exceder de la que se impondrá en el delito simple intencional.

CAPÍTULO III BIS
VIOLENCIA EN EVENTOS DEPORTIVOS Y ESPECTÁCULOS

(Ref. P.O. No. 39, 27-V-22)

Artículo 134 Bis. Se sancionará con prisión de 2 a 6 años y de 500 a 1000 días multa, sin perjuicio de las sanciones a que se haya hecho acreedor por la comisión de diverso delito, a quien en un evento deportivo o de espectáculo, encontrándose en el interior de un estadio o recinto utilizado para esos fines, o en los espacios de estacionamiento o calles colindantes al mismo, cometa por sí o incite a otros a cometer actos que produzcan daños a las personas o sus bienes. (Ref. P.O. No. 39, 27-V-22)

Artículo 134 Ter. Además de las sanciones previstas en este Capítulo, a juicio del órgano jurisdiccional, se podrá prohibir al inculpado asistir a estadios o recintos de espectáculos deportivos, por un término de seis meses a cuatro años, en cuyo caso se ordenará la publicación especial de sentencia. (Adición P.O. No. 12, 2-III-12)

CAPÍTULO IV
INSTIGACIÓN O AYUDA AL SUICIDIO

Artículo 135. Al que instigue o ayude a otro para que se suicide se le impondrá prisión de uno a cinco años si el suicidio se consumare.

Si el suicidio no se consuma, se impondrá prisión de 6 meses a tres años.

Si la persona a quien se instigue o ayude al suicidio, fuere menor de edad o persona que no tuviera capacidad para comprender el significado del hecho o capacidad de determinarse de acuerdo a esa comprensión o tuviere discapacidad física o sensorial o sea mayor de sesenta años de edad, se impondrá pena de 15 a 30 años de prisión. (Ref. P.O. No. 29, 8-VI-12)

CAPÍTULO V
ABORTO

Artículo 136. Comete el delito de aborto el que causa la muerte al producto de la concepción hasta antes del nacimiento.

Artículo 137. Al que hiciere abortar a una mujer con consentimiento de ésta se le aplicará de uno a tres años de prisión. Cuando falte el consentimiento, la prisión será de cuatro a siete años, y si mediare violencia física o moral, de siete a nueve años.

Las penas previstas en este artículo se incrementarán hasta en una mitad más, cuando la gestante sea menor de edad o no tenga capacidad para comprender el significado del hecho. ((Ref. P.O. No. 29, 8-VI-12)

Artículo 138. A la mujer que se procure el aborto o consienta en que otro la haga abortar, se le aplicará de uno a tres años de prisión.

Artículo 139. Tratándose de la madre que voluntariamente procure su aborto o consienta en que otro la haga abortar, el Juez podrá aplicar hasta una tercera parte de la pena prevista en el artículo anterior, cuando sea equitativo hacerlo considerando lo dispuesto en el artículo 68 de este Código y específicamente, en su caso, el estado de salud de la madre, su instrucción y condiciones personales, las circunstancias en que se produjo la concepción, el tiempo que hubiese durado el embarazo, el desarrollo y características del producto, el consentimiento otorgado por el otro progenitor cuando éste viva con la madre y cumpla las obligaciones inherentes a la unión, los resultados de la medida cautelar de atención integral a las mujeres en caso de práctica de aborto, siempre que sean aportados por la imputada y, en general, todos los elementos conducentes a resolver equitativamente el caso de que se trate. (Ref. P.O. No. 12, 25-II-11)

Artículo 140. Si el aborto punible lo causare un médico a un auxiliar de éste, además de las sanciones que le corresponden conforme a lo dispuesto en este capítulo, se le aplicará suspensión de uno a cinco años en el ejercicio de su profesión.

Artículo 141. No se sancionará a los médicos y a los auxiliares de éstos que en legítimo ejercicio de su profesión brinden a la mujer la atención que requiera con motivo de un aborto punible realizado por otra persona.

Artículo 142. No es punible el aborto:

I. Cuando sea causado por la culpa de la mujer embarazada, y

II. Cuando el embarazo sea resultado de una violación.

CAPÍTULO VI
VIOLENCIA DE GÉNERO

(Adición P.O. No. 12, 25-II-11)

Artículo 142 Bis. Al que por sí o por interpósita persona, ocasione, promueva o incite la violencia física, sexual, simbólica, psicológica, económica o patrimonial en agravio de una persona, por razones de su género, se le aplicará pena de 1 a 4 años de prisión, de 300 a 700 días multa. (Ref. P.O. No. 39, 27-V-22)

Se considera que existen razones de género, en cualquiera de las circunstancias siguientes: (Ref. P.O. No. 39, 27-V-22)

I. Reiteradamente manifieste, exprese o realice actos de cualquier tipo para exigir, imponer o establecer una relación de superioridad o sumisión en la víctima; (Ref. P.O. No. 39, 27-V-22)

II. Reiteradamente manifieste, exprese, realice actos que dañen o puedan dañar la dignidad, integridad o libertad de la víctima; u (Ref. P.O. No. 39, 27-V-22)

III. Hostigue, acose, coaccione o amenace a la víctima o a cualquier miembro de su familia, con el objeto de menoscabar, restringir, obstaculizar, condicionar, suspender o nulificar el reconocimiento, goce o ejercicio de sus derechos. (Ref. P.O. No. 39, 27-V- 22)

CAPÍTULO VII
DELITOS CONTRA EL LIBRE DESARROLLO DE LA PERSONALIDAD Y LA IDENTIDAD SEXUAL

(Adición P.O. No. 70, 8-IX-23)

Artículo 142 Ter. A quien imparta, aplique, obligue o financie cualquier tipo de tratamientos, terapias, servicios, esfuerzos o acciones para reprimir el libre desarrollo de la personalidad respecto a la orientación sexual o identidad y expresión de género se le impondrán de dos a seis años de prisión, una multa de 250 a 2000 veces el valor de la Unidad de Medida y Actualización y de cincuenta a cien horas de trabajo en favor de la comunidad. (Adición P.O. No. 70, 8-IX-23)

Para efectos de este delito, se entiende por tratamientos, terapias, servicios, esfuerzos o aquellas acciones cualquiera que sea su denominación, consistentes en sesiones psicológicas, psiquiátricas, métodos o tratamientos que tengan por objeto anular, obstaculizar, reprimir o menoscabar la expresión o identidad de género, así como la orientación sexual de la persona, en las que se emplea violencia física, moral o psicoemocional, mediante tratos crueles, inhumanos o degradantes que atenten contra la dignidad humana. (Adición P.O. No. 70, 8-IX-23)

Si estas acciones se hicieren en niñas, niños o adolescentes o persona que no tenga capacidad para comprender el significado del hecho o persona que no tenga la capacidad de resistir la conducta, la pena se aumentará en una mitad y se perseguirá de oficio. (Adición P.O. No. 70, 8-IX-23)

Cuando por medio de una persona moral se realicen estas prácticas, serán penalmente responsables la o las personas que las autoricen y/o efectúen en nombre de esta. (Adición P.O. No. 70, 8-IX-23)

TÍTULO SEGUNDO
DELITOS DE OMISIÓN DE AUXILIO O DE CUIDADO

CAPÍTULO I
OMISIÓN DE AUXILIO

Artículo 143. Al que omita prestar el auxilio necesario a quien se encuentre desamparado y en peligro manifiesto en su persona, cuando conforme a las circunstancias pudiere hacerlo sin riesgo propio ni de terceros, o al que no estando en condiciones de prestarlo no diere aviso inmediato a la autoridad o no solicitare auxilio a quienes pudieren prestarlo, se le impondrá prisión de seis meses a un año o trabajo en favor de la comunidad hasta por el mismo tiempo. (Ref. P.O. No. 45, 2-VI-21)

Si la conducta se realiza en agravio de una persona mayor de sesenta años, un menor o persona que no tiene capacidad para comprender el significado del hecho o capacidad para resistirlo, sujeto a su tutela, custodia o guarda, se aumentará, hasta en una mitad, la pena señalada en este artículo. (Ref. P.O. No. 99, 18-XII-20)

CAPÍTULO II
OMISIÓN DE CUIDADO

Artículo 144. Al que abandone, exponga en una institución o ante cualquier otra persona, a una persona incapaz de valerse por sí misma, incluyendo a las personas adultas mayores y/o con discapacidad, teniendo la obligación de cuidarla o se encuentre legalmente a su cargo, se le aplicara prisión de tres meses a cuatro años. (Ref. P.O. No. 99, 18-XII-20)

En el caso de que el sujeto activo fuese alguno de los parientes o personas a que se refiere el artículo 217 Bis, se aumentará la pena prevista hasta en una tercera parte y perderá los derechos como acreedor alimentario. (Ref. P.O. No. 99, 18-XII-20)

Artículo 144 Bis. En el caso previsto en este capítulo, la Fiscalía ordenará las medidas de protección y providencias que considere pertinentes, establecidas en las leyes de la materia, para proporcionar seguridad a la víctima u ofendido en salvaguardar de su integridad física y psíquica, y evitar así que el delito se siga cometiendo. (Adición P.O. No. 99, 18-XII-20)

CAPÍTULO III
OMISIÓN DE AUXILIO A ATROPELLADOS

Artículo 145. Al que habiendo atropellado culposamente o por caso fortuito a una persona, no le preste auxilio o solicite la asistencia que requiera, pudiendo hacerlo, se le aplicará prisión de tres meses a dos años.

Cuando el delito se cometa en contra de persona menor de edad, mayor de sesenta años de edad o persona con discapacidad mental, intelectual, física o sensorial, las penas previstas en este artículo se incrementarán hasta en una tercera parte. (Adición P.O. No. 95, 8-XII-20)

Adicionalmente a las penas previstas, se impondrá de 240 a 270 días multa. (Adición P.O. No. 39, 27-V-22)

TÍTULO TERCERO
EXPOSICIÓN DE INCAPACES

CAPÍTULO ÚNICO
EXPOSICIÓN DE INCAPACES

Artículo 146. Al que teniendo la obligación de hacerse cargo de un incapaz de cuidarse por si mismo, lo entregue a una institución o a cualquiera otra persona, contraviniendo la Ley, o contra la voluntad de quien se lo confió o sin aviso al Juez de lo Familiar, se le aplicará prisión de tres meses a un año o trabajo en favor de la comunidad hasta por seis meses.

No se aplicará pena alguna a la madre que entregue a su hijo por ignorancia, extrema pobreza o cuando aquél haya sido producto de una violación.

TÍTULO CUARTO
DELITOS CONTRA LA LIBERTAD

CAPÍTULO I
PRIVACIÓN DE LA LIBERTAD PERSONAL

Artículo 147. Al que ilegítimamente prive a otro de su libertad se le aplicará prisión de seis meses a cuatro años.

Adicionalmente a las penas previstas, se impondrá de 100 a 500 días multa. (Adición P.O. No. 39, 27-V-22)

Artículo 148. La pena prevista en el Artículo anterior se aumentará hasta en una mitad más cuando en la privación de la libertad concurra alguna de las circunstancias siguientes:

I. Que se realice con violencia o se veje a la víctima;

II. Que la víctima sea una persona menor de edad o mayor de sesenta años de edad o persona que no tenga capacidad para comprender el significado del hecho o capacidad para resistirlo o que por cualquier otra circunstancia se encuentre en situación de inferioridad física respecto del agente; (Ref. P.O. No. 29, 8-VI-12)

III. Que la privación se prolongue por más de 48 horas. (Ref. P.O. No. 14, 2-IV-99)

IV. Que la privación de la libertad tenga el propósito de realizar un acto erótico o sexual. (Adición P.O. No. 38, 15-VII-11)

Artículo 149. Si la víctima es puesta en libertad espontáneamente, dentro de las veinticuatro horas siguientes a la comisión del delito, sin haber causado daño, se podrá disminuir la pena hasta la mitad. (Ref. P.O. No. 12, 29-II-08)

Artículo 149 Bis. Derogado. (P.O. No. 79, 7-IX-18)

CAPÍTULO II
SECUESTRO

Derogado. (P.O. No. 79, 7-IX-18)

Artículo 150. Derogado. (P.O. No. 79, 7-IX-18)

Artículo 150 Bis. Derogado. (P.O. No. 79, 7-IX-18)

Artículo 150 Bis uno. Derogado. (P.O. No. 79, 7-IX-18)

CAPÍTULO III
TRATA DE PERSONAS

(Ref. P.O. No. 38, 15-VII-11)

Artículo 151. Derogado. (P.O. No. 28, 12-VI-13)

Artículo 152. Derogado. (P.O. No. 28, 12-VI-13)

Artículo 153. Derogado. (P.O. No. 28, 12-VI-13)

Artículo 154. Derogado. (P.O. No. 28, 12-VI-13)

TÍTULO QUINTO
DELITOS CONTRA LA PAZ Y SEGURIDAD DE LAS PERSONAS

CAPÍTULO I
AMENAZAS

Artículo 155. Se le impondrá prisión de 1 a 3 años, trabajos a favor de la comunidad hasta por 6 meses, y de 100 a 300 días multa al que por cualquier modo intimide a otro con causarle un mal en su persona, derechos, bienes, o en los derechos de alguien con quien esté ligado por alguno de los siguientes vínculos: (Ref. P.O. No. 67, 19-VIII-25)

I. A los ascendientes y descendientes consanguíneos o afines hasta el segundo grado; o (Ref. P.O. No. 67, 19-VIII-25)

II. El cónyuge, la concubina o el concubinario. (Ref. P.O. No. 67, 19-VIII-25)

Al que continúe con la conducta señalada en el párrafo primero, cuando la autoridad investigadora o judicial ya tenga conocimiento de los hechos, o se violen de cualquier modo medidas de protección o cautelares que se hayan dispuesto, la sanción se incrementará hasta en una mitad. (Ref. P.O. No. 67, 19-VIII-25)

Si se cumple con la amenaza señalada en el párrafo primero, la sanción será de 3 a 5 años, además de las que correspondan por el o los delitos cometidos. (Ref. P.O. No. 67, 19-VIII- 25)

Si la amenaza se dirige a un testigo, parte o autoridad en un procedimiento penal, con el propósito de no cumplir con sus obligaciones o ejercer sus derechos dentro del mismo, se le impondrá prisión de 4 a 8 años, trabajos a favor de la comunidad hasta por 12 meses, y de 400 a 600 días multa. (Ref. P.O. No. 67, 19-VIII-25)

Este delito se perseguirá a petición del ofendido. Cuando la persona ofendida fuere niña, niño o adolescente o mayor de sesenta años o persona con discapacidad, se perseguirá de oficio, en tales supuestos la sanción se incrementará hasta en una mitad. (Ref. P.O. No. 67, 19-VIII-25)

CAPÍTULO II
ASALTO

Artículo 156. Al que en lugar solitario o desprotegido haga uso de la violencia sobre una o más personas con el propósito de causar el mal, obtener un lucro o exigirse asentimiento para cualquier fin, se le sancionará con prisión de uno a seis años. (Ref. P.O. No. 60, 31- XII-91)

En caso de que el asaltante logre su fin, se acumulará a la pena señalada en el párrafo anterior, la que corresponde al delito que resulte. (Ref. P.O. No. 60, 31-XII-91)

Si el delito se comete en contra de un menor de edad o mayor de sesenta años de edad o persona que no tenga capacidad para comprender el significado del hecho o capacidad para resistirlo, la pena prevista en el primer párrafo de este artículo se aumentará hasta en una mitad más. (Ref. P.O. No. 29, 8-VI-12)

Adicionalmente a las penas previstas, se impondrá de 100 a 500 días multa. (Adición P.O. No. 39, 27-V-22)

Artículo 157. Cuando el asalto se cometa contra un poblado se les penará con prisión de seis a veinte años.

CAPÍTULO III
ACECHO

(Adición P.O. No. 90, 07-XI-25)

Artículo 157 Bis. Al que por cualquier medio siga, vigile o se comunique de forma persistente y reiterada, en al menos en dos ocasiones, con alguna persona en contra de su voluntad y atente contra su seguridad, libertad o intimidad de modo que menoscabe, restrinja, limite o altere su estilo de vida o que en razón de ello, se limite su libertad de actuar o tomar decisiones por miedo, temor o angustia de sufrir un daño en su persona, familia o patrimonio, se le impondrá una pena de 6 meses a 2 años de prisión, multa de 500 veces el valor diario de la UMA y de 1,000 a 2,000 veces el valor diario de la UMA por concepto de reparación del daño. (Adición P.O. No. 90, 07-XI-25)

Este delito se perseguirá por querella de parte ofendida o de su legítimo representante. Tratándose de una persona incapaz o menor de edad, el delito se perseguirá de oficio. (Adición P.O. No. 90, 07-XI-25)

Artículo 157 Ter. La pena señalada en el artículo anterior se aumentará hasta en una mitad cuando concurra cualquiera de las circunstancias siguientes: (Adición P.O. No. 90, 07- XI-25)

I. Se cometa la conducta haciendo uso de un arma, aun cuando no cause daño físico. (Adición P.O. No. 90, 07-XI-25)

II. Se incurra en actos de acecho quebrantando e incumpliendo una orden de protección o restricción judicial. (Adición P.O. No. 90, 07-XI-25)

III. En caso de reincidencia. (Adición P.O. No. 90, 07-XI-25)

IV. El delito se cometa en perjuicio de una persona menor de edad o que no tenga capacidad para comprender el significado del hecho o para resistirlo; una mujer embarazada; de una persona que se encuentre en situación de vulnerabilidad por su estado de salud, discapacidad, pobreza o marginación; así como por razón de la identidad de género u orientación sexual de la víctima. (Adición P.O. No. 90, 07-XI-25)

V. La persona acechadora se valga de su posición jerárquica o de poder para cometer el delito, derivada de sus relaciones laborales, docentes, domésticas o cualquiera otra que implique subordinación. (Adición P.O. No. 90, 07-XI-25)

VI. El delito sea cometido por la persona con la que la víctima mantenga lazos de amistad o afectividad; relación laboral, de docencia o educativa; parentesco, sea cónyuge o mantenga concubinato. (Adición P.O. No. 90, 07-XI-25)

VII. Quien cometa el delito haga uso de la información de la víctima. (Adición P.O. No. 90, 07-XI-25)

VIII. Cuando se utilicen dispositivos tecnológicos para la vigilancia, persecución o contacto no deseado. (Adición P.O. No. 90, 07-XI-25)

IX. Cuando se produzcan daños, como resultado del acecho, a la integridad física de la víctima o de su familia, así como a su propiedad, sean bienes muebles o inmuebles. (Adición P.O. No. 90, 07-XI-25)

Si la persona que comete el delito de acecho fuese persona servidora pública y utilizare los medios o circunstancias que el encargo le proporcione, además de las penas señaladas, se

le destituirá del cargo y se le podrá inhabilitar para ocupar cualquier otro cargo público hasta por el tiempo de la pena de prisión impuesta. (Adición P.O. No. 90, 07-XI-25)

Las penas previstas se aplicarán sin perjuicio de las sanciones a que se haya hecho acreedor por la comisión de diverso delito. (Adición P.O. No. 90, 07-XI-25)

TÍTULO SEXTO
DELITO CONTRA LA INVIOLABILIDAD DEL DOMICILIO

CAPÍTULO ÚNICO
ALLANAMIENTO DE DOMICILIO

Artículo 158. Al que sin consentimiento de la persona que legítimamente pueda otorgarlo, o empleando engaño se introduzca en casa habitación o sus dependencias o permanezca en ellas sin la anuencia de quien esté facultado para darla, se le impondrá prisión de 1 a 3 años y de 200 a 300 días multa. (Ref. P.O. No. 39, 27-V-22)

Cuando el sujeto pasivo sea persona mayor de sesenta años de edad o persona con discapacidad mental, intelectual, física o sensorial, las penas previstas en este artículo se incrementarán hasta en una mitad. (Ref. P.O. No. 39, 27-V-22)

Si el medio empleado fuere la violencia, la penalidad se aumentará hasta en una mitad. Este delito se perseguirá por querella. (Ref. P.O. No. 39, 27-V-22)

Las sanciones previstas para este delito se aplicarán de manera independiente a las que correspondan en caso de concurso de otros delitos. (Ref. P.O. No. 39, 27-V-22)

TÍTULO SÉPTIMO
DELITOS CONTRA LA INVIOLABILIDAD DEL SECRETO, EL ACCESO ILÍCITO A SISTEMAS DE INFORMÁTICA Y USURPACIÓN DE IDENTIDAD

(Ref. P.O. No. 75, 11-X-19)

CAPÍTULO I
REVELACIÓN DE SECRETO

(Ref. P.O. No. 24, 22-IV-11)

Artículo 159. A quien teniendo conocimiento de un secreto, o estando en posesión de un documento, grabación, filmación o cualquier otro objeto que se le hubiese confiado, lo revele o entregue, sin consentimiento de quien tenga derecho a otorgarlo y que pueda causar daño para cualquier persona, se le aplicará prisión de 3 meses a un año y hasta 20 días multa o trabajo en favor de la comunidad hasta por tres meses.

Si el que divulgare el secreto, documento, grabación, filmación u objeto, lo hubiera conocido o recibido por razón de su empleo, cargo, profesión, arte u oficio, la pena de prisión será de uno a 5 años, hasta 50 días multa y suspensión en sus funciones de 2 meses a un año.

Artículo 159 Bis. El que para descubrir los secretos o vulnerar la intimidad de otro, sin el consentimiento de éste, se apodere de sus papeles, cartas, mensajes de correo electrónico

o cualesquiera otros documentos o efectos personales o intercepte sus telecomunicaciones o utilice artificios técnicos de escucha, transmisión, grabación o reproducción del sonido o de la imagen o de cualquier otra señal de comunicación, se le impondrán de seis meses a tres años de prisión y de cien a trescientos días multa. (Adición P.O. No. 24, 22-IV-11)

CAPÍTULO II
ACCESO ILÍCITO A SISTEMAS DE INFORMÁTICA

(Adición P.O. No. 24, 22-IV-11)

Artículo 159 Ter. Al que sin autorización, por cualquier medio ingrese a sistemas informáticos, destruya, altere, inutilice o de cualquier otro modo dañe los datos, programas o documentos electrónicos ajenos contenidos en redes, soportes o sistemas informáticos protegidos o no por algún sistema de seguridad, se le impondrán de seis meses a dos años de prisión y de cien a trescientos días multa. (Adición P.O. No. 24, 22-IV-11)

Al que sin autorización conozca o copie información contenida en sistemas o equipos de informática protegidos o no por algún sistema de seguridad, se le impondrán de tres meses a un año de prisión y de cincuenta a ciento cincuenta días multa. (Adición P.O. No. 24, 22- IV-11)

Las penas señaladas en el párrafo anterior se aplicarán a aquellos que teniendo autorización para ingresar al sistema informático, hagan uso indebido de la información, para sí o para otro. (Adición P.O. No. 24, 22-IV-11)

Artículo 159 Quater. Al que sin autorización, por cualquier medio ingrese a sistemas informáticos, destruya, altere, inutilice o de cualquier otro modo dañe los datos, programas o documentos electrónicos ajenos contenidos en redes, soportes o sistemas informáticos del Estado, protegidos o no por algún sistema de seguridad, se le impondrán de uno a cuatro años de prisión y de doscientos a seiscientos días multa. (Adición P.O. No. 24, 22-IV-11)

Al que sin autorización conozca o copie información contenida en sistemas o equipos de informática del Estado, protegidos o no por algún medio de seguridad, se le impondrán de seis meses a dos años de prisión y de cien a trescientos días multa. (Adición P.O. No. 24, 22-IV-11)

A quien sin autorización conozca, obtenga, copie o utilice información contenida en cualquier sistema, equipo o medio de almacenamiento informáticos de seguridad pública, protegido o no por algún medio de seguridad, se le impondrá pena de cuatro a diez años de prisión y multa de quinientos a setecientos cincuenta días multa. Si el responsable es o hubiera sido servidor público en una institución de seguridad pública, se impondrá además, destitución e inhabilitación de cuatro a diez años para desempeñarse en cualquier empleo, puesto, cargo o comisión de carácter público. (Adición P.O. No. 24, 22-IV-11)

CAPÍTULO III
USURPACIÓN DE IDENTIDAD

(Adición P.O. No. 75, 11-X-19)

Artículo 159 Quintus. Al que por cualquier medio se atribuya o suplante la identidad de una persona con la finalidad de acceder a recursos, obtener créditos u otros beneficios, cometer conductas delictivas o de lucro que generen un daño patrimonial o moral, para sí o para otro, se le impondrá una pena de dos a siete años de prisión y de doscientos a quinientos UMA diaria de multa y, en su caso, la reparación del daño que se hubiere causado. (Adición P.O. No. 75, 11-X-19)

La misma pena se le impondrá a quien otorgue su consentimiento para llevar a cabo la usurpación de su identidad, en cualquiera de las modalidades a que se refiere el párrafo anterior. (Adición P.O. No. 75, 11-X-19)

Se aumentará hasta una mitad la pena señalada en el artículo que antecede cuando: (Adición P.O. No. 75, 11-X-19)

I. El sujeto activo sea depositario de información personal y la facilite a un tercero, a fin de llevar a cabo la usurpación de identidad; (Adición P.O. No. 75, 11-X-19)

II. El sujeto activo asuma la identidad de un menor de edad o tenga contacto con una persona menor de dieciséis años de edad, con la finalidad de ejecutar cualquier acto sexual, aunque mediare el consentimiento del sujeto pasivo; o (Adición P.O. No. 75, 11-X-19)

III. Cuando el sujeto activo sea funcionario público y la conducta la realice en ejercicio de sus funciones. (Adición P.O. No. 75, 11-X-19)

Artículo 159 Sextus. Se equipara al delito de usurpación de identidad y se impondrá las mismas penas previstas en el párrafo primero del artículo que antecede, cuando se actualicen las siguientes conductas: (Adición P.O. No. 75, 11-X-19)

I. A quien transfiera, posea o utilice, sin autorización, datos identificativos de otra persona con la intención de cometer, intentar o favorecer cualquier actividad ilícita; (Adición P.O. No. 75, 11-X-19)

II. Al que usurpe, se apropie, o utilice, sin autorización, a través de internet, cualquier sistema informático, o medio de comunicación, la identidad de una persona física o moral que no le pertenezca; o (Adición P.O. No. 75, 11-X-19)

III. Al que mediante la manipulación de medios informáticos, telemáticos, o electrónicos, o la intercepción de datos de envió, empleando el uso de datos personales no autorizados, alcance un lucro indebido o genere un daño patrimonial para sí o para otro. (Adición P.O. No. 75, 11-X-19)

TÍTULO OCTAVO
DELITOS CONTRA LA LIBERTAD E INEXPERIENCIA SEXUALES

CAPÍTULO I
VIOLACIÓN

Artículo 160. Al que por medio de la violencia física o moral realice cópula con persona de cualquier sexo, se le impondrá pena de 5 a 12 años de prisión. (Ref. P.O. No. 91, 15-X- 18)

Se entiende por cópula, la introducción del órgano sexual masculino en el cuerpo humano por vía vaginal, anal o bucal. (Ref. P.O. No. 38, 15-VII-11)

Se impondrán las mismas penas señaladas en este artículo al que introduzca por la vía anal o vaginal cualquier objeto o instrumento distinto del órgano sexual masculino, por medio de la violencia física o moral, sea cual fuere el sexo del ofendido. (Ref. P.O. No. 38, 15-VII-11)

Adicionalmente a las penas previstas, se impondrá de 300 a 800 días multa. (Adición P.O. No. 39, 27-V-22)

Artículo 161. Se equiparará a la violación y se sancionará con pena de 16 a 40 años de prisión al que: (Ref. P.O. No. 39, 27-V-22)

I. Realice cópula con persona menor de catorce años o que no tenga capacidad para comprender el significado del hecho o capacidad para resistirlo; o (Ref. P.O. No. 91, 15-X-18)

II. Introduzca por vía anal o vaginal cualquier objeto o instrumento distinto del órgano sexual masculino, sea cual fuere el sexo del ofendido, en persona menor de catorce años o que no tenga capacidad para comprender el significado del hecho o capacidad para resistirlo. (Ref. P.O. No. 91, 15-X-18)

Si se ejerciera violencia física o moral o la conducta delictiva sea cometida por dos o más personas, la pena prevista se aumentará en una mitad. (Ref. P.O. No. 38, 15-VII-11)

Adicionalmente a las penas previstas, se impondrá de 900 a 1200 días multa. (Adición P.O. No. 39, 27-V-22)

Artículo 162. Cuando la violación se realice aprovechando la autoridad que se ejerza legalmente sobre la víctima, la pena prevista en el artículo anterior se aumentará hasta en una mitad más y el agente será privado del ejercicio de la patria potestad, de la tutela o custodia y, en su caso, de los derechos sucesorios con respecto del ofendido. (Ref. P.O. No. 38, 15-VII-11)

Si la violación es cometida aprovechando los medios o circunstancias que le proporcione el empleo, cargo o profesión que se ejerce, se aplicará la misma pena de prisión señalada en el párrafo que antecede y se le privará del cargo o empleo o se le suspenderá del ejercicio del empleo, cargo o profesión por el término de cinco años.

Artículo 163. Cuando la violación sea cometida por dos o más personas se impondrá prisión de ocho a veinte años.

Adicionalmente a las penas previstas, se impondrá de 1000 a 1500 días multa. (Adición P.O. No. 39, 27-V-22)

Artículo 164. Derogado. (P.O. No. 91, 15-X-18)

CAPÍTULO II
ABUSO SEXUAL

(Ref. P.O. No. 71, 21-XII-16)

Artículo 165. Al que sin el consentimiento de una persona y sin el propósito de llegar a la cópula ejecute en ella un acto sexual o la obligue a ejecutarlo, se le impondrá prisión de 2 a 3 años. (Ref. P.O. No. 71, 21-XII-16)

Adicionalmente a las penas previstas, se impondrá de 250 a 300 días multa. (Adición P.O. No. 39, 27-V-22)

Artículo 166. Al que, sin el propósito de llegar a la cópula, ejecute un acto sexual en persona menor de catorce años de edad o que no tenga capacidad para comprender el significado del hecho o capacidad para resistirlo, la obligue a ejecutarlos o a observarlos, ya sea de forma directa o por cualquier otro medio, se le impondrá prisión de 5 años 4 meses a 10 años. (Ref. P.O. No. 104, 3-XII-21)

Adicionalmente a las penas previstas, se impondrá de 500 a 1000 días multa. (Adición P.O. No. 39, 27-V-22)

Artículo 166 Bis. Se podrán aumentar hasta en dos terceras partes de las penas previstas en los artículos 165 y 166, cuando el delito se cometa: (Adición P.O. No. 71, 21- XII-16)

I. Con intervención directa o inmediata de dos o más personas; (Adición P.O. No. 71, 21-XII-16)

II. Cuando se empleaŕe violencia física o moral; (Adición P.O. No. 71, 21-XII-16)

III. Por un ascendiente contra su descendiente, o éste contra aquél; (Adición P.O. No. 71, 21-XII-16)

IV. Por el hermano o hermana contra su colateral, o por cualquiera cuando el lazo que los une es por consanguinidad, hasta el cuarto grado; (Adición P.O. No. 71, 21-XII-16)

V. Por el padrastro o la madrastra contra su hijastro, o por éste contra cualquiera de ellos; (Adición P.O. No. 71, 21-XII-16)

VI. Por el tutor con su pupilo; (Adición P.O. No. 71, 21-XII-16)

VII. Por cualquier persona que habite en el mismo domicilio de la víctima; (Adición P.O. No. 71, 21-XII-16)

VIII. Cuando el sujeto activo tenga contacto con la víctima por motivos laborales, docentes, médicos, domésticos, religiosos o cualquier otro que implique confianza, subordinación o superioridad; o (Adición P.O. No. 71, 21-XII-16)

IX. Cuando el sujeto activo aproveche la confianza depositada en ella por la víctima por motivos de afectividad, amistad o gratitud. (Adición P.O. No. 71, 21-XII-16)

Además del aumento de la pena, el culpable perderá la patria potestad o la tutela, en los casos en que la ejerciere sobre la víctima, así como de los derechos sucesorios con respecto del ofendido en los casos procedentes, sin perjuicio del concurso de delitos. (Adición P.O. No. 71, 21-XII-16)

CAPÍTULO III
ESTUPRO

Artículo 167. Al que tenga cópula con persona mayor de 14 años y menor de 18 años, obteniendo su consentimiento por medio de seducción o engaño, se le aplicará de 1 año a 8 años de prisión. (Ref. P.O. No. 104, 3-XII-21)

Este delito se perseguirá por querella de la persona ofendida o de quienes ejerzan la patria potestad o a falta de éstos, de sus legítimos representantes. (Ref. P.O. No. 38, 15-VII-11)

Adicionalmente a las penas previstas, se impondrá de 500 a 1000 días multa. (Adición P.O. No. 39, 27-V-22)

CAPÍTULO IV
DEL ACOSO Y HOSTIGAMIENTO SEXUAL

(Ref. P.O. No. 91, 15-X-18)

Artículo 167 Bis. Comete el delito de acoso sexual la persona que con fines sexuales para sí o para un tercero asedie a otra o le solicite favores de naturaleza sexual, se impondrá pena de 3 a 5 años de prisión y de 100 a 600 días multa. (Ref. P.O. No. 39, 27-V- 22)

Las penas señaladas se aumentarán hasta en una mitad cuando el sujeto pasivo fuera menor de 18 años o persona que no tenga capacidad para comprender el significado del hecho o capacidad para resistirlo en cuyo caso se perseguirá de oficio. (Ref. P.O. No. 39, 27-V-22)

Artículo 167 Ter. Comete el delito de hostigamiento sexual la persona que con fines sexuales para sí o para un tercero, asedie a cualquier persona, o solicite favores de naturaleza sexual valiéndose de su posición jerárquica, sus relaciones laborales, docentes, religiosas, domésticas, o cualquier otra que implique subordinación de la víctima, al responsable se le impondrá pena de 4 a 8 años de prisión y de 200 a 800 días multa. (Ref. P.O. No. 39, 27-V-22)

Si la conducta es realizada por un servidor público, docente o parte del personal administrativo de cualquier institución educativa o de asistencia social, en cuyo caso, además de la pena que corresponda, se le destituirá de su cargo y se le inhabilitará para ocupar cualquier otro en el sector público por el mismo tiempo de prisión impuesta. (Ref. P.O. No. 39, 27-V-22)

Si el sujeto pasivo fuera menor de 18 años o persona que no tenga capacidad para comprender el significado del hecho o capacidad para resistirlo, la pena se aumentará hasta en una mitad. (Ref. P.O. No. 39, 27-V-22)

Artículo 167 Quater. Al que obtenga por cualquier medio imágenes o videos de las partes íntimas o genitales de una persona, sin el consentimiento de ésta, se le impondrá pena de 3 a 6 años de prisión, multa de 1000 a 2000 veces el valor diario de la UMA, y desde 1000 hasta 2000 veces el valor diario de la UMA por concepto de reparación del daño. (Adición P.O. No. 54, 12-VII-19)

Cuando esas imágenes o videos se reproduzcan de cualquier forma o se compartan a un tercero o públicamente, la pena prevista en el párrafo anterior se aumentará hasta la mitad. (Adición P.O. No. 54, 12-VII-19)

Cuando el sujeto activo sea docente o parte del personal administrativo de cualquier institución educativa o de asistencia social y utilice los medios o circunstancias que el encargo le proporcione, se aumentará hasta una tercera parte de la pena correspondiente al delito cometido. (Adición P.O. No. 54, 12-VII-19)

Si el sujeto activo mantuvo una relación de concubinato o matrimonio con la víctima, la pena privativa de la libertad se aumentará hasta una tercera parte de la pena correspondiente al delito cometido. (Adición P.O. No. 54, 12-VII-19)

Cuando el sujeto activo sea padre o tutor de la víctima, se aumentará hasta una tercera parte de la pena correspondiente al delito cometido y se le sancionará con la pérdida de la patria potestad. (Adición P.O. No. 54, 12-VII-19)

Artículo 167 Quinquies. A quien sin la autorización correspondiente divulgue o amenace con difundir video o imágenes eróticas sexuales de una persona, obtenidas con o sin el consentimiento de esta, se le impondrá una pena de 3 a 6 años de prisión, de 1000 a 2000 veces el valor diario de la UMA, y desde 1000 hasta 2000 veces el valor diario de la UMA por concepto de reparación del daño. (Adición P.O. No. 54, 12-VII-19)

Artículo 167 Sextus. Al que por medio de internet, o de cualquier otra tecnología de la información y la comunicación contacte a un menor de 18 años con el objetivo de concertar un encuentro con fines sexuales o solicitar favores de naturaleza sexual, será castigado con la pena de 3 a 6 años de prisión y multa de 1,000 a 2,000 veces el valor diario de la UMA, sin perjuicio de las penas correspondientes a los delitos en su caso cometidos. Las penas se aumentarán hasta una tercera parte, cuando el acercamiento se obtenga mediante coacción, intimidación o engaño. (Adición P.O. No. 72, 29-VIII-25)

Artículo 167 Septimus. Al que, a través de internet, o de cualquier otra tecnología de la información y la comunicación contacte a un menor de 18 años con el fin de obtener material pornográfico o mostrarle imágenes pornográficas, será castigado con una pena de prisión de 3 a 6 años de prisión y multa de 1,000 a 2,000 veces el valor diario de la UMA. (Adición P.O. No. 72, 29-VIII-25)

CAPÍTULO V
DISPOSICIONES COMUNES

(Adición P.O. No. 36, 27-VI-03)

Artículo 168. Los delitos previstos en este Título, con excepción de la violación y violación equiparada, serán perseguidos por querella. (Ref. P.O. No. 39, 27-V-22)

Se procederá de oficio a la persecución de los delitos previstos en este Título, cuando concurra violencia, o las víctimas sean personas menores de edad, o que no tengan capacidad para comprender el significado del hecho o capacidad para resistirlo, con excepción del delito de estupro. (Ref. P.O. No. 71, 21-XII-16)

Además de las penas previstas en el presente título, se impondrá de 150 a 1500 jornadas de medidas para mejorar la convivencia cotidiana. (Adición P.O. No. 39, 27-V-22)

Artículo 169. En los delitos a que se refieren los capítulos de este Título, la reparación del daño sufrido por la víctima deberá ser integral y podrá comprender, además de las medidas establecidas en este Código y las disposiciones de la legislación aplicable en materia de protección a víctimas, la aplicación de las siguientes medidas: (Ref. P.O. No. 91, 15-X-18)

I. El pago de alimentos a la víctima y a la progenie que haya resultado de la relación sexual ilícita, entendiéndose por alimentos en el amplio sentido, conforme a los términos del Código Civil del Estado de Querétaro; y (Ref. P.O. No. 91, 15-X-18)

II. El pago de gastos y costas judiciales del asesor jurídico, cuando éste sea privado. (Ref. P.O. No. 91, 15-X-18)

Cada una de estas medidas deberá ser atendida por el Juzgador para determinar su implementación o no según sea el caso, a favor de la víctima, teniendo en cuenta la gravedad y magnitud del hecho victimizante cometido o la gravedad y magnitud de la violación de sus derechos, así como las circunstancias y características del hecho victimizante. (Ref. P.O. No. 91, 15-X-18)

TÍTULO NOVENO
DELITOS CONTRA LA DIGNIDAD DE LAS PERSONAS

(Ref. P.O. N o. 12, 25-II-11)

CAPÍTULO I
DISCRIMINACIÓN

(Ref. P.O. N o. 12, 25-II-11)

Artículo 170. Se impondrá pena de uno a tres años de prisión o de veinticinco a cien días de trabajos a favor de la comunidad y de cincuenta a doscientos días multa, al que, por razón de edad, sexo, embarazo, estado civil, raza, idioma, religión, ideología, orientación sexual, color de piel, nacionalidad, origen o posición social, trabajo o profesión, posición económica, discapacidad o estado de salud, realice las siguientes conductas: (Ref. P.O. N o. 12, 25-II-11)

I. Provoque o incite al odio o a la violencia; (Ref. P.O. N o. 12, 25-II-11)

II. En ejercicio de sus actividades profesionales, mercantiles o empresariales, niegue a una persona un servicio o una prestación a la que tenga derecho. Para los efectos de esta fracción, se considera que toda persona tiene derecho a los servicios o prestaciones que se ofrecen al público en general; (Ref. P.O. N o. 12, 25-II-11)

III. Veje o excluya a alguna persona o grupo de personas; o (Ref. P.O. N o. 12, 25-II-11)

IV. Niegue o restrinja derechos laborales. (Ref. P.O. N o. 12, 25-II-11)

Al servidor público que incurra en alguna de las conductas previstas en este artículo o niegue o retarde a las personas un trámite, servicio o prestación al que tenga derecho, se le aumentará hasta en una mitad la pena prevista en el primer párrafo del presente artículo y además se le impondrá destitución e inhabilitación para el desempeño de cualquier cargo, empleo o comisión públicos, hasta por el mismo lapso de la pena de prisión impuesta. (Ref. P.O. N o. 12, 25-II-11)

Durante una emergencia sanitaria decretada por la autoridad competente, cuando la conducta del párrafo primero se ejecute contra personal de servicios de salud públicos o privados, seguridad o protección civil, la pena se incrementará hasta en una mitad más. (Ref. P.O. No. 45, 2-VI-21)

No serán consideradas discriminatorias todas aquellas medidas tendientes a la protección de los grupos socialmente desfavorecidos. (Ref. P.O. No. 99, 18-XII-20)

Este delito se perseguirá por querella, a excepción de cuando se cometa en contra de personal de servicios de salud públicos o privados, seguridad o protección civil, durante una emergencia sanitaria decretada por la autoridad competente. (Adición P.O. No. 99, 18-XII- 20)

Artículo 171. Derogado. (P.O. No. 12, 25-II-11)

Artículo 172. Derogado. (P.O. No. 12, 25-II-11)

CAPÍTULO II
CALUMNIA

Derogado. (P.O. No. 12, 25-II-11)

Artículo 173. Derogado. (P.O. No. 12, 25-II-11)

Artículo 174. Derogado. (P.O. No. 12, 25-II-11)

Artículo 175. Derogado. (P.O. No. 12, 25-II-11)

Artículo 176. Derogado. (P.O. No. 12, 25-II-11)

CAPÍTULO III
DISPOSICIONES COMUNES

Derogado. (P.O. No. 12, 25-II-11)

Artículo 177. Derogado. (P.O. No. 12, 25-II-11)

Artículo 178. Derogado. (P.O. No. 12, 25-II-11)

Artículo 179. Derogado. (P.O. No. 12, 25-II-11)

Artículo 180. Derogado. (P.O. No. 12, 25-II-11)

Artículo 181. Derogado. (P.O. No. 12, 25-II-11)

TÍTULO DÉCIMO
DELITOS CONTRA EL PATRIMONIO

CAPÍTULO I
ROBO

Artículo 182. Al que se apodere de una cosa mueble ajena, con ánimo de dominio, sin consentimiento de quien pueda otorgarlo conforme a la Ley, se le aplicarán las siguientes penas:

I. Prisión de 1 a 3 años, y de 100 a 200 días multa, cuando el valor de lo robado no exceda de 200 veces el valor diario de la UMA; (Ref. P.O. No. 39, 27-V-22)

II. Prisión de 3 a 5 años y de 200 a 400 días multa, cuando el valor de lo robado exceda de 200 veces el valor diario de la UMA; o (Ref. P.O. No. 39, 27-V-22)

III. Prisión de 5 a 12 años y de 400 a 750 días multa, cuando el valor de lo robado exceda de 600 veces el valor diario de la UMA. (Ref. P.O. No. 39, 27-V-22)

Artículo 183. Se aumentarán hasta en una mitad las penas previstas en el presente capítulo, si el robo se realiza: (Ref. P.O. No. 39, 27-V-22)

I. Por medio de la violencia, la acechanza o cualquier otra circunstancia que disminuya las posibilidades de defensa de la víctima o de persona que la acompañe, o la ponga en condiciones de desventaja, o cuando se ejerza violencia para proporcionarse la fuga o defender lo robado. (Ref. P.O. No. 52, 19-XII-96)

II. Se verifique en paraje solitario o en lugar cerrado; (Ref. P.O. No. 5, 21-I-11)

III. Estando la víctima en un vehículo particular o de transporte público;

IV. Aprovechando las condiciones de confusión que se produzcan por catástrofe o desorden público;

V. Por una o varias personas armadas o llevando cualquier instrumento peligroso;

VI. En contra de una oficina recaudatoria o cualquier otra en que se conserven caudales; o en contra de las personas que las custodian, manejan, transportan, o que por cualquier motivo estén presentes, o en local abierto al público;

VII. Respecto de vehículo o maquinaria, independientemente del lugar en que se encuentre; (Ref. P.O. No. 25, 18-V-12)

VIII. Quebrantando la confianza o seguridad derivada de una relación de servicio, trabajo u hospitalidad; (Ref. P.O. No. 39, 27-V-22)

IX. En lugares destinados a la agricultura o la ganadería y recaiga sobre cualquier bien destinado a dichas actividades; (Ref. P.O. No. 39, 27-V-22)

X. Cuando el sujeto activo desempeñe un empleo, cargo o comisión en el servicio público, en ejercicio de sus funciones; o (Adición P.O. No. 39, 27-V-22)

XI. Aprovechar para la comisión del delito una catástrofe pública, accidente de tránsito o desgracia privada. (Adición P.O. No. 39, 27-V-22)

Artículo 183 Bis. Se sancionará con pena de 4 a 10 años de prisión, de 500 a 1000 días multa con independencia de las penas que correspondan por la comisión de otros delitos al que: (Ref. P.O. No. 39, 27-V-22)

I. Sin consentimiento del que tenga derecho a otorgarlo, desmantele alguno o varios vehículos o comercialice conjunta o separadamente sus autopartes; (Adición P.O. No. 52, 19-XII-96)

II. Enajene o trafique de cualquier manera con vehículo o vehículos robados y no acredite su posesión de buena fe o legítima procedencia. (Ref. P.O. No. 39, 27-V-22)

III. Detente, posea o custodie un vehículo robado, y no acredite su posesión de buena fe o legítima procedencia o acredite la propiedad o identificación del mismo, con documentos alterados o apócrifos. (Ref. P.O. No. 39, 27-V-22)

IV. Traslade el o los vehículos robados fuera del territorio del estado, y no acredite su posesión de buena fe o legítima procedencia. (Ref. P.O. No. 39, 27-V-22)

V. Utilice el o los vehículos robados en la comisión de otro u otros delitos. (Adición P.O. No. 52, 19-XII-96)

Si en los actos mencionados participa algún servidor público que tenga a su cargo funciones de prevención, persecución o sanción del delito, además de las sanciones a que se refiere este artículo, se le inhabilitará para desempeñar cualquier empleo, cargo o comisión públicos por un periodo igual a la pena de prisión impuesta. (Adición P.O. No. 52, 19-XII-96)

Artículo 183 Ter. Se sancionará con pena de tres a quince años de prisión y de 100 a 750 días multa, si el robo se realiza en edificio, vivienda, aposento o cuarto que estén habitados o destinados para habitación, comprendiéndose en esta denominación no sólo los que estén fijos en la tierra, sino también los móviles, sea cual fuere la materia de que estén construidos. (Adición P.O. No. 5, 21-I-11)

Artículo 183 Quater. Se sancionará con pena de uno a quince años de prisión y de 100 a 750 días multa, si el robo se realiza en bodega, edificio, local comercial o cuarto que estén destinados para ejercer el comercio, comprendiéndose en esta denominación no solo los que estén fijos en la tierra, sino también los móviles, sea cual fuere la materia de la que estén construidos. (Adición P.O. No. 29, 8-VI-12)

Artículo 183 Quinquies. Cuando el robo se ejecute sobre bienes de utilidad pública o destinados a la realización de una función pública, equipamiento urbano, mobiliario urbano o servicios educativos, cuya sustracción dañe, limite, interrumpa o afecte de cualquier manera servicios públicos o concesionados estatales o municipales, la pena será de 4 a 10 años de prisión, 500 a 1000 días multa. (Adición P.O. No. 39, 27-V-22)

Esta pena se aplicará adicionalmente a la que corresponda por la comisión de otros delitos. (Adición P.O. No. 39, 27-V-22)

Artículo 184. Al que cometa robo de cualquier documento, que se encuentre en oficina pública, se aplicará prisión de 6 meses a 5 años.

Igual sanción se aplicará al que cometa robo de documentos que contengan obligación, liberación o transmisión de derechos. Si el ladrón obtiene por medio de los mencionados documentos un lucro, se estará a lo establecido en el Artículo 182 de este Código.

Adicionalmente a las penas previstas, se impondrá de 500 a 800 días multa. (Adición P.O. No. 39, 27-V-22)

Artículo 185. La pena que corresponda al robo simple se reducirá hasta la mitad al que halle en lugar público un bien mostrenco, se apodere de él y no lo entregue a la autoridad que correponda dentro del término señalado en el Código Civil.

No habrá lugar a la disminución a que se refiere este Artículo, si al que se apoderó de la cosa le fuere reclamada por quien tenga derecho a ella y se rehúse a entregarla.

Artículo 186. Se impondrán las mismas penas previstas en el Artículo 182 de esta Ley a quien:

I. Se apodere de una cosa propia, si ésta se halla por cualquier título legítimo en poder de otro, y

II. Aproveche energía eléctrica o algún fluído, sin consentimiento de quien legalmente pueda disponer de aquéllos.

Artículo 187. Al que se apodere de una cosa mueble ajena, sin consentimiento del dueño o legítimo poseedor y acredite haberla tomado con carácter temporal y no para apropiársela o enajenarla, se le aplicarán de 3 meses a 3 años de prisión, siempre que justifique no haberse negado a devolverla, si se le requirió para ello, o la devolvió sin haber sido requerido.

Como reparación del daño, además, pagará al ofendido el doble del alquiler, arrendamiento o intereses de la cosa usada.

Adicionalmente a las penas previstas, se impondrá de 240 a 270 días multa. (Adición P.O. No. 39, 27-V-22)

Artículo 188. Se tendrá por consumado el robo desde el momento en que el ladrón tiene en su poder la cosa robada, aún cuando la abandone o lo desapoderen de ella.

CAPÍTULO II
ABIGEATO

Artículo 189. Comete el delito de abigeato el que se apodere de uno o más animales de las especies pecuarias, sin el consentimiento de quien legalmente pueda disponer de ellos. A quien lo cometa, se le impondrán las penas siguientes: (Ref. P.O. No. 45, 2-VI-21)

I. Prisión de 3 meses a 3 años y multa de 20 a 100 días, cuando el valor de los animales no exceda de 50 veces, el valor diario de la Unidad de Medida y Actualización; (Ref. P.O. No. 45, 2-VI-21)

II. Prisión de 3 a 6 años y multa de 100 a 300 días, cuando el valor de los animales sea de 51 a 100 veces, el valor diario de la Unidad de Medida y Actualización; (Ref. P.O. No. 45, 2-VI-21)

III. Prisión de 4 a 8 años y multa de 300 a 600 días, cuando el valor de los animales sea de 101 a 500 veces, el valor diario de la Unidad de Medida y Actualización; y (Ref. P.O. No. 45, 2-VI-21)

IV. Prisión de 8 a 16 años y multa de 600 a 1000 días, cuando el valor de los animales exceda de 500 veces, el valor diario de la Unidad de Medida y Actualización. (Ref. P.O. No. 45, 2-VI-21)

Artículo 190. Se equipara al abigeato y se sancionará con prisión de 6 meses a 6 años y de 100 a 500 días multa, a quién: (Ref. P.O. No. 45, 2-VI-21)

I. No acredite la propiedad de animales, productos o subproductos, ante cualquier autoridad competente que lo requiera; (Ref. P.O. No. 45, 2-VI-21)

II. A sabiendas o sin tomar las medidas necesarias para cerciorarse de la procedencia legítima, adquiera, comercie o enajene, animales, productos o subproductos de abigeato o intervenga en dichas operaciones; (Ref. P.O. No. 45, 2-VI-21)

III. A sabiendas, o sin tomar las medidas necesarias para cerciorarse de la procedencia legítima, posea u oculte en un lugar destinado para la venta o transmisión, uno o más animales, productos o subproductos, objeto de abigeato; (Ref. P.O. No. 45, 2-VI-21)

IV. A sabiendas, o sin tomar las medidas necesarias para cerciorarse de la procedencia legítima, o sin portar la documentación necesaria, transporte animales, productos o subproductos, objeto de abigeato; (Ref. P.O. No. 45, 2-VI-21)

V. Sin el consentimiento de quien pueda otorgarlo conforme a la ley, marque, contramarque, señale o contraseñale, uno o más animales; (Ref. P.O. No. 45, 2-VI- 21)

VI. Altere, desfigure o elimine las marcas o señales de identificación de uno o más animales, sin consentimiento de quien está facultado conforme a la ley para otorgarlo; (Ref. P.O. No. 45, 2-VI-21)

VII. Expida o haga uso de factura, guía de tránsito, certificado de movilización de uso sanitario, aviso de movilización o dispositivo de identificación oficial apócrifo, para simular venta de animales, productos o subproductos, de los que no se acredite la propiedad o para traslados para fines de movilización de vida o sacrificio, sin estar debidamente autorizado; (Ref. P.O. No. 45, 2-VI-21)

VIII. Extraiga, altere, modifique o encime dispositivos de identificación oficial de animales, sin consentimiento de quien pueda otorgarlo conforme a la ley; (Ref. P.O. No. 45, 2- VI-21)

IX. A sabiendas o sin tomar las medidas necesarias para cerciorarse de la procedencia legítima, consienta el sacrificio de animales para consumo humano, producto de abigeato; o (Ref. P.O. No. 45, 2-VI-21)

X. Sacrifique intencionalmente animales ajenos, sin consentimiento de quien pueda otorgarlo conforme a la ley. (Ref. P.O. No. 45, 2-VI-21)

Artículo 190 Bis. La pena se agravará hasta en una mitad más, si concurre alguna de las circunstancias siguientes: (Adición P.O. No. 45, 2-VI-21)

I. Lo cometa un empleado o dependiente contra su patrón o algún familiar de éste; (Adición P.O. No. 45, 2-VI-21)

II. Lo cometa quien tenga el carácter de autoridad, a sabiendas o sin tomar las medidas necesarias para cerciorarse de la procedencia legítima, adquiera, comercie o enajene, animales, productos o subproductos de abigeato o intervenga en dichas operaciones; (Adición P.O. No. 45, 2-VI-21)

III. Lo cometan ganaderos inscritos o personas que tengan intereses o vínculos con cualquier unión o asociación ganadera; (Adición P.O. No. 45, 2-VI-21)

IV. Se cometa por dos o más personas; (Adición P.O. No. 45, 2-VI-21)

V. Se simule ser miembro de algún cuerpo de seguridad pública o alguna otra autoridad; (Adición P.O. No. 45, 2-VI-21)

VI. Se ejecute en el medio rural; (Adición P.O. No. 45, 2-VI-21)

VII. Se cometa aprovechando la falta de vigilancia sobre los animales; (Adición P.O. No. 45, 2-VI-21)

VIII. Se ejecute con violencia física o moral, ya sea al perpetrarse el hecho o después de consumado, para lograr la fuga o defender el objeto del delito; o (Adición P.O. No. 45, 2-VI-21)

IX. Cuando se trate de animales para el mejoramiento genético. (Adición P.O. No. 45, 2- VI-21)

Artículo 190 Ter. Se presumirá producto del abigeato, salvo prueba en contrario, el animal herrado con un fierro no registrado ante la autoridad competente o con uno falsificado o alterado mediante el uso de alambre, planchas, argollas o por cualquier otro medio. (Adición P.O. No. 45, 2-VI-21)

CAPÍTULO III
ABUSO DE CONFIANZA

Artículo 191. Al que con perjuicio de alguien, disponga para sÍ o para otro, de cualquier cosa mueble ajena, de la que se le haya transmitido la tenencia pero no el dominio, se le impondrán las siguientes penas:

I. Prisión de 3 meses a 4 años y hasta 180 días multa cuando el valor de lo dispuesto no exceda de 600 veces el valor diario de la UMA; o (Ref. P.O. No. 26, 28-III-18)

II. Prisión de 4 a 10 años y 180 a 500 días multa, cuando el valor de lo dispuesto exceda de 600 veces el valor diario de la UMA. (Ref. P.O. No. 26, 28-III-18)

Cuando el delito se cometa en contra de persona menor de edad o mayor de sesenta años de edad o persona con discapacidad mental, intelectual, física o sensorial, las penas que correspondan se incrementarán una tercera parte. (Ref. P.O. No. 29, 8-VI-12)

Artículo 192. Se le aplicarán las mismas sanciones previstas en el Artículo anterior, al que:

I. Disponga de una cosa mueble, de su propiedad, si no tiene la libre disposición de la misma a virtud de cualquier título legítimo, y

II. Siendo poseedor derivado de una cosa mueble, no la devuelva cuando debiera hacerlo, a pesar de ser requerido formalmente por quien tenga derecho o no la entregue a la autoridad competente.

CAPÍTULO IV
FRAUDE

Artículo 193. Al que obtenga cualquier tipo de lucro, por sí o interpósita persona, por medio del engaño haciéndole creer al agraviado el cumplimiento de obligaciones, sin que resuelva las mismas en el plazo o condiciones acordadas, al no estar en posibilidad económica o material de cumplir desde el momento que hizo el ofrecimiento respectivo, se le aplicarán las siguientes sanciones: (Ref. P.O. No. 39, 27-V-22)

I. Prisión de 3 meses a 4 años y hasta 180 días multa cuando el valor de lo defraudado sea hasta 600 veces el valor diario de la UMA; (Ref. P.O. No. 26, 28-III-18)

II. Prisión de 4 a 10 años y de 180 hasta 500 días multa, cuando el valor de lo defraudado sea mayor de 600 y hasta 1200 veces el valor diario de la UMA; o (Ref. P.O. No. 26, 28-III-18)

III. Prisión de 10 a 15 años y de 500 hasta 750 días multa, cuando el valor de lo defraudado sea mayor de 1200 veces el valor diario de la UMA. (Ref. P.O. No. 26, 28- III-18)

Cuando el delito se cometa en contra de persona menor de edad, mayor de sesenta años de edad o persona con discapacidad mental, intelectual, física o sensorial, las penas que correspondan se incrementarán una tercera parte. (Ref. P.O. No. 68, 7-XI-12)

Artículo 194. Se aplicarán las mismas penas previstas en el Artículo anterior:

I. Al que aprovechando el error en que se encuentre una persona, obtenga un lucro indebido o se haga ilícitamente de una cosa; (Ref. P.O. No. 39, 27-V-22)

II. Al que por título oneroso enajene alguna cosa, con conocimiento de que no tiene derecho para disponer de ella, o la arriende, hipoteque, empeñe a grave de cualquier otro modo, si ha recibido el precio, el alquiler, la cantidad en que la gravó, parte de ellos o un lucro equivalente;

III. Al que obtenga de otro una cantidad de dinero o cualquier otro lucro otorgándole o endosándole a nombre propio o de otro un documento nominativo, a la orden o al portador contra una persona supuesta o que el otorgante sabe que no ha de pagarle;

IV. Al que se haga servir alguna cosa o admita un servicio en cualquier establecimiento comercial y no pague el importe;

V. Al que compre una cosa mueble ofreciendo pagar su precio al contado y rehuse, después de recibirla, hacer el pago o devolver la cosa, si el vendedor le exige lo uno o lo otro dentro del plazo, si se convino o dentro de los quince días de haber recibido la cosa el comprador si no se estipuló plazo;

VI. Al que venda una cosa mueble y reciba su precio, si no la entrega dentro de los quince días o del plazo convenido, o no devuelva su importe en el mismo término, en el caso de que se le exija la entrega de la cosa o la devolución del importe;

VII. Al que venda a dos o más personas una misma cosa, sea mueble o inmueble y reciba el precio de una o más ventas o parte de él, o cualquier otro lucro con perjuicio de cualquiera de los compradores;

Cualquiera de los compradores será considerado víctima. (Adición P.O. No. 39, 27-V- 22)

VIII. Al que para obtener un lucro indebido ponga en circulación fichas, tarjetas, planchuelas u otros objetos de cualquier material con signos convencionales en substitución de la moneda legal;

IX. Al que por sorteos, rifas, loterías, tandas, promesas de venta o por cualquier otro medio se quede en todo o en parte con las cantidades recibidas sin entregar la mercancia u objeto ofrecido;

X. Al fabricante, empresario, contratista o constructor de una obra o instalación, que empleé en ellas materiales, artículos o accesorios de inferior cantidad o calidad a la estipulada, o mano de obra inferior a la convenida, siempre que haya recibido el precio o parte de él;

XI. Al vendedor de materiales de construcción o de cualquier especie, que habiendo recibido el precio de los mismos no los entregare en su totalidad o calidad convenida;

XII. Al que venda o traspase una negociación sin autorización de los acreedores de ella o sin que el adquiriente se comprometa a responder de los créditos, siempre que éstos últimos resulten insolutos. Cuando la enajenación sea hecha por una persona moral, serán penalmente responsables los que autoricen aquélla y los dirigentes, administradores o mandatarios que la efectúen;

XIII. Al que explote las preocupaciones, la superstición o la ignorancia del pueblo, por medio de evocación de espíritus, o supuestas adivinaciones o curaciones;

XIV. Al que habiendo recibido mercancía con subsidio o franquicia para darles un destino determinado, las distrajera de este destino o en cualquier forma desvirtúe los fines perseguidos con el subsidio o la franquicia;

XV. A los intermediarios en operaciones de traslación de dominio de bienes inmuebles o de gravámenes reales sobre éstos que obtengan dinero, títulos o valores por el importe de su precio, a cuenta de él o para constituir ese gravamen, si no los destinaren, en todo o en parte, al objeto de la operación concertada, por su disposición en provecho propio o de otro.

Para los efectos de este delito se entenderá que un intermediario no ha dado su destino, o ha dispuesto, en todo o en parte, del dinero, títulos o valores obtenidos por el importe del precio o a cuenta del inmueble objeto de la traslación de dominio o del gravamen real, si no realiza su depósito en cualquier institución propia para ello, dentro de los 30 días siguientes a su recepción a favor de su propietario o su poseedor, a menos que lo hubiese entregado, dentro de este término, al vendedor o al deudor del gravamen real, o devuelto al comprador, o al acreedor del mismo gravamen.

Las mismas sanciones se impondrán a los gerentes, directivos, mandatarios con facultades de dominio o de administración, administradores de las penas morales, que no cumplan o hagan cumplir la obligación a que se refiere el párrafo anterior.

Cuando el sujeto activo del delito devuelva a los interesados las cantidades de dinero obtenidas con su actuación antes de que se dicte sentencia en el proceso respectivo, la pena que se le aplicará será de 3 meses a un 1 año de prisión y de 240 a 270 días multa. (Ref. P.O. No. 39, 27-V-22)

XVI. A los constructores o vendedores de edificios en condominio, casas o habitaciones en general que obtengan dinero, títulos o valores por el importe de su precio o a cuenta de él, si no los destinan, en todo o en parte, al objeto de la operación concertada, por su disposición en provecho propio o de otro.

Es aplicable a lo dispuesto en esta fracción lo determinado en los párrafos segundo a cuarto de la fracción anterior.

XVII. Al que valiéndose del cargo que ocupe en el Gobierno, en una empresa descentralizada o de participación estatal, o en cualquier agrupación de carácter sindical o de sus relaciones con los funcionarios o dirigentes de dichos organismos, obtengan dinero, valores, dádivas, obsequios o cualquier otro beneficio, a cambio de prometer o proporcionar un trabajo, un ascenso o aumento de salario en tales organismos;

XVIII. Quién venda, haga efectivo o intercambie por algún otro bien, vales de papel o cualquier dispositivo electrónico en forma de tarjeta plástica, emitido por personas morales utilizados para canjear bienes o servicios con conocimiento de que son falsos; (Ref. P.O. No. 5, 21-I-11)

XIX. Al que altere por cualquier medio los medidores de algún fluído o líquido o las indicaciones registradas en esos aparatos para aprovecharse indebidamente de ellos en perjuicio del consumidor;

XX. Al que valiéndose de la ignorancia o de las malas condiciones económicas de un trabajador a su servicio le pague cantidades inferiores a las que legalmente le corresponden por las labores que ejecuta o le haga otorgar recibos o comprobantes de pago de cualquier clase que amparen sumas de dinero superiores a las que efectivamente entrega, y

XXI. Al que provoque deliberadamente cualquier acontecimiento que pudiera considerarse como fortuito o de fuerza mayor, para liberarse de obligación o cobrar fianzas o seguros.

XXII. Derogada. (P.O. No. 39, 27-V-22)

Artículo 195. Cuando el sujeto pasivo del delito entregue la cosa de que se trata a virtud no sólo del engaño, sino de maquinaciones o artificios que para obtener esa entrega se hayan empleado, la pena señalada en el Artículo 193 de este Código se aumentará en un mes a dos años.

CAPÍTULO V
USURA

Derogado. (P.O. No. 39, 27-V-22)

Artículo 196. Derogado. (P.O. No. 39, 27-V-22)

CAPÍTULO VI
ADMINISTRACIÓN FRAUDULENTA

Artículo 197. Al que reciba bienes para su administración o cuidado y cause un detrimento o perjuicio económico al titular de los mismos, por medio de la alteración de cuentas o condiciones de contratos, registrando operaciones o gastos inexistentes o exagerando los reales, ocultando o reteniendo valores o empleándolos indebidamente, se le impondrán las siguientes penas: (Ref. P.O. No. 39, 27-V-22)

I. Prisión de 1 a 4 años y hasta 180 días multa, cuando el monto sea de hasta 600 veces el valor diario de la UMA; (Ref. P.O. No. 39, 27-V-22)

II. Prisión de 4 a 10 años y de 180 hasta 500 días multa, cuando el monto sea mayor de 600 veces el valor diario de la UMA; ó (Ref. P.O. No. 39, 27-V-22)

III. Prisión de 10 a 15 años y de 500 hasta 750 días multa, cuando el monto sea mayor de 1200 veces el valor diario de la UMA. (Ref. P.O. No. 39, 27-V-22)

Las penas previstas en este artículo, se aumentarán hasta en una mitad, cuando el delito se cometa en agravio de persona mayor de sesenta años. (Ref. P.O. No. 39, 27-V-22)

Igualmente se aumentarán las penas hasta en una mitad, cuando el administrador o responsable obtenga un beneficio económico para sí o para otro. (Ref. P.O. No. 39, 27-V- 22)

CAPÍTULO VII
EXTORSIÓN

Artículo 198. Al que obtenga un provecho indebido para sí o para otro, utilizando la violencia física o moral, realice maniobras que tengan por objeto obligar a alguien a hacer, tolerar o dejar de hacer algo, en su perjuicio o en el de un tercero, se le impondrá prisión de 5 a 10 años, de 100 a 300 días multa, y trabajo en favor de la comunidad de 1 a 3 años. (Ref. P.O. No. 39, 27-V-22)

La pena se aumentará en una mitad más, cuando concurra alguna de las siguientes circunstancias: (Ref. P.O. No. 31, 30-V-11)

I. Derogada. (P.O. No. 39, 27-V-22)

II. El agente realice el hecho quebrantando la confianza o seguridad que expresamente le había prometido al ofendido, o las tácitas que éste debía esperar de aquél, por las relaciones que fundadamente deben inspirar seguridad o confianza; (Ref. P.O. No. 31, 30-V-11)

III. El autor del delito sea o se ostente como miembro de alguna asociación delictuosa. Para efectos de esta fracción, se entenderá como asociación delictuosa toda agrupación o banda de dos o más personas destinada a delinquir; (Ref. P.O. No. 31, 30-V-11)

IV. Se realice el hecho por medio de amenazas en causar daño a la vida o salud del ofendido, o en persona con quien éste tenga vínculos de parentesco, amor, amistad, respeto o gratitud; (Ref. P.O. No. 31, 30-V-11)

V. Se utilice como medio comisivo la vía telefónica, el correo electrónico o cualquier otro medio de comunicación electrónica; (Ref. P.O. No. 31, 30-V-11)

VI. Cuando el agente se encuentre legalmente privado de su libertad. Igual pena se aplicará a la persona que en libertad, participe de cualquier manera con el primero; (Ref. P.O. No. 31, 30-V-11)

VII. Que cualquiera de los actos relacionados con el desarrollo de la extorsión, se efectúe desde lugar distinto al territorio del Estado de Querétaro; o bien de éste hacia otra entidad federativa, o (Ref. P.O. No. 31, 30-V-11)

VIII. Cuando el sujeto activo del delito sea, haya sido, o se ostente sin serlo, integrante de alguna institución policial, corporación de seguridad privada, o de órganos con funciones de investigación y persecución del delito, impartición de justicia penal o ejecución de penas y medidas de seguridad. En el caso de ser servidor público el sujeto activo del delito, se le impondrá además pena de destitución. (Ref. P.O. No. 31, 30-V-11)

IX. Cuando el delito se cometa en contra de persona menor de edad o mayor de sesenta años o persona que no tenga capacidad para comprender el significado del hecho o capacidad para resistirlo. (Ref. P.O. No. 29, 8-VI-12)

CAPÍTULO VIII
DESPOJO

Artículo 199. Se aplicará prisión de 1 a 6 años y de 300 a 1000 días multa, al que sin consentimiento de quien tenga derecho a otorgarlo o engañando a éste: (Ref. P.O. No. 39, 27-V-22)

I. Por sí o por interpósita persona ocupe un inmueble ajeno, haga uso del mismo o de un derecho real que no le pertenezca o impida materialmente el disfrute del mismo. (Ref. P.O. No. 39, 27-V-22)

II. Ocupe un inmueble de su propiedad que se halle en poder de otra persona por alguna causa legítima o ejerza actos de dominio que lesionen los derechos del ocupante;

III. Desvíe o haga uso de aguas propias o ajenas en los casos en que la Ley no lo permita, o haga uso de derecho real sobre aguas que no le pertenezcan, o

IV. Ejerza actos de dominio que lesionen derechos legítimos del usuario de dichas aguas.

Artículo 200. Si el despojo se realiza por dos o más personas o con violencia, se aumentarán hasta en una mitad las penas previstas en el Artículo anterior, pero a los autores intelectuales o a quienes dirijan el despojo se les aplicará prisión de 4 a 10 años y de 300 a 500 días multa.

Cuando el delito se cometa en contra de persona menor de edad o mayor de sesenta años de edad o persona con discapacidad mental, intelectual, física o sensorial, las penas que correspondan se incrementarán hasta en una tercera parte. (Ref. P.O. No. 29, 8-VI-12)

Artículo 201. Las penas previstas para el delito de despojo se impondrán aunque el derecho a la posesión sea dudoso o esté sujeto al litigio.

CAPÍTULO IX
DAÑOS

Artículo 202. Al que por cualquier medio destruya o deteriore una cosa ajena o propia, en perjuicio de otra, se le impondrá prisión de 3 meses a 8 años y de 15 a 240 días multa.

Cuando el ofendido sea persona menor de edad o mayor de sesenta años de edad o persona con discapacidad mental, intelectual, física o sensorial, las penas que correspondan se incrementarán hasta en una tercera parte. (Ref. P.O. No. 29, 8-VI-12)

Artículo 202 Bis. Derogado. (P.O. No. 22, 8-V-15)

Artículo 203. Si el daño recae en bienes de valor científico, histórico, cultural, edificios públicos, monumentos, equipamiento urbano o bienes de utilidad pública o se comete por medio de inundación, incendio, minas, bombas o explosivos la prisión será de 2 a 9 años y de 50 a 500 días multa. (Ref. P.O. No. 22, 8-V-15)

CAPÍTULO X
ENCUBRIMIENTO POR RECEPTACIÓN

Artículo 204. Al que con ánimo de lucro después de la ejecución de un delito y sin haber participado en éste adquiera, reciba u oculte el producto de aquél, sin asegurarse de su legítima procedencia, o al que ayude a otro para los mismos fines, se le aplicará prisión de 3 a 6 años, de 150 a 300 días multa, trabajos a favor de la comunidad de 4 a 6 meses. (Ref. P.O. No. 39, 27-V-22)

Si el responsable es comerciante o tiene conocimiento profesional o experiencia relacionada con el comercio del producto de origen delictivo, la pena será de 5 a 10 años de prisión, de 200 a 400 días multa, trabajos en favor de la comunidad hasta por un año, y suspensión o inhabilitación para ejercer actividad relacionada con el delito hasta por un año. (Ref. P.O. No. 39, 27-V-22)

Artículo 205. Al que hubiese adquirido u ocultado el producto del delito sin conocimiento de su ilegitima procedencia, por no poner el cuidado necesario para asegurarse de que la persona de quien lo recibió tenía derecho para disponer de aquél, se le aplicará hasta la mitad de las penas señaladas en el Artículo anterior.

Artículo 205 Bis. Las penas correspondientes a los delitos previstos en el presente capítulo, se incrementarán hasta en una mitad cuando se realice: (Adición P.O. No. 39, 27- V-22)

I. Sobre bienes de uso o utilidad pública, bienes de valor científico, histórico, cultural, o respecto de cualquier bien, equipo, componente o accesorio utilizados en la prestación de un servicio público; o (Adición P.O. No. 39, 27-V-22)

II. Por sujeto activo que desempeñe un empleo, cargo o comisión en el servicio público, en ejercicio de sus funciones. (Adición P.O. No. 39, 27-V-22)

Artículo 206. En los casos de los delitos previstos por este título, no se aplicará pena alguna ni medida de seguridad siempre que se cumplan los requisitos siguientes: (Ref. P.O. No. 39, 27-V-22)

I. El activo restituye el objeto del delito, se recupere el objeto material o la reparación del daño sea cubierta en caso de ser imposible la restitución, además del pago de los daños y perjuicios de ser aplicable; (Ref. P.O. No. 39, 27-V-22)

II. Sea la primera vez que delinque, el delito no se hubiere cometido con violencia y no exista sometimiento previo a obligaciones adquiridas en materia de justicia cívica y cotidiana; (Ref. P.O. No. 39, 27-V-22)

III. El monto del detrimento no exceda de 40 veces el valor diario de la UMA; (Ref. P.O. No. 39, 27-V-22)

IV. La conducta no recaiga en bienes de utilidad pública; y (Ref. P.O. No. 39, 27-V-22)

V. La conducta no se hubiese cometido en ejercicio de empleo, cargo o comisión en el servicio público. (Ref. P.O. No. 39, 27-V-22)

Este beneficio se aplicará por una sola ocasión. (Ref. P.O. No. 39, 27-V-22)

Artículo 207. Los delitos contra el patrimonio previstos en los Capítulos Tercero, Cuarto, Quinto, Sexto, Octavo y Noveno del Título Décimo, sólo se perseguirán por querella de la parte ofendida, con excepción de lo previsto en el artículo 203. (Ref. P.O. No. 22, 8-V-15)

Los delitos previstos en los Capítulos Primero y Segundo del presente Título, sólo se perseguirán por querella del ofendido cuando el sujeto activo sea ascendiente, descendiente, hermano, cónyuge, concubina o concubinario, adoptante o adoptado o pariente por afinidad de aquél. Igual requisito de procedibilidad se requerirá para perseguir a los terceros que hubieren intervenido en el hecho. (Ref. P.O. No. 23, 4-VI-92)

Artículo 208. La cuantía del objeto del delito se estimará atendiendo a su valor intrínseco. Si el objeto no fuere estimable en dinero o si por su naturaleza no fuere posible fijar su valor, se aplicará prisión de 3 meses hasta 5 años y de 25 a 150 días multa.

Artículo 209. Si el Juez lo creyere conveniente, además de las penas previstas para cada uno de los delitos del presente Título, podrá suspender al delincuente de un mes a seis años en los derechos de patria potestad, tutela, custodia, curatela, perito, depositario, interventor judicial, síndico, interventor en concursos o quiebras, asesor, representante de ausentes o en el ejercicio de cualquier profesión de las que exijan título o autorización especial.

SECCIÓN SEGUNDA
DELITOS CONTRA LA FAMILIA

TÍTULO ÚNICO
DELITOS CONTRA LA FAMILIA

CAPÍTULO I
INCUMPLIMIENTO DE LAS OBLIGACIONES DE ASISTENCIA FAMILIAR

Artículo 210. Al que sin motivo justificado incumpla con sus obligaciones alimenticias en favor de las personas con las que tenga ese deber legal, se le impondrá prisión de 1 a 5 años, suspensión hasta por seis meses o privación de los derechos de familia, en relación con el ofendido y pago, como reparación del daño, de las cantidades no suministradas oportunamente. Los concubinos quedan comprendidos en las disposiciones de este párrafo. (Ref. P.O. No. 28, 12-VI-13)

Para efecto de la reparación del daño, cuando no sea posible demostrar los ingresos del deudor alimentario, el monto de la obligación alimentaria se determinará con base a la capacidad económica y nivel de vida que el deudor y los acreedores alimentarios hayan tenido en el año previo al incumplimiento. (Ref. P.O. No. 14, 7-III-12)

Artículo 210 Bis. Las mismas penas se aplicarán al que: (Adición P.O. No. 14, 7-III-12)

I. Proporcione de forma irregular los recursos a favor de las personas con las que tenga obligación alimentaria, en relación con los plazos fijados en una resolución judicial o por convenio suscrito ante una autoridad distinta a la judicial, en uso de sus atribuciones; y (Ref. P.O. No. 28, 12-VI-13)

II. Proporcione de modo parcial los recursos a favor de las personas con las que tenga obligación alimentaria, en relación con las cantidades o porcentajes fijados mediante una resolución judicial o en convenio suscrito ante una autoridad distinta a la judicial, en uso de sus atribuciones. (Ref. P.O. No. 28, 12-VI-13)

Artículo 210 Ter. Se aplicarán las penas señaladas en el artículo 210, al que, encontrándose en alguna de las presunciones legales sobre paternidad, no proporcione a la mujer embarazada los recursos necesarios para su subsistencia, así como los necesarios para la asistencia médica y farmacológica relacionadas con la gestación y el alumbramiento. (Adición P.O. No. 14, 7-III-12)

Las penas señaladas se aumentarán en una tercera parte, cuando con el incumplimiento se haya puesto en peligro la vida, la salud o el desarrollo de la mujer gestante o de la persona por nacer. (Adición P.O. No. 14, 7-III-12)

Artículo 211. Si el deudor alimentario se coloca dolosamente en estado de insolvencia, con el objeto de eludir el cumplimiento de la obligación alimentaria, se aumentarán en una mitad más las penas señaladas en el artículo 210. (Ref. P.O. No. 14, 7-III-12)

La misma sanción se aplicará a quien dolosamente proporcione ayuda al agente para colocarse en estado de insolvencia. (Ref. P.O. No. 14, 7-III-12)

Artículo 211 Bis. El delito de incumplimiento de las obligaciones de asistencia familiar, se perseguirá por querella del ofendido o de su legítimo representante y, a falta o ausencia de éste, podrá presentarse por la Procuraduría de la Defensa del Menor y la Familia. (Adición P.O. No. 14, 7-III-12)

A falta de querella del ofendido o su representante, cuando la víctima sea menor de edad o incapacitado, el Ministerio Público procederá de oficio. (Adición P.O. No. 14, 7-III-12)

Artículo 211 Ter. No se impondrá pena alguna o quedarán sin efecto las que se hubieren impuesto, cuando el obligado pague todas las cantidades que hubiere dejado de ministrar por concepto de alimentos o se someta al régimen de pago que el Juez o la autoridad ejecutora, en su caso, determinen, garantizando mediante fianza u otra caución, la amortización de las cantidades que en el futuro le corresponda satisfacer, cuando menos por tres meses. (Adición P.O. No. 14, 7-III-12)

El beneficio a que se refiere este artículo no podrá ser otorgado más de una sola vez. (Adición P.O. No. 28, 12-VI-13)

CAPÍTULO II
RETENCIÓN Y SUSTRACCIÓN DE PERSONAS MENORES DE EDAD O DE PERSONAS QUE NO TIENEN CAPACIDAD PARA COMPRENDER EL SIGNIFICADO DEL HECHO O PARA RESISTIRLO

(Modificación según oficio DALJ/3947/12/LVI publicado en el P.O. No. 39, 13-VII-12)

Artículo 212. Al que sin tener relación familiar o de parentesco con un menor de edad o con persona que no tenga capacidad para comprender el significado del hecho o para resistirlo, y sin el consentimiento de quien ejerza su custodia o guarda legítima, lo retenga con la finalidad de violar derechos de familia, se le impondrá prisión de 3 a 8 años y de 20 a 60 días de multa. (Ref. P.O. No. 29, 8-VI-12)

Si el sujeto activo es ascendiente, descendiente o tiene parentesco hasta el cuarto grado con el menor de edad o la persona que no tenga capacidad para comprender el significado del hecho o para resistirlo, se le impondrá prisión de 2 a 6 años y de 15 a 50 días de multa. (Ref. P.O. No. 29, 8-VI-12)

Si el agente devuelve al menor o a la persona que no tenga capacidad para comprender el significado del hecho o para resistirlo, dentro de los 3 días siguientes a la consumación del delito, se le aplicará hasta una mitad las penas arriba señaladas. (Ref. P.O. No. 29, 8-VI-12)

Artículo 212 Bis. Al que sin tener relación familiar o de parentesco con un menor de edad o con persona que no tenga capacidad para comprender el significado del hecho o para resistirlo, sin el consentimiento de quien ejerza su custodia o guarda legítima, lo sustraiga con la finalidad de violar derechos de familia, se le impondrá de 5 a 10 años de prisión y de 40 a 120 veinte días de multa. (Adición P.O. No. 29, 8-VI-12)

Se le impondrá de 3 a 6 años de prisión y de 20 a 60 días de multa al ascendiente, descendiente o pariente hasta el cuarto grado, de un menor de edad o de persona que no tenga capacidad para comprender el significado del hecho o para resistirlo, lo sustraiga sin el consentimiento de quien ejerza su custodia o guarda legítima, cuando concurra cualquiera de las siguientes circunstancias: (Adición P.O. No. 29, 8-VI-12)

I. Que no ejerza sobre él la patria potestad o la haya perdido o ejerciéndola se encuentre suspendida o limitada; o (Adición P.O. No. 29, 8-VI-12)

II. No tenga la guarda y custodia provisional o definitiva o la tutela sobre él. (Adición P.O. No. 29, 8-VI-12)

Si el agente devuelve al menor o a la persona que no tenga capacidad para comprender el significado del hecho o para resistirlo, dentro de los 3 días siguientes a la consumación del delito, se le aplicará hasta una mitad las penas arriba señaladas. (Adición P.O. No. 29, 8-VI- 12)

CAPÍTULO III
TRÁFICO DE MENORES

Artículo 213. Derogado. (P.O. No. 28, 12-VI-13)

CAPÍTULO IV
DELITOS CONTRA LA FILIACIÓN Y EL ESTADO CIVIL

Artículo 214. Se aplicará prisión de 3 meses a 3 años y privación de los derechos inherentes al parentesco, a la custodia o a la tutela en relación con el ofendido, al que:

I. Inscriba o haga inscribir en el Registro Civil a una persona con una filiación que no le corresponda u ocultando indebidamente el nombre de uno o ambos progenitores;

II. Inscriba o haga inscribir el nacimiento de una persona, sin que éste hubiese ocurrido;

III. Omita la inscripción de una persona, teniendo dicha obligación, con el propósito de hacerla perder los derechos derivados de su filiación;

IV. Desconozca o haga incierta la relación de filiación para liberarse de las obligaciones derivadas de la patria potestad;

V. Dolosamente substituya a un menor por otro o cometa ocultación de aquél para perjudicarlo en sus derechos de familia;

VI. Usurpe el Estado Civil o la filiación de otro, con el fin de adquirir derechos de familia que no le correspondan;

VII. Registre o haga registrar un divorcio o nulidad de matrimonio que no hubiesen sido declarados por sentencia ejecutoria, o

VIII. Declare falsamente el fallecimiento de una persona en el acta respectiva.

Adicionalmente a las penas previstas, se impondrá de 100 a 150 días multa. (Adición P.O. No. 39, 27-V-22)

CAPÍTULO V
BIGAMIA

Artículo 215. Al que contraiga nuevo matrimonio, sin hallarse legítimamente disuelto el anterior, se le impondrá prisión de 6 meses a 3 años y hasta 150 días multa. Las mismas penas se aplicarán al otro contrayente si conocía el impedimento al tiempo de celebrarse el matrimonio.

CAPÍTULO VI
MATRIMONIOS ILEGALES

Artículo 216. Al que fuera del caso de bigamia contraiga matrimonio con conocimiento de la existencia de un impedimento dirimente, se le impondrá prisión de 3 meses a 2 años.

CAPÍTULO VII
INCESTO

Artículo 217. A los parientes consanguineos, sean ascendientes, descendientes o hermanos, que con conocimiento de ese parentesco tengan cópula entre sí, se les impondrá prisión de 3 meses a 3 años.

CAPÍTULO VIII
VIOLENCIA FAMILIAR

(Adición P.O. No. 12, 29-II-08)

Artículo 217 Bis. Al cónyuge, concubina o concubinario, pariente consanguíneo en línea recta ascendente o descendente sin limitación de grado o colateral hasta el cuarto grado o por afinidad hasta el segundo grado, al tutor, curador, al adoptante o al adoptado que haga uso de medios físicos o psicoemocionales, así como la omisión grave contra la integridad física o psíquica de un miembro de su familia, independientemente de que se produzcan o no lesiones, se le impondrán de uno a cuatro años de prisión y se le sujetará a tratamiento psicológico especializado. (Adición P.O. No. 12, 29-II-08)

Las penas previstas en este artículo se incrementarán hasta en una mitad más de lo ya establecido, cuando el delito se cometa en contra de persona menor de edad, mayor de sesenta años de edad, personas con discapacidad o que, por las condiciones de sometimiento a las que se encuentren expuestos, les genere un estado de intimidación que les impida iniciar o continuar la denuncia. (Ref. P.O. No. 1, 6-I-17)

Cuando las conductas previstas en este artículo se realicen por personas que tienen medidas de restricción por la autoridad respectiva o quebrantando medidas de protección a favor de la víctima y de las que haya sido notificado legalmente, se impondrá una pena de prisión de 5 a 10 años, trabajo a favor de la comunidad hasta por seis meses y tratamiento médico psicológico. (Adición P.O. No. 99, 18-XII-20)

Adicional a las penas previstas en el presente artículo, se impondrá de 500 a 800 días multa y de 150 a 1000 jornadas de medidas para mejorar la convivencia cotidiana. (Adición P.O. No. 39, 27-V-22)

Artículo 217 Ter. Se considera también constitutivo de violencia familiar y se sancionará con pena de uno a cuatro de prisión, cuando se haga uso de los medios señalados en el artículo anterior, en contra de la persona con la que se encuentre unida fuera de matrimonio llevando relación de pareja o de cualquier otra naturaleza, que implique la sujeción del pasivo a la custodia, protección o cuidado del activo, aun cuando los sujetos no convivan en el mismo domicilio. (Ref. P.O. No. 28, 12-VI-13)

En caso de reincidencia de las conductas señaladas en este artículo y el anterior las penas previstas se incrementarán, adicionalmente, en una tercera parte. (Adición P.O. No. 38, 4- VII-14)

Artículo 217 Quater. En los casos previstos en este capítulo, durante la investigación o proceso, la Fiscalía General del Estado de Querétaro decretará o solicitará las medidas y providencias que considere pertinentes, para proporcionar seguridad y auxilio a las víctimas en salvaguarda de su integridad física y psíquica. (Ref. P.O. No. 39, 27-V-22)

Artículo 217 Quintus. Los beneficios jurisdiccionales, incluyendo la suspensión a prueba del procedimiento penal y los beneficios penitenciarios a los que conforme a las leyes vigentes tenga derecho el procesado o reo, respectivamente, únicamente se concederán si además de cumplir con los requisitos establecidos acredita haber recibido de manera completa el tratamiento psicológico especializado. Dicho tratamiento se brindará por las instituciones públicas, sociales o privadas que tengan por función dar el tratamiento o esté en condiciones de hacerlo. (Adición P.O. No. 12, 29-II-08)

Artículo 217 Sextus. Los hechos previstos en este Capítulo se perseguirán de oficio. (Ref. P.O. No. 1, 6-I-17)

SECCIÓN TERCERA
DELITOS CONTRA LA SOCIEDAD

TÍTULO PRIMERO
DELITOS DE PELIGRO CONTRA LA SEGURIDAD Y LA SALUD

(Ref. P.O. No. 15, 14-III-08)

CAPÍTULO I
PELIGRO DE DEVASTACIÓN

Artículo 218. Al que mediante incendio, explosión o por cualquier medio creare un peligro común para los bienes o para las personas se le impondrá prisión de 1 a 5 años.

Adicional a las penas previstas en el presente artículo, se impondrá de 500 a 700 días multa. (Adición P.O. No. 39, 27-V-22)

CAPÍTULO II
ARMAS PROHIBIDAS

Artículo 219. A quien porte, fabrique, importe o acopie sin un fin lícito instrumentos que sólo puedan ser utilizados para agredir y que no tengan aplicación en actividades laborales o recreativas, se le impondrá prisión de 3 meses a 2 años, hasta 25 días multa y decomiso.

CAPÍTULO III
ASOCIACIÓN DELICTUOSA

Artículo 220. Al que forme parte de manera permanente de una asociación de dos o más personas destinada a delinquir, se le impondrá prisión de 3 meses a 4 años.

Cuando la asociación esté integrada por tres o más personas, y empleen la violencia o aprovechen estructuras comerciales o de negocios para cometer los delitos, la sanción será hasta una mitad más de la prevista en el caso anterior. (Adición P.O. No. 52, 19-XII-96)

A los miembros de la asociación delictiva que tengan facultades de mando o decisión, se les impondrá de 6 meses a 8 años de prisión. (Ref. P.O. No. 39, 27-V-22)

Cuando se trate de un servidor público encargado de prevenir, denunciar, investigar o juzgar la comisión de delitos, que participe de cualquier manera en la asociación delictuosa, las penas correspondientes por los delitos cometidos se aumentaran hasta en una mitad, y se les impondrá además destitución e inhabilitación para desempeñar cualquier empleo, cargo o comisión públicos, hasta por un tiempo igual al de la pena impuesta. (Adición P.O. No. 52, 19-XII-96)

Adicional a las penas previstas en el presente artículo, se impondrá de 300 a 500 días multa. (Adición P.O. No. 39, 27-V-22)

En caso de comisión de cualquier delito, también se aplicará la pena que corresponda al mismo. (Adición P.O. No. 39, 27-V-22)

CAPÍTULO IV
PROVOCACIÓN A COMETER UN DELITO O APOLOGÍA DE ÉSTE

Artículo 221. Al que públicamente provoque a cometer un delito o haga la apología de éste, se le impondrá prisión de 3 meses a 1 año y de 10 a 30 días multa.

Se impondrá pena de prisión de 3 a 6 años y de 500 a 1000 días multa, al que utilice cualquier medio para convocar, organizar, promover o difundir la coordinación o ejecución de saqueos, daños, robos o cualquier acto violento que afecten supermercados, tiendas de autoservicio, mercados de alimentos, gasolineras, tiendas de abarrotes, farmacias, hospitales, comercios o cualquier otro tipo de instalaciones públicas o privadas. (Adición P.O. No. 99, 18-XII-20)

Misma pena se impondrá al que, derivado de la convocatoria realizada en términos del párrafo anterior, participe en la coordinación o ejecución de saqueos, daños o cualquier acto violento en agravio de los establecimientos señalados en el segundo párrafo. (Adición P.O. No. 99, 18-XII-20)

Las penas previstas en los supuestos anteriores, se aplicarán con independencia de las penas que le correspondan por la comisión de otros delitos. (Adición P.O. No. 99, 18-XII-20)

Cuando en la ejecución de estos delitos se causen daños a bienes de uso o utilidad pública, las penas previstas se podrán incrementar hasta en una mitad de su duración y de tres a seis meses de trabajo a favor de la comunidad. (Adición P.O. No. 99, 18-XII-20)

CAPÍTULO V
DEL CLANDESTINAJE

(Adición P.O. No. 57, 20-XII-02)

Artículo 221 Bis. Al que realice actividades de almacenaje, venta o porteo de bebidas alcohólicas sin contar con la licencia o permiso correspondiente vigente, expedido por autoridad competente, o bien no corresponda al domicilio del establecimiento o lugar señalado en dicho documento, en los términos de la ley de la materia, se le sancionará con prisión de 2 a 7 años y hasta 600 veces el valor diario de la UMA de multa. (Ref. P.O. No. 26, 28-III-18)

CAPÍTULO VI
PELIGRO CONTRA LA SALUD PÚBLICA

(Ref. P.O. No. 15, 14-III-08)

Artículo 221 Bis-A. Se impondrá de tres a diez años de prisión y de cien a quinientos días multa: (Ref. P.O. No. 15, 14-III-08)

I. A quien posea, transporte, traslade, almacene, distribuya o comercie Clembuterol o lo suministre a animales de consumo humano, sin contar con el soporte técnico correspondiente para su empleo industrial, nutricional o farmacéutico en animales de consumo humano. (Ref. P.O. No. 15, 14-III-08)

II. A quien posea, transporte, traslade, almacene, distribuya, comercie o suministre cualquier sustancia biológica, química o farmacéutica, ingrediente y/o aditivo alimenticio, que comprobadamente puedan ser nocivos para la salud pública o representen riesgo zoosanitario, si no cuenta con el soporte técnico correspondiente para su empleo industrial, nutricional o farmacéutico en animales de consumo humano. (Ref. P.O. No. 15, 14-III-08)

III. A quien realice o permita la cría, engorda, transportación, traslado, comercialización, sacrificio o introducción de animales de consumo humano y que hayan sido alimentados o se les haya suministrado cualquiera de las sustancias especificadas en las fracciones anteriores. (Ref. P.O. No. 15, 14-III-08)

IV. A quien elabore, procese, almacene, distribuya o comercialice los productos o derivados de animales alimentados o a los que se les haya suministrado por cualquier forma, clembuterol o cualquier sustancia biológica, química o farmacéutica, ingrediente y/o aditivo alimenticio, que comprobadamente puedan ser nocivos para la salud pública o representen riesgo zoosanitario, y que no cuente con el soporte técnico correspondiente para su empleo industrial, farmacéutico o en la nutrición de los animales de consumo humano. (Ref. P.O. No. 15, 14-III-08)

V. A los servidores públicos que en ejercicio de su cargo, empleo o comisión, permitan, participen o tengan conocimiento y no denuncien ante el Ministerio Público cualquiera de los actos señalados en las fracciones anteriores. A éstos, se les impondrá además la destitución y en su caso la inhabilitación para ocupar cargos públicos hasta por diez años. (Ref. P.O. No. 15, 14-III-08)

VI. A los administradores, encargados, responsables, responsables, médicos veterinarios o inspectores de rastros o establecimientos dedicados al sacrificio y faenado de animales para abasto, que en las inspecciones antemortem o postmortem, conozcan de la existencia o detecten animales que presenten síntomas o existan indicios de contener estos o sus productos, cualquiera de las sustancias señaladas en las fracciones I y II de este artículo, y no lo denuncien ante el Ministerio Público. Si en el caso de esta fracción, el sujeto activo es servidor público, se le impondrá además la destitución y en su caso será motivo de inhabilitación para ocupar cargos públicos hasta por diez años. (Ref. P.O. No. 15, 14-III-08)

Las sustancias a que se refiere este artículo y los animales o sus productos que las contengan, serán asegurados por la autoridad ministerial que conozca del asunto y una vez identificadas, tomadas las muestras de cada uno de ellos y practicados los peritajes necesarios que arrojen resultados positivos de su contenido, se ordenará su inmediata destrucción. Las mismas facultades tendrá la autoridad judicial, a partir del momento de la radicación del procedimiento, cuando no hayan sido ejercidas por el Ministerio Público. (Ref. P.O. No. 15, 14-III-08)

Artículo 221 Bis-B. Se impondrá de cinco a quince años de prisión y de ciento cincuenta a quinientos días de multa: (Adición P.O. No. 15, 14-III-08)

I. A quien, habiendo sido condenado anteriormente por cualquiera de los supuestos delictivos previstos en el artículo anterior, incurra nuevamente en la comisión de alguno de ellos. (Adición P.O. No. 15, 14-III-08)

II. A quien elabore o produzca cualquiera de las sustancias referidas en las fracciones I y II del artículo anterior. (Adición P.O. No. 15, 14-III-08)

III. Cuando el valor económico de las sustancias, animales o productos de los supuestos del artículo anterior, exceda en su conjunto del importe de tres mil veces el valor diario de la UMA. (Ref. P.O. No. 26, 28-III-18)

CAPÍTULO VII
DELITOS CONTRA LA SEGURIDAD PÚBLICA

(Adición P.O. No. 54, 12-VII-19)

Artículo 221 Bis-C. Al que porte o posea, sin un fin licito ganzúas, chorlas, llaves maestras o limadas o cualquier otro instrumento u objeto físico, scanner o cualquier otro dispositivo electrónico, destinado para abrir, bloquear, inhibir o forzar cerraduras o dispositivos de seguridad, se le impondrá una pena de prisión de 1 a 5 años y una multa de hasta 500 veces el valor diario de la UMA y se le decomisará el objeto o instrumento. (Adición P.O. No. 54, 12-VII-19)

Se entenderá que hay posesión de dichos instrumentos cuando se encuentren dentro del radio de acción y de disponibilidad del sujeto activo. (Adición P.O. No. 54, 12-VII-19)

Artículo 221 Bis-D. Al propietario o al que actúe en su representación, que otorgue el uso o goce de un inmueble o vehículo y tenga conocimiento de que son destinados para la realización de un delito y omita hacerlo del conocimiento a las autoridades competentes, se le impondrá una pena de 1 a 5 años de prisión y multa de 500 a 1000 veces el valor diario de la UMA, con independencia de cualquier otra sanción que establezcan otras disposiciones jurídicas aplicables. (Adición P.O. No. 54, 12-VII-19)

Artículo 221 Bis-E. Al que elabore o altere sin permiso de la autoridad competente una placa, engomado, holograma o tarjeta de circulación, o coloque una placa de circulación en cualquier vehículo o remolque que no corresponda a su registro legal de identificación, se le impondrá una pena de 1 a 5 años y multa de 500 a 1000 veces el valor diario de la UMA. (Adición P.O. No. 54, 12-VII-19)

Se impondrá la misma pena al que posea, utilice, adquiera o enajene cualquiera de los objetos a que se refiere el párrafo anterior, con conocimiento de que son falsificados o que fueron obtenidos indebidamente. (Adición P.O. No. 54, 12-VII-19)

TÍTULO SEGUNDO
DELITOS CONTRA LA SEGURIDAD Y EL NORMAL FUNCIONAMIENTO DE LOS MEDIOS DE TRANSPORTE, DE LAS VÍAS DE COMUNICACIÓN Y DE LOS SERVICIOS DE EMERGENCIA

(Ref. P.O. No. 68, 7-XI-12)

CAPÍTULO I
ATAQUES A LOS MEDIOS DE TRANSPORTE Y VÍAS DE COMUNICACIÓN

Artículo 222. Para los efectos de este capítulo se entiende por vía de comunicación los bienes de uso común que por razón del servicio se destinen al libre tránsito de vehículos.

Artículo 223. Se aplicará prisión de 15 días a 5 años y multa de 50 a 400 días multa:

I. Al que obstaculice, dañe, destruya o altere alguna vía pública de comunicación estatal o cualquier medio de transporte público local, sea de pasajeros o de carga, interrumpiendo o dificultando los servicios de uno u otro;

II. Al que quite, corte, inutilice, apague, cambie o destruya las señales de seguridad de una vía pública de comunicación estatal o coloque alguna no autorizada, y

III. Al que dolosamente ponga en movimiento un vehículo de motor o maquinaria similar, y su desplazamiento sin control, pueda causar daño.

Artículo 224. Si la ejecución de los hechos a que se refieren las disposiciones anteriores, se realiza por medio de explosivos, materias incendiarias o inundación, las penas se aumentarán hasta en una mitad más.

Artículo 225. Al que indebidamente retenga cualquier vehículo destinado al servicio público o dificulte sus servicios, se le aplicarán prisión de 6 meses a 4 años y hasta 200 días multa.

Artículo 226. Al que por cualquier medio destruya total o parcialmente un vehículo de servicio público local estando ocupado por una o más personas, se le aplicará prisión de 15 a 30 años y de 300 a 500 días multa.

Artículo 227. Cuando se cause algún daño por medio de cualquier vehículo de motor, además de aplicar las sanciones por el delito que resulte, se inhabilitará al delincuente para manejar aquellos aparatos por un tiempo no menor de seis meses ni mayor de cinco años. En caso de reincidencia, la inhabilitación será definitiva.

CAPÍTULO II
DELITOS CONTRA LA SEGURIDAD DEL TRÁNSITO DE VEHÍCULOS

Artículo 228. Al que maneje un vehículo de motor hallándose en estado de ebriedad o bajo el influjo de estupefacientes, psicotrópicos, substancias volátiles inhalables u otras que impidan o perturben su adecuada conducción, se le aplicará prisión de 3 meses a 2 años o de noventa a trescientas sesenta horas de trabajo a favor de la comunidad y de 50 a 200 días multa e inhabilitación de tres meses a un año para manejar vehículos de motor, independientemente de las sanciones que correspondan por la comisión de otros delitos. (Ref. P.O. No. 41, 25-VII-08)

En caso de reincidencia, se le aplicará prisión de 6 meses a 3 años o de trescientas sesenta a setecientas veinte horas de trabajo a favor de la comunidad de 100 a 300 días multa e inhabilitación por un año o de manera definitiva para manejar vehículos de motor, independientemente de las sanciones que correspondan por la comisión de otros delitos. (Ref. P.O. No. 41, 25-VII-08)

Se duplicarán las sanciones establecidas en el párrafo anterior al que maneje un vehículo de motor hallándose en estado de ebriedad o bajo el influjo de estupefacientes, psicotrópicos, substancias volátiles inhalables u otras que impidan o perturben su adecuada conducción y cause una lesión que produzca incapacidad parcial o total permanente o provoque la muerte. (Ref. P.O. No. 41, 25-VII-08)

Las sanciones previstas en este artículo se impondrán sin perjuicio del concurso de delitos. (Ref. P.O. No. 41, 25-VII-08)

Si este delito se comete por conductores de vehículos de transporte escolar o de servicio público de pasajeros o de carga, se duplicará la pena señalada en el párrafo anterior.

En ambos casos se estará a lo dispuesto en el Artículo 227 de esta Ley.

CAPÍTULO III
VIOLACIÓN DE CORRESPONDENCIA

Artículo 229. Al que dolosamente abra o intercepte una comunicación escrita que no esté dirigida a él, se le impondrá prisión de 3 meses a 1 año.

Lo dispuesto en el párrafo anterior no comprende a los que ejerciendo la patria potestad, la tutela o la custodia, abran o intercepten las comunicaciones escritas dirigidas a sus hijos o a las personas que se hallen bajo su tutela o guarda.

En tratándose de cónyuges, concubinos, ascendientes y descendientes, hermanos, adoptante y adoptado, este delito sólo podrá perseguirse por querella.

CAPÍTULO IV
DELITOS CONTRA LA VÍA PUBLICA Y SITIOS DE USO COMÚN

(Adición P.O. No. 60, 31-XII-91)

Artículo 229 Bis. Derogado. (P.O. No. 33, 6-VIII-92)

CAPÍTULO V
DELITOS CONTRA LOS SERVICIOS DE EMERGENCIA

(Adición P.O. No. 68, 7-XI-12)

Artículo 229 Ter. Al que dolosamente realice una llamada al número de emergencias dando aviso de una emergencia falsa o de broma, con el fin de provocar la movilización de cuerpos policíacos, de bomberos, de la Cruz Roja Mexicana, de urgencias médicas o de protección civil, para atenderla, se le impondrá prisión de dos meses a dos años y de cincuenta a trescientos días multa. (Ref. P.O. No. 26, 28-III-18)

Las mismas penas se aplicarán al que permita utilizar su teléfono, a sabiendas de que se hará una llamada para dar un aviso de emergencia falsa, con los fines previstos en el párrafo anterior. (Adición P.O. No. 68, 7-XI-12)

Artículo 229 Quater. Si como consecuencia de la conducta prevista en el primer párrafo del artículo anterior, se provoca algún accidente o daño personal o material, se impondrá, además de la pena prevista, de cinco meses a dos años de prisión y de quinientos a mil días de multa (Adición P.O. No. 26, 28-III-18)

En caso de reincidencia se le impondrá hasta el doble de las sanciones establecidas. (Adición P.O. No. 26, 28-III-18)

Artículo 229 Quintus. Los delitos señalados en el presente Capítulo, se perseguirán de oficio. (Adición P.O. No. 26, 28-III-18)

TÍTULO TERCERO
DELITOS CONTRA LA FE PÚBLICA

CAPÍTULO I
FALSIFICACIÓN Y USO INDEBIDO DE SELLOS MARCAS, LLAVES CONTRASEÑAS Y OTROS OBJETOS

Artículo 230. Se impondrá prisión de 1 a 5 años y de 50 a 300 días multa, al que con el fin de obtener un beneficio indebido o para causar daño, falsifique, altere, enajene o haga desaparecer cualquier clase de sellos, marcas, llaves, estampillas, boletos, contraseñas, troqueles o cuños oficiales.

Si los objetos falsificados o alterados son propiedad de un particular, la sanción será de 3 meses a 3 años de prisión y de 15 a 90 días multa.

Al que use indebidamente cualquiera de los objetos arriba señalados, se le aplicarán las penas previstas en el párrafo anterior.

CAPÍTULO II
FALSIFICACIÓN Y USO INDEBIDO DE DOCUMENTOS

Artículo 231. Se impondrá prisión de 3 meses a 3 años y de 15 a 90 días multa, al que para obtener un beneficio o para causar un daño:

I. Falsifique o altere un documento público o privado;

II. Inserte o haga insertar en un documento público o privado hechos falsos concernientes a circunstancias que el documento deba probar, altere uno verdadero o lo suprima, oculte o destruya;

III. Aproveche la firma o huella digital estampada en un documento en blanco, estableciendo una obligación o liberación o la estampe en otro documento que pueda comprometer bienes jurídicos ajenos, o

IV. Se atribuya, al extender un documento, o atribuya a un tercero un nombre, investidura, título, calidad o circunstancia que no tenga y que sea necesaria para la validez del acto. Igual pena se aplicará al tercero si se actúa en su representación o con su consentimiento.

Artículo 232. Las mismas penas previstas en el artículo anterior se impondrán al que, con los mismos fines:

I. Por engaño o por sorpresa hiciere que alguien firme un documento público o privado, que no habría firmado de haber conocido su contenido;

II. Hiciere uso de un documento verdadero expedido en favor de otro, como si lo hubiera sido a su favor;

III. Exhiba una certificación de enfermedad o impedimento que no tenga, para eximirse de un servicio debido legalmente o de una obligación que la Ley le imponga, o

IV. A sabiendas haga uso indebido de cualquier documento, copia, testimonio o transcripción del mismo.

Artículo 232 Bis. Se impondrán de tres a nueve años de prisión y multa por el equivalente de doscientas a cuatrocientas veces el valor diario de la UMA vigente en la época en que se cometa el delito, al que, sin consentimiento de quien esté facultado para ello: (Ref. P.O. No. 26, 28-III-18)

I. Produzca, imprima, enajene, distribuya, altere o falsifique, aún gratuitamente, adquiera, utilice, posea o detente, sin tener derecho a ello, boletos, contraseñas, fichas, tarjetas de crédito o débito y otros documentos que no estén destinados a circular y sirvan exclusivamente para identificar a quien tiene derecho a exigir la prestación que en ellos se consignan u obtener cualquier beneficio. (Adición P.O. No. 62, 3-X-03)

II. Altere, copie o reproduzca, indebidamente, los medios de identificación electrónica de boletos, contraseñas, fichas u otros documentos a que se refiere la fracción I de este artículo. (Adición P.O. No. 62, 3-X-03)

III. Acceda, obtenga, posea, utilice o detente indebidamente información de los equipos electromagnéticos o sistemas de cómputo de las organizaciones emisoras de los boletos, contraseñas, fichas u otros documentos a los que se refiere la fracción I de este artículo o de módem o cualquier medio de comunicación remota y los destine a alguno de los supuestos que contempla el presente artículo; (Ref. P.O. No. 5, 21-I-11)

IV. Adquiera, utilice o detente equipos electromagnéticos, electrónicos o de comunicación remota para sustraer en forma indebida la información contenida en la cinta magnética de los boletos, contraseñas, fichas, tarjetas de crédito, tarjetas de débito u otros documentos a los que se refiere este artículo o de archivos de datos de las emisoras de los documentos; y (Ref. P.O. No. 5, 21-I-11)

V. Produzca imprima, enajene, distribuya, altere o falsifique vales de papel o cualquier dispositivo electrónico en forma de tarjeta plástica, emitido por personas morales utilizados para canjear bienes y servicios. (Ref. P.O. No. 5, 21-I-11)

Las mismas penas se impondrán a quién utilice o revele indebidamente información confidencial o reservada de la persona física o jurídica que legalmente esté facultada para emitir los boletos, contraseñas, fichas u otros documentos a los que se refiere la fracción I de este artículo, con el propósito de obtener beneficio aunque no sea económico y no autorizadas por la persona emisora, o bien, por los titulares de los boletos, contraseñas, fichas u otros documentos a los que se refiere este artículo. (Adición P.O. No. 62, 3-X-03)

Si el sujeto activo es empleado, dependiente del ofendido o servidor público las penas se aumentaran en una mitad. (Adición P.O. No. 62, 3-X-03)

En el caso de que se actualicen otros delitos con motivo de las conductas a que se refiere este artículo se aplicarán las reglas del concurso. (Adición P.O. No. 62, 3-X-03)

Artículo 233. Cuando alguno de los delitos previstos en este Capítulo sea ejecutado por un servidor público en ejercicio de sus funciones, será penado, además, con privación del empleo e inhabilitación para ocupar otro cargo público hasta por 3 años.

CAPÍTULO III
USO DE DOCUMENTOS FALSOS O ALTERADOS

Artículo 234. Al que haga uso de un documento falso o alterado para obtener un beneficio o causar daño, se le impondrá prisión de 3 meses a 3 años y de 15 a 90 días multa.

CAPÍTULO IV
USURPACIÓN DE PROFESIONES

Artículo 235. Al que, sin serlo, se atribuya el carácter de profesionista, ofrezca públicamente sus servicios como tal o realice actividades propias de una profesión sin tener el título correspondiente o sin la debida autorización, se le impondrá prisión de 3 meses a 5 años y de 20 a 200 días multa.

Artículo 235 Bis. Al que, porte o utilice objetos, vestimenta, insignias, identificaciones o equipo falso o de uso oficial de una corporación policial o instituciones de seguridad sin la autorización de la autoridad correspondiente, se le impondrá una pena de 3 meses a 5 años de prisión y de 20 a 200 días multa, además del decomiso. (Ref. P.O. No. 39, 27-V-22)

Se sancionará con la misma pena a quien sin un fin lícito se ostente o realice actos propios de los integrantes de alguna de una corporación policial o de alguna institución de seguridad sin la autorización correspondiente. (Adición P.O. No. 54, 12-VII-19)

Artículo 235 Ter. Comete el delito de falsificación de objetos, vestimenta, insignias o equipo de una corporación policial o de cualquier institución de seguridad, el que sin autorización de la institución correspondiente fabrique, confeccione, produzca, imprima o pinte, cualquiera de los uniformes, insignias, credenciales de identificación, medallas, divisas, gafetes, escudos, documentos, adheribles, distintivos o piezas que contengan imágenes, siglas u otros elementos utilizados exclusivamente en dichas instituciones. (Adición P.O. No. 54, 12-VII-19)

La comisión de este delito se sancionará con una pena de 3 meses a 5 años de prisión y de 20 a 200 veces el valor diario de la UMA, además del decomiso. (Adición P.O. No. 54, 12- VII-19)

Artículo 235 Quater. A quien realice sin autorización la comercialización de los objetos, vestimenta, insignias o equipo de una corporación policial o de cualquier institución de seguridad, se le impondrá una pena de 5 meses a 8 años de prisión y de 30 a 300 veces el valor diario de la UMA, además del decomiso. (Adición P.O. No. 54, 12-VII-19)

TÍTULO CUARTO
DELITOS CONTRA EL LIBRE DESARROLLO DE LA PERSONALIDAD

(Ref. P.O. No. 38, 15-VII-11)

CAPÍTULO I
CORRUPCIÓN DE PERSONAS MENORES DE DIECIOCHO AÑOS DE EDAD O QUE NO TIENEN CAPACIDAD PARA COMPRENDER EL SIGNIFICADO DEL HECHO

(Ref. P.O. No. 38, 15-VII-11)

Artículo 236. Derogado. (P.O. No. 28, 12-VI-13)

Artículo 237. Derogado. (P.O. No. 28, 12-VI-13) ç

Artículo 237 Bis. Derogado. (P.O. No. 28, 12-VI-13)

CAPÍTULO II
PORNOGRAFÍA DE PERSONAS MENORES DE DIECIOCHO AÑOS DE EDAD O QUE NO TIENEN CAPACIDAD PARA COMPRENDER EL SIGNIFICADO DEL HECHO

(Ref. P.O. No. 38, 15-VII-11)

Artículo 238. Derogado. (P.O. No. 28, 12-VI-13)

CAPÍTULO III
TURISMO SEXUAL CON PERSONAS MENORES DE DIECIOCHO AÑOS DE EDAD O QUE NO TIENEN CAPACIDAD PARA COMPRENDER EL SIGNIFICADO DEL HECHO

(Ref. P.O. No. 38, 15-VII-11)

Artículo 238 Bis. Derogado. (P.O. No. 28, 12-VI-13)

CAPÍTULO IV
RELACIONES SEXUALES REMUNERADAS CON PERSONAS MENORES DE DIECIOCHO AÑOS DE EDAD O QUE NO TIENEN CAPACIDAD PARA COMPRENDER EL SIGNIFICADO DEL HECHO

(Ref. P.O. No. 38, 15-VII-11)

Artículo 238 Ter. Derogado. (P.O. No. 28, 12-VI-13)

Artículo 239. Derogado. (P.O. No. 28, 12-VI-13)

TÍTULO QUINTO
DELITOS CONTRA EL RESPETO A LOS MUERTOS Y CONTRA LAS NORMAS DE INHUMACIÓN Y EXHUMACIÓN

CAPÍTULO ÚNICO
DELITOS CONTRA EL RESPETO A LOS MUERTOS Y CONTRA LAS NORMAS DE INHUMACIÓN Y EXHUMACIÓN

Artículo 240. Se aplicará prisión de 3 meses a 3 años al que ilegitimamente:

I. Destruya, mutile, oculte, traslade, incinere, sepulte, exhume o haga uso de un cadáver o restos humanos; (Ref. P.O. No. 39, 27-V-22)

II. Sustraiga o esparza las cenizas de un cadáver o restos humanos o cometa actos de vilipendio sobre los mismos, o viole o vilipendie el lugar donde éstos se encuentren; o (Ref. P.O. No. 39, 27-V-22)

III. Profane, viole o destruya un sepulcro o sepultura o restos de cremación. (Adición P.O. No. 39, 27-V-22)

Las mismas penas se impondrán a la persona que conserve un cadáver humano, sin la autorización de quien deba otorgarlo. (Adición P.O. No. 39, 27-V-22)

Adicionalmente a las penas previstas en el presente artículo se impondrá, de 500 a 1000 días multa. (Adición P.O. No. 39, 27-V-22)

Artículo 241. Al que profane un cadáver con actos de necrofilia, se le impondrá prisión de 1 a 3 años y de 30 a 150 días multa.

TÍTULO SEXTO
DELITOS COMETIDOS EN EL EJERCICIO DE LA PROFESIÓN

CAPÍTULO ÚNICO
RESPONSABILIDAD PROFESIONAL

Artículo 242. Los profesionistas y sus auxiliares, que cometan delitos en ejercicio de su actividad, sufriran, además de las sanciones que les corresponda, la suspensión en el ejercicio de ésta, de tres meses a tres años.

En caso de reincidencia se duplicará el término de la suspensión para ejercer su actividad.

Artículo 243. Se impondrá prisión de 3 meses a 3 años y de 50 a 200 días multa, al médico que:

I. Habiendo otorgado responsiva para hacerse cargo de la atención de algún lesionado, lo abandone en su tratamiento sin justa causa y sin dar aviso inmediato a la autoridad correspondiente;

II. No cumpla con las obligaciones que le imponga el Código de Procedimientos Penales,

III. No recabe la autorización del paciente o de la persona que deba otorgarla salvo en los casos de urgencia, cuando se trate de practicar alguna operación quirúrgica que por su naturaleza ponga en peligro la vida del enfermo, cause la pérdida de un miembro o ataque la integridad de una función vital;

IV. Practique una intervención quirúrgica innecesaria;

V. Ejerciendo la medicina y sin motivos justificados, se niegue a prestar asistencia al enfermo en caso de notoria urgencia, poniendo en peligro la vida o la salud de dicho enfermo, cuando éste, por las circunstancias del caso, no pudiere obtener de otro la prestación del servicio;

VI. Abandone sin causa justificada a la persona de cuya asistencia esté encargado, o

VII. Certifique falsamente que una persona tiene una enfermedad u otro impedimento bastante para dispensarla de cumplir una obligación que la Ley le impone o para adquirir algún derecho.

Artículo 244. Se impondrá prisión de 6 meses a 3 años y hasta 150 días multa, a los directores, administradores y médicos de hospitales, sanatorios, clínicas, dispensarios, enfermerías o de cualquier centro de salud, cuando: (Ref. P.O. No. 49, 1-XI-02)

I. Impidan la salida de un paciente cuando éste o sus familiares lo soliciten, aduciendo adeudos de cualquier índole;

II. Retengan sin necesidad a un recién nacido, por los motivos a que se refiere la parte final de la fracción anterior, o

III. Retarden o nieguen por cualquier motivo la entrega de un cadáver excepto cuando se requiera orden de autoridad competente.

IV. Nieguen la disposición de órganos, tejidos y cadáveres se seres humanos a los disponentes originarios y secundarios, atendiendo al orden de preferencia, y cuando estos han cumplido de manera previa con los requisitos establecidos en el Reglamento de la Ley General de Salud en materia de control sanitario de la disposición de órganos, tejidos y cadáveres de seres humanos. (Adición P.O. No. 49, 1-XI-02)

Artículo 245. Las mismas sanciones del artículo anterior se impondrán a los encargados o administradores de agencias funerarias, que aduciendo adeudos o por cualquier otro motivo injustificado retarden o nieguen la salida de cadáveres.

Artículo 246. A los encargados, empleados o dependientes de farmacias que al surtir una receta sustituyan la medicina específicamente señalada, por otra que cause daños o sea evidentemente inapropiada al padecimiento para el cual se prescribió, se le impondrá prisión de 3 meses a 2 años y hasta 50 días multa.

TÍTULO SÉPTIMO
DELITOS CONTRA EL AMBIENTE Y LOS ANIMALES

(Ref. P.O. No. 64, 7-XI-14)

CAPÍTULO I
DELITOS CONTRA EL AMBIENTE

(Ref. P.O. No. 64, 7-XI-14)

Artículo 246-A. Se impondrá pena de 2 meses a 8 años de prisión y de 200 a 500 días multa, al que en contravención a la norma legal aplicable: (Adición P.O. No. 43, 20-X-00)

I. Transporte, comercie, almacene, deseche, descargue o realice cualquier actividad empleando materiales o residuos peligrosos, en volúmenes que causen o puedan causar daños graves a la salud pública, a los recursos naturales, la flora, la fauna o a los ecosistemas; (Adición P.O. No. 43, 20-X-00)

II. Emita o descargue en la atmósfera, gases, humos, polvos, olores, vapores o emanaciones similares en cantidades o concentraciones que causen o puedan causar daños graves a la salud pública, a los recursos naturales, la flora, la fauna o a los ecosistemas; (Adición P.O. No. 43, 20-X-00)

III. Genere emisiones de ruido, vibraciones, energía térmica o lumínica, cuando por su intensidad causen o puedan causar daños graves a la salud pública, a los recursos naturales, la flora, la fauna o a los ecosistemas. (Adición P.O. No. 43, 20-X-00)

IV. Filtre o descargue aguas residuales, líquidos químicos o bioquímicos, desechos o contaminantes en suelos o en aguas de jurisdicción local, o en aguas federales asignadas para la prestación de servicios públicos estatales o municipales, en cantidades o concentraciones que causen o puedan causar daños graves a la salud pública, a los recursos naturales, la flora, la fauna o a los ecosistemas. (Adición P.O. No. 43, 20-X-00)

V. Por cualquier medio provoque o propague una plaga o enfermedad de las plantas, bosques o cultivos agrícolas, o una epizootia, si con ello se causan o pueden causarse daños graves a los recursos naturales, la flora, la fauna o los ecosistemas del Estado. (Adición P.O. No. 43, 20-X-00)

VI. Ocasione un incendio que dé lugar a un grave menoscabo de los recursos forestales, pastizales o matorrales. (Adición P.O. No. 43, 20-X-00)

Artículo 246-B. Para estimar el potencial dañoso de las conductas previstas en las fracciones I a IV del artículo inmediato anterior, el juzgador atenderá a los parámetros máximos permisibles que establezcan las normas oficiales mexicanas y normas técnicas ecológicas locales, y en todo caso, además, al examen de peritos. (Adición P.O. No. 43, 20- X-00)

Artículo 246-C. Cuando las conductas previstas en este Capítulo se ejecuten en territorio decretado como área natural protegida, la pena se aumentará hasta en una mitad. (Adición P.O. No. 43, 20-X-00)

Artículo 246-D. Además de lo establecido en este capítulo, podrá imponer el juzgador: (Adición P.O. No. 43, 20-X-00)

I. Alguna de las medidas de seguridad contempladas en el artículo 28 de este Código; (Adición P.O. No. 43, 20-X-00)

II. Destitución de servidores públicos, en los casos en que se acredite su participación en la conducta ilícita, independientemente de la pena que les corresponda como responsables del delito; y (Adición P.O. No. 43, 20-X-00)

III. La reparación del daño, en los términos de las disposiciones aplicables. (Adición P.O. No. 43, 20-X-00)

CAPÍTULO II
DELITOS CONTRA LOS ANIMALES

(Adición P.O. No. 64, 7-XI-14)

Artículo 246-D Bis. Al que realice actos de maltrato en contra de animales domésticos, silvestres o ferales, provocándoles daños físicos, se le impondrán de 1 a 5 años de prisión y de 100 a 300 días multa y de 150 a 1000 jornadas de medidas para mejorar la convivencia cotidiana. (Ref. P.O. No. 39, 27-V-22)

Al que realice actos de crueldad o los promueva en contra de animales domésticos, silvestres o ferales, provocándoles lesiones, se le impondrán de 12 meses a 2 años de prisión, y de 200 a 300 veces el valor diario de la UMA o 90 días de trabajo en favor de la comunidad. (Ref. P.O. No. 54, 12-VII-19)

Si las conductas previstas en el párrafo anterior ponen en peligro la vida del animal o alguna función de sus órganos vitales se impondrán de 2 a 4 años de prisión, y de 300 a 500 veces el valor diario de la UMA o 150 días de trabajo en favor de la comunidad. (Ref. P.O. No. 54, 12-VII-19)

Si las conductas previstas provocan la muerte del animal, se impondrá de 3 a 7 años de prisión y de 500 a 700 días multa, y de 200 a 1000 jornadas de medidas para mejorar la convivencia cotidiana. (Ref. P.O. No. 39, 27-V-22)

Artículo 246-D Ter. Para efectos de este Capítulo, se entenderá por: (Adición P.O. No. 64, 7-XI-14)

I. Animal doméstico: los que dependan de un ser humano para subsistir y habiten con éste en forma regular, sin que exista actividad lucrativa de por medio; (Adición P.O. No. 64, 7-XI-14)

II. Animal feral: Aquellos pertenecientes a especies domésticas que, al quedar fuera del control del ser humano, se establecen en el entorno natural; (Ref. P.O. No. 54, 12-VII- 19)

III. Crueldad Animal: La voluntad de causar un dolor o sufrimiento y, en algunas circunstancias, de obtener beneficio o placer relacionado con el logro del hecho cruel de la violencia ejercida en contra de los animales, y que ponga en peligro la vida de éstos, o bien, el hecho de causarles la muerte por métodos no previstos en las leyes vigentes; y (Ref. P.O. No. 54, 12-VII-19)

IV. Maltrato Animal: Todo hecho, acto u omisión del ser humano, que puede ocasionar dolor, deterioro físico o sufrimiento, que afecte el bienestar, ponga en peligro la vida del animal, o afecte gravemente su salud o integridad física, así como la exposición a condiciones de sobreexplotación de su capacidad física con cualquier fin. (Adición P.O. No. 54, 12-VII-19)

Artículo 246-D Quater. Las sanciones previstas en el artículo 246-D Bis se incrementarán en una mitad, en los supuestos siguientes: (Adición P.O. No. 64, 7-XI-14)

I. Si se prolonga innecesariamente la agonía o el sufrimiento del animal; (Adición P.O. No. 64, 7-XI-14)

II. Si se utilizan métodos crueles; o (Adición P.O. No. 64, 7-XI-14)

III. Si además de realizar los actos de maltrato en contra de cualquier animal, el sujeto activo los capta en imágenes, fotografía o videograba para hacerlos públicos por cualquier medio. (Adición P.O. No. 64, 7-XI-14)

Artículo 246-D Quintus. Se impondrá de 1 a 4 años de prisión y de 300 a 600 días multa, a la persona que por cualquier medio y en cualquier lugar organice, promueva, difunda o realice una o varias peleas de perros, con o sin apuestas o las permita. (Adición P.O. No. 64, 7-XI-14)

Artículo 246-D Sextus. Para los efectos de este Código, no se consideran constitutivas de maltrato animal ni serán sancionadas penalmente, la tauromaquia, la charrería y las peleas de gallos; así como las prácticas relacionadas con fiestas tradicionales y usos y costumbres culturalmente arraigados en las comunidades. (Adición P.O. No. 64, 7- XI-14)

Tampoco constituyen delito, las lesiones o la muerte de animales que se provoquen como consecuencia de actividades lícitas de carácter deportivo, académico, científico o de control de plagas, así como las veterinarias de carácter estético o curativo y las de aprovechamiento con fines de trabajo agrícola o de subsistencia para el abasto humano sobre animales de consumo, acorde con las normas oficiales mexicanas y demás disposiciones administrativas que resulten aplicables. (Adición P.O. No. 64, 7-XI-14)

TÍTULO OCTAVO
DELITOS CONTRA LA SEGURIDAD Y EL ORDEN EN EL DESARROLLO URBANO

(Adición P.O. No. 39, 23-VIII-02)

CAPÍTULO ÚNICO
DELITOS CONTRA LA SEGURIDAD Y EL ORDEN EN EL DESARROLLO URBANO

(Adición P.O. No. 39, 23-VIII-02)

Artículo 246-E. Al que por sí o por interpósita persona transfiera o prometa transferir la posesión, la propiedad o cualquier otro derecho sobre uno o más lotes resultantes de fraccionar un predio, para que sean o puedan ser destinados para vivienda, comercio o industria, sin contar con la autorización para transferir expedida por las autoridades competentes, se le aplicarán de 2 a 8 años de prisión y de 120 hasta 400 días multa. (Adición P.O. No. 39, 23-VIII-02)

No se considerará fraccionamiento Irregular, para los efectos de este título, cuando un ascendiente transfiera la propiedad o posesión de partes de un inmueble a sus descendientes, pero estos deberán cumplir las normas aplicables según el tipo de propiedad de que se trate, tanto para escriturarlas a su favor o para ceder sus derechos a terceros. (Adición P.O. No. 39, 23-VIII-02)

Artículo 246-F. Se aplicarán de 4 a 10 años de prisión y de 180 hasta 500 días multa a los autores intelectuales y a quienes instiguen o dirijan la conformación de un asentamiento humano irregular o promuevan un fraccionamiento irregular o a los funcionarios públicos que realicen actos u omisiones para alentar o permitir un asentamiento irregular. (Adición P.O. No. 39, 23-VIII-02)

Para los efectos de este Título, se entiende por asentamiento humano irregular un grupo de personas que se establezcan o pretendan establecerse en un inmueble dividido o lotificado para fines de vivienda, comercio o industria sin contar con las autorizaciones expedidas por las autoridades competentes y por fraccionamiento irregular cualquier división de un predio en lotes sin tener las autorizaciones administrativas correspondientes. (Adición P.O. No. 39, 23-VIII-02)

Artículo 246-G. La pena de prisión se incrementará hasta en una mitad más cuando las conductas previstas en el presente capítulo se realicen sobre áreas protegidas o de preservación ecológica o en zonas no consideradas aptas para vivienda por los Planes y Programas de Desarrollo Urbano respectivos. (Adición P.O. No. 39, 23-VIII-02)

En cualquier caso, la sanción se incrementará de 3 meses a 3 años, si el sujeto activo obtuvo cualquier beneficio de carácter patrimonial por el delito cometido, sin perjuicio de la reparación del daño ocasionado. (Adición P.O. No. 39, 23-VIII-02)

TÍTULO NOVENO
OPERACIONES CON RECURSOS DE PROCEDENCIA ILÍCITA

(Adición P.O. No. 77, 18-XII-12)

CAPÍTULO ÚNICO
OPERACIONES CON RECURSOS DE PROCEDENCIA ILÍCITA

(Adición P.O. No. 77, 18-XII-12)

Artículo 246-H. Se impondrán de cinco a quince años de prisión y de mil a cinco mil UMA de multa, al que por sí o por interpósita persona, realice cualquiera de las siguientes conductas: adquiera, enajene, administre, posea, custodie, cambie, deposite, dé en garantía, invierta, transporte o transfiera, dentro del territorio del Estado de Querétaro, de éste hacia el exterior del mismo o a la inversa, recursos, valores, bienes o derechos de cualquier naturaleza, con conocimiento de que proceden o representan el producto de una actividad ilícita, con alguno de los siguientes propósitos: ocultar o pretender ocultar, encubrir o impedir conocer el origen, localización, destino o propiedad de dichos recursos, valores, bienes o derechos, o propiciar alguna actividad ilícita. (Ref. P.O. No. 61, 1-IX-17)

Para efectos de este artículo, se entiende que son producto de una actividad ilícita, los recursos, valores, bienes o derechos de cualquier naturaleza, cuando existan indicios fundados o la certeza de que provienen directa o indirectamente, o representan las ganancias derivadas de la comisión de algún delito, y no pueda acreditarse su legítima procedencia. (Adición P.O. No. 77, 18-XII-12)

La pena prevista en el primer párrafo se aumentará en una mitad, cuando la conducta ilícita sea cometida por servidores públicos, o bien por ex servidores públicos, si la conducta se realizó por ellos dentro de los dos años inmediatamente posteriores a su separación o baja del servicio público por cualquier causa. En este caso, se impondrá a los responsables, además, la inhabilitación para desempeñar empleo, cargo o comisión públicos, hasta por un tiempo igual al de la pena de prisión impuesta. (Adición P.O. No. 77, 18-XII-12)

Las penas a las que se refiere el primer párrafo de este artículo, se aumentarán hasta en una mitad, si quien realice la conducta típica utiliza a personas menores de dieciocho años de edad o que no tengan capacidad para comprender el significado del hecho o para resistirlo. (Ref. P.O. No. 61, 1-IX-17)

Cuando la persona que realiza los actos jurídicos, con alguno de los resultados mencionados en el párrafo primero, revele a la autoridad competente la identidad de quien haya aportado los recursos o de quien se conduzca como dueño, la pena podrá ser reducida hasta en dos terceras partes. (Adición P.O. No. 77, 18-XII-12)

SECCIÓN CUARTA
DELITOS CONTRA EL ESTADO

TÍTULO PRIMERO
DELITOS CONTRA LA SEGURIDAD INTERIOR DEL ESTADO

CAPÍTULO I
SEDICIÓN

Artículo 247. A los que en forma tumultuaria, sin uso de armas, resistan o ataquen a la autoridad para impedir el libre ejercicio de sus funciones con alguna de las finalidades a que se refiere el Artículo 249 de esta Código se les aplicará prisión de 1 a 6 años.

A quienes dirijan, organicen, inciten, compelan o patrocinen económicamente a otros para cometer el delito de sedición se les sancionará con prisión de 2 a 12 años.

Además de las penas previstas en el presente delito, se impondrá de 150 a 200 días multa. (Adición P.O. No. 39, 27-V-22)

CAPÍTULO II
MOTÍN

Artículo 248. A quienes para hacer uso de un derecho o pretextando su ejercicio o para evitar el cumplimiento de una Ley, se reúnan tumultuariamente y perturben el orden público con el empleo de violencia en las personas o sobre las cosas, o amenacen a la autoridad para intimidarla, u obligarla a tomar alguna determinación, se les aplicará de 6 meses a 4 años de prisión y de 3 a 30 días multa.

A quienes dirijan, organicen, inciten, compelan o patrocinen económicamente a otros para cometer el delito de motín se les aplicará prisión de 2 a 12 años.

CAPÍTULO III
REBELIÓN

Artículo 249. Se aplicará prisión de 2 a 15 años a los que, no siendo militares en ejercicio, con violencia y uso de armas traten de:

I. Abolir o reformar la Constitución Política del Estado o las instituciones que de ella emanen;

II. Impedir la elección, renovación, funcionamiento o integración de alguno de los poderes del Estado o Ayuntamiento, usurparles sus atribuciones o impedirles el libre ejercicio de éstas;

III. Separar de su cargo o impedir el desempeño de éste, a algún servidor público estatal o municipal, o

IV. Sustraer de la obediencia del Gobierno toda o una parte de alguna población del Estado o algún cuerpo de Seguridad Pública.

Artículo 250. Se aplicará la pena señalada en el Artículo anterior, al que residiendo en territorio ocupado por el Gobierno del Estado y sin mediar violencia, proporcione a los rebeldes armas, municiones, dinero, víveres, medios de transporte o de comunicación o impida que las fuerzas de Seguridad Pública del Gobierno reciban estos auxilios. Si residiere en territorio ocupado por los rebeldes, la prisión será de 6 meses a 5 años.

Al servidor público que teniendo por razón de su cargo documentos e informes de interés estratégico, los proporcione a los rebeldes, se le impondrán de 5 a 30 años de prisión.

Artículo 251. Se aplicará prisión de 1 a 12 años al que:

I. En cualquier forma o por cualquier medio invite a una rebelión;

II. Residiendo en territorio ocupado por el Gobierno oculte o auxilie a los espias o exploradores de los rebeldes sabiendo que lo son, o mantenga relaciones con los rebeldes para proporcionarles noticias concernientes a las operaciones de las fuerzas de Seguridad del Estado u otras que les sean útiles, y

III. Voluntariamente sirva un empleo, cargo o comisión en el lugar ocupado por los rebeldes, salvo que actúe bajo violencia o por razones humanitarias.

Artículo 252. A los servidores públicos y a los rebeldes que después del combate causen directamente o por medio de órdenes, la muerte de los prisioneros, se les aplicará prisión de 15 a 30 años.

Artículo 253. Los rebeldes no serán responsables de los homicidios ni de las lesiones inferidas en el acto de un combate, pero de los que causen fuera del mismo, lo serán tanto el que los mande como el que los permita pudiendo evitarlos y los que los ejecuten.

No se aplicará pena alguna por el delito de rebelión a los que depongan las armas antes de ser tomados prisioneros salvo que hubieran cometido otros delitos durante la rebelión o los que se mencionan en el artículo anterior.

CAPÍTULO IV
TERRORISMO

Artículo 254. Se impondrá prisión de 3 a 30 años, sin perjuicio de las penas que correspondan por los delitos que resulten, al que utilizando explosivos, sustancias tóxicas, armas de fuego o por incendio, inundación o por cualquier otro medio violento, realice actos en contra de las personas, las cosas o servicios al público, que produzcan alarma, temor, en la población o a un grupo o sector de ella para perturbar la paz pública o tratar de menoscabar la autoridad del Estado o Municipio o presionar a la autoridad para que tome una determinación.

Se aplicará prisión de 1 a 9 años, al que teniendo conocimiento de las actividades de un terrorista y de su identidad, no lo haga saber a las autoridades.

CAPÍTULO V
SABOTAJE

Artículo 255. Se impondrán de 2 a 20 años de prisión, al que con el fin de trastornar gravemente la vida cultural o económica del Estado o Municipios o para alterar la capacidad de éstos para asegurar el orden público, dañe, destruya o entorpezca:

I. Servicios públicos o centros de producción o distribución de bienes o servicios básicos;

II. Instalaciones fundamentales de instituciones de docencia o investigación, o

III. Recursos o elementos esenciales, destinados al mantenimiento del orden público.

Se aplicará prisión de 6 meses a 5 años, al que teniendo conocimiento de las actividades de un saboteador y de su identidad, no lo haga saber a las autoridades.

CAPÍTULO VI
CONSPIRACIÓN

Artículo 256. A quienes resuelvan de concierto cometer uno o varios delitos del presente Título y acuerden los medios de llevar a cabo su determinación, se les impondrá prisión de 1 a 5 años y de 300 a 600 días multa. (Ref. P.O. No. 39, 27-V-22)

CAPÍTULO VII
DISPOSICIONES COMUNES

Artículo 257. Son delitos de carácter político los de sedición, motín, rebelión y conspiración para cometerlo.

Artículo 258. Además de las penas por los delitos a que alude este Título, se aplicará a los responsables según las circunstancias la medida de seguridad prevista por el Artículo 59 de este Código.

Tratándose de extranjeros se aumentarán hasta la mitad las penas previstas para cada delito.

A los mexicanos que cometan algún delito de carácter político, se les privará de sus derechos políticos o se les suspenderá en el ejercicio de éstos hasta por 8 años, contados a partir de que se extinga la pena de prisión o la potestad de ejecutarla.

TÍTULO SEGUNDO
DELITOS POR HECHOS DE CORRUPCIÓN

(Ref. P.O. No. 39, 27-V-22)

CAPÍTULO I
DISPOSICIONES GENERALES

Artículo 259. Para los efectos de este Código, servidor público es toda persona que desempeña algún empleo, cargo o comisión de cualquier naturaleza en la administración pública del Estado o sus Municipios, organismos descentralizados, empresas de participación estatal o municipal mayoritaria, organizaciones y sociedades asimiladas a éstas, fideicomisos públicos, o en los poderes Legislativo o Judicial del Estado de Querétaro.

Artículo 260. Los delitos previstos en el presente Título que por sí no contemplen penalidad o medida de seguridad alguna, les será aplicable lo siguiente: (Ref. P.O. No. 39, 27-V-22)

I. Prisión de 6 meses a 5 años y de 90 a 300 días multa, cuando el daño no exceda de 200 veces el valor diario de la UMA; (Ref. P.O. No. 39, 27-V-22)

II. Prisión de 1 a 5 años y de 300 a 500 días multa, cuando el daño no exceda de 500 veces el valor diario de la UMA; (Ref. P.O. No. 39, 27-V-22)

III. Prisión de 6 a 15 años y de 500 a 750 días multa, cuando el daño exceda 500 veces el valor diario de la UMA. (Ref. P.O. No. 39, 27-V-22)

Para los delitos que no requieren que se cause un daño o perjuicio al particular o al servicio público o que habiéndolo causado no se pueda determinar el monto, se aplicará prisión de 3 meses a 6 años y de 30 a 300 días multa. (Ref. P.O. No. 29, 8-VI-12)

Además de las penas señaladas en el presente Título, se impondrá de 150 a 1500 jornadas de medidas para mejorar la convivencia cotidiana, se decomisarán los productos del delito, la destitución y la inhabilitación para desempeñar empleo, cargo o comisión públicos; así como la prohibición para participar en adquisiciones, arrendamientos, servicios u obras públicas, concesiones de prestación de servicio público o de explotación, aprovechamiento y uso de bienes de dominio del Estado o sus Municipios por el mismo tiempo de prisión impuesta. (Ref. P.O. No. 39, 27-V-22)

Una vez que haya causado ejecutoria la sentencia, el Juez deberá notificar a la Secretaría de la Contraloría y a los órganos internos de control respectivos, la pena impuesta al servidor público o al particular. (Ref. P.O. No. 39, 27-V-22)

CAPÍTULO II
DESEMPEÑO ILÍCITO DEL SERVICIO PÚBLICO

(Ref. P.O. No. 39, 27-V-22)

Artículo 261. Comete el delito de desempeño ilícito del servicio público el que: (Ref. P.O. No. 39, 27-V-22)

I. Desempeñe las funciones de un empleo, cargo o comisión, sin haber tomado posesión legítima o sin satisfacer todos los requisitos que señalen las disposiciones legales aplicables; (Ref. P.O. No. 29, 8-VI-12)

II. Continúe ejerciendo las funciones de un empleo, cargo o comisión después de haber cesado o de haberse suspendido los efectos del acto jurídico del que derivan aquéllos o después de haber renunciado, salvo que, por disposición de la Ley, deba continuar ejerciéndolos hasta ser relevado;

III. Sin autorización legítima desempeñe funciones distintas de aquéllas para las que fue designado;

IV. Teniendo conocimiento por razón de su empleo, cargo o comisión, de cualquier acto u omisión por el que puedan ocasionarse o se ocasionen daños, perjuicios u otra afectación, a la hacienda pública, al patrimonio o los intereses de los Poderes, las entidades paraestatales, los organismos constitucionales autónomos, los tribunales administrativos, los municipios y sus entidades paramunicipales o de cualquier otro que maneje, utilice, recaude, ejecute o administre recursos públicos, no informe por escrito a su superior jerárquico o autoridad competente, o no lo evite si está dentro de sus facultades; (Ref. P.O. No. 77, 20-XII-14)

V. Por sí o por interpósita persona sustraiga, destruya, oculte, utilice o inutilice ilícitamente información que se encuentre bajo su custodia o a la cual tenga acceso o de la que tenga conocimiento en virtud de su empleo, cargo o comisión; (Ref. P.O. No. 77, 20-XII-14)

VI. Por sí o por interpósita persona, rinda informes a su superior jerárquico en los que manifieste hechos o circunstancias falsos o niegue la verdad en todo o en parte sobre los mismos; y (Ref. P.O. No. 77, 20-XII-14)

VII. Omita o altere los documentos o registros que integren la contabilidad gubernamental con la finalidad de desvirtuar la veracidad de la información financiera de los Poderes, las entidades paraestatales, los organismos constitucionales autónomos, los tribunales administrativos, los municipios y sus entidades paramunicipales o de cualquier otro que maneje, utilice, recaude, ejecute o administre recursos públicos o incumpla con la obligación de difundir dicha información en los términos de las disposiciones aplicables. (Ref. P.O. No. 39, 27-V-22)

CAPÍTULO II BIS
ABANDONO DEL SERVICIO PÚBLICO

(Adición P.O. No. 39, 27-V-22)

Artículo 262. Comete el delito de abandono del servicio público, el servidor público que sin causa justificada y en perjuicio del servicio abandone las funciones que legalmente tenga conferidas. (Ref. P.O. No. 29, 8-VI-12)

CAPÍTULO III
USO ILÍCITO DE ATRIBUCIONES Y FACULTADES DEL SERVICIO PÚBLICO

(Ref. P.O. No. 39, 27-V-22)

Artículo 263. Comete el delito de uso ilícito de atribuciones y facultades el servidor público que indebidamente: (Ref. P.O. No. 39, 27-V-22)

I. Otorgue concesiones de prestación de servicio público o de explotación, aprovechamiento y uso de bienes del dominio del Estado o Municipios; (Ref. P.O. No. 61, 1-IX-17)

II. Otorgue permisos, licencias o autorizaciones de contenido económico; (Ref. P.O. No. 61, 1-IX-17)

III. Otorgue franquicias, exenciones, deducciones o subsidios sobre impuestos, derechos, productos, aprovechamientos o aportaciones y cuotas de seguridad social, en general sobre los ingresos fiscales y sobre precios y tarifas de los bienes y servicios producidos o prestados en la administración pública estatal o municipal; (Ref. P.O. No. 61, 1-IX-17)

IV. Realice o contrate obras públicas, adquisiciones, arrendamientos, enajenaciones de bienes y servicios, o colocaciones de fondos y valores con recursos económicos públicos; (Ref. P.O. No. 61, 1-IX-17)

V. Dé, a sabiendas, una aplicación pública distinta de aquélla a que estuvieron destinados los fondos públicos que tuviere a su cargo o hiciere un pago ilegal; (Ref. P.O. No. 61, 1-IX-17)

VI. En el ejercicio de sus funciones o con motivo de ellas, otorgue empleo, cargo o comisión públicos o contratos de prestación de servicios profesionales, mercantiles o de cualquier otra naturaleza que sean remunerados, a sabiendas de que no se prestará el servicio o no se cumplirá el contrato otorgado; (Ref. P.O. No. 61, 1-IX-17)

VII. Autorice o contrate a quien se encuentre inhabilitado por resolución firme de autoridad competente para desempeñar un empleo, cargo o comisión en el servicio público, siempre que lo haga con conocimiento de tal situación; (Ref. P.O. No. 61, 1-IX-17)

VIII. Otorgue un nombramiento o de cualquier modo autorice a alguien para el desempeño de un empleo, cargo o comisión sin que el designado satisfaga los requisitos exigidos por la Ley. (Ref. P.O. No. 61, 1-IX-17)

IX. Otorgue cualquier identificación en que se acredite como servidor público a quien realmente no desempeñe el empleo, cargo o comisión a que se haga referencia en aquélla, o (Ref. P.O. No. 61, 1-IX-17)

X. Ejerza algún otro empleo, cargo o comisión oficial o particular, teniendo impedimento legal para hacerlo. (Ref. P.O. No. 61, 1-IX-17)

XI. Apruebe, autorice o permita cambios de uso de suelo contrarios a las normas urbanísticas, ambientales y a los planes y programas de desarrollo urbano respectivos, que afecten áreas protegidas o de preservación ecológica en los términos de la legislación ambiental; (Ref. P.O. No. 61, 1-IX-17)

Las mismas penas se impondrán al particular que coadyuve con el servidor público en la comisión de este delito. (Ref. P.O. No. 39, 27-V-22)

CAPÍTULO IV
ABUSO DE AUTORIDAD

(Ref. P.O. No. 39, 27-V-22)

Artículo 264. Comete el delito de abuso de autoridad, el servidor público que: (Ref. P.O. No. 39, 27-V-22)

I. Para impedir la ejecución de una ley, decreto o reglamento, el cobro de un impuesto o el cumplimiento de una resolución judicial, pida auxilio a la fuerza pública o la emplee con este objeto; (Ref. P.O. No. 39, 27-V-22)

II. Desempeñando sus funciones o con motivo de ellas haga violencia a una persona sin causa legítima o la veje o la insulte; (Ref. P.O. No. 39, 27-V-22)

III. Sin causa justificada, retarde o niegue a los particulares la protección o servicio que tenga obligación de otorgarle o impida la presentación o el curso de una solicitud; (Ref. P.O. No. 39, 27-V-22)

IV. Encargado de una fuerza pública y requerido legalmente por una autoridad competente para que le preste auxilio se niegue indebidamente a dárselo; (Ref. P.O. No. 39, 27-V-22)

V. Con cualquier pretexto, obtenga de un subalterno parte de los sueldos de éste, dádivas o algún servicio indebido; o (Ref. P.O. No. 39, 27-V-22)

VI. Haga que se le entreguen fondos, valores u otra cosa que no se le haya confiado a él y se los apropie o disponga de ellos indebidamente. (Ref. P.O. No. 39, 27-V-22)

Las penas se aumentarán hasta en una mitad, en el caso previsto en la fracción VI de este artículo. (Ref. P.O. No. 39, 27-V-22)

CAPÍTULO V
INTIMIDACIÓN

Artículo 265. Comete el delito de intimidación, el servidor público que por sí o por interpósita persona, intimide a cualquier otra utilizando la violencia física o moral, para evitar que ésta o un tercero denuncie, formule querella o aporte información relativa a la comisión de un delito o de una falta administrativa grave cometida por servidor público en términos de las disposiciones legales aplicables. (Ref. P.O. No. 39, 27-V-22)

CAPÍTULO VI
COALICIÓN DE SERVIDORES PÚBLICOS

Artículo 266. Cometen el delito de coalición de servidores públicos, los servidores públicos que de común acuerdo tomen medidas contrarias a una Ley, reglamento o disposición de carácter general, impidan su ejecución o para hacer dimisión de sus puestos con el fin de impedir o suspender la administración pública en cualquiera de sus ramas. (Ref. P.O. No. 29, 8-VI-12)

CAPÍTULO VII
PECULADO

Artículo 267. Comete el delito de peculado, el servidor público: (Ref. P.O. No. 39, 27-V- 22)

I. Que, para provecho propio o ajeno, aplique o destine dinero, valores, recursos materiales, humanos o financieros o cualquier otro bien perteneciente a los Poderes, dependencias o entidades de la administración pública del Estado, de un Municipio, órganos constitucionales autónomos o de un particular, si por razón de su cargo lo tuviere recibido en administración, en depósito, o por otra causa para un fin diverso; o (Ref. P.O. No. 39, 27-V-22)

II. Que ilícitamente utilice recursos públicos u otorgue alguno de los actos a que se refiere el artículo de uso ilícito de atribuciones y facultades con el objeto de promover o divulgar su imagen o la de terceros. (Ref. P.O. No. 39, 27-V-22)

CAPÍTULO VIII
COHECHO

Artículo 268. Comete el delito de cohecho: (Ref. P.O. No. 39, 27-V-22)

I. El servidor público que por sí o por interpósita persona solicite o reciba indebidamente para sí o para otro, dinero o cualquier otra dádiva o acepte una promesa, con la finalidad de que haga o deje de hacer algo, esté o no relacionado con sus funciones; o (Ref. P.O. No. 39, 27-V-22)

II. El particular que de manera espontánea dé u ofrezca dinero o cualquier otra dádiva u otorgue promesa a un servidor público o a interpósita persona, para que dicho servidor haga u omita un acto relacionado con sus funciones. (Ref. P.O. No. 39, 27-V- 22)

En ningún caso se devolverá el dinero o dádivas que se hubiesen entregado. (Ref. P.O. No. 39, 27-V-22)

CAPÍTULO IX
CONCUSIÓN

Artículo 269. Comete el delito de concusión el servidor público que con ese carácter y a título de impuesto o contribución, recargo, renta, réditos, salario o emolumentos, solicite por sí o por medio de otro, dinero, valores, servicios o cualquier otra cosa que sepa no ser debida o en mayor cantidad que la señalada por la Ley. (Ref. P.O. No. 39, 27-V-22)

CAPÍTULO X
ENRIQUECIMIENTO ILÍCITO

Artículo 270. Comete el delito de enriquecimiento ilícito el servidor público que con motivo de su empleo, cargo o comisión en el servicio público no pudiere acreditar el legítimo aumento de su patrimonio o la legítima procedencia de los bienes a su nombre o de aquéllos respecto de los cuales se conduzca como dueño, obtenidos durante su encargo en los términos de la Ley de Responsabilidades Administrativas aplicable. (Ref. P.O. No. 39, 27-V- 22)

Los bienes cuya legítima procedencia no se logre acreditar, serán decomisados en los términos de las disposiciones legales aplicables. (Ref. P.O. No. 39, 27-V-22)

CAPÍTULO XI
EJERCICIO ABUSIVO DE FUNCIONES

(Ref. P.O. No. 39, 27-V-22)

Artículo 271. Comete el delito de ejercicio abusivo de funciones el servidor público que, indebidamente: (Ref. P.O. No. 39, 27-V-22)

I. En el desempeño de sus atribuciones y facultades otorgue por sí o por interpósita persona, contratos, concesiones, permisos, licencias, autorizaciones, franquicias, exenciones, efectúe compras o ventas o realice cualquier acto jurídico que produzca beneficios económicos al propio servidor público o para beneficiar económicamente a otra persona, cause perjuicios patrimoniales a los Poderes, dependencias o entidades de la administración pública del Estado, organismos constitucionales autónomos o Municipios; o (Ref. P.O. No. 39, 27-V-22)

II. Valiéndose de la información que posea por razón de su empleo, cargo o comisión, sea o no materia de sus funciones y que no sea del conocimiento público, haga por sí o por interpósita persona, inversiones, enajenaciones, adquisiciones o cualquiera otro acto que le produzca algún beneficio económico indebido al servidor público o a un tercero. (Ref. P.O. No. 39, 27-V-22)

Las mismas penas se impondrán al particular que coadyuve con el Servidor Público en la realización de este delito. (Ref. P.O. No. 39, 27-V-22)

CAPÍTULO XII
TRÁFICO DE INFLUENCIA

Artículo 272. Comete el delito de tráfico de influencias: (Ref. P.O. No. 39, 27-V-22)

I. El servidor público que por sí o por interpósita persona solicite, promueva o gestione la tramitación o resolución ilícita de negocios públicos o cualquier acto ajeno a las responsabilidades inherentes a su empleo, cargo o comisión, para obtener beneficios económicos para sí o para cualquier persona; o (Ref. P.O. No. 39, 27-V-22)

II. El particular que, sin estar autorizado legalmente para intervenir en un negocio público, afirme tener influencia ante los servidores públicos facultados para tomar decisiones dentro de dichos negocios, e intervenga ante ellos para promover la resolución ilícita de los mismos, a cambio de obtener un beneficio para sí o para otro. (Ref. P.O. No. 39, 27-V-22)

CAPÍTULO XIII
OPERACIONES CON RECURSOS DE PROCEDENCIA ILÍCITA EN MATERIA DE CORRUPCIÓN

(Adición P.O. No. 61, 1-IX-17)

Artículo 273. Se impondrán de cinco a quince años de prisión y de mil a cinco mil UMA multa, al servidor público que por sí o por interpósita persona, realice cualquiera de las siguientes conductas: adquiera, enajene, administre, posea, custodie, cambie, deposite, dé en garantía, invierta, transporte o transfiera, dentro o fuera del territorio del Estado de Querétaro, recursos, valores, bienes o derechos públicos, cuando proceden o representan el producto de una actividad ilícita. (Ref. P.O. No. 61, 1-IX-17)

Para efectos de este artículo, se entiende que son producto de una actividad ilícita, los recursos, valores, bienes o derechos públicos, cuando existan indicios fundados o la certeza de que provienen directa o indirectamente, o representan las ganancias derivadas de la comisión de algún delito, y no pueda acreditarse su legítima procedencia. (Ref. P.O. No. 61, 1-IX-17)

La misma pena se aplicará cuando la conducta ilícita sea cometida por ex servidores públicos, si se realizó por ellos dentro de los dos años inmediatamente posteriores a su separación o baja del servicio público por cualquier causa. (Ref. P.O. No. 61, 1-IX-17)

Además, se impondrá a los responsables la inhabilitación para desempeñar empleo, cargo o comisión públicos, hasta por un tiempo igual al de la pena de prisión impuesta. (Ref. P.O. No. 61, 1-IX-17)

CAPÍTULO XIV
DELITOS CONTRA LA ADMINISTRACIÓN DE JUSTICIA POR HECHOS DE CORRUPCIÓN

(Ref. P.O. No. 39, 27-V-22)

Artículo 274. Son delitos contra la administración de justicia por hechos de corrupción cometidos por los servidores públicos los siguientes: (Ref. P.O. No. 39, 27-V-22)

I. Conocer de negocios para los cuales estén legalmente impedidos o abstenerse de conocer los que les correspondan sin tener impedimento legal; (Ref. P.O. No. 61, 1- IX-17)

II. Litigar por sí o por interpósita persona, cuando la Ley les prohíba el ejercicio de su profesión; (Ref. P.O. No. 61, 1-IX-17)

III. Dirigir o aconsejar a las personas que ante ellos litiguen; (Ref. P.O. No. 61, 1-IX-17)

IV. Retardar o entorpecer maliciosamente o por negligencia la administración de justicia; (Ref. P.O. No. 61, 1-IX-17)

V. Ejecutar actos o incurrir en omisiones que produzcan un daño o concedan a alguien una ventaja indebida; (Ref. P.O. No. 61, 1-IX-17)

VI. No cumplir en sus términos un mandamiento legal emanado de un superior competente, sin causa fundada para ello; (Ref. P.O. No. 61, 1-IX-17)

VII. Negarse o abstenerse injustificadamente el encargado de administrar justicia bajo cualquier pretexto, aunque sea el de obscuridad o silencio de la Ley, a despachar un negocio pendiente ante él o dictar una resolución de trámite o de fondo dentro de los términos establecidos al efecto; (Ref. P.O. No. 61, 1-IX-17)

VIII. Dictar una resolución de trámite o de fondo o una sentencia definitiva injusta con violación de un precepto terminante de la Ley o manifiestamente contraria a las constancias de autos o al veredicto de un jurado cuando se obre por motivos inmorales y no por simple error de apreciación y se produzca un daño en la persona, el honor o los bienes de alguien o en perjuicio del interés social; (Ref. P.O. No. 61, 1- IX-17)

IX. Hacer conocer indebidamente a un demandado o inculpado alguna providencia por resolución judicial decretada en su contra; (Ref. P.O. No. 61, 1-IX-17)

X. Admitir o nombrar un depositario o entregar a éste los bienes secuestrados, sin el cumplimiento de los requisitos legales correspondientes; (Ref. P.O. No. 61, 1-IX-17)

XI. Rematar a favor de ellos mismos por sí o por interpósita persona, los bienes objetos de un remate en cuyo juicio hubieren intervenido; (Ref. P.O. No. 61, 1-IX-17)

XII. Nombrar síndico o interventor en un concurso o quiebra, a quien sea deudor, pariente o que haya sido abogado del fallido, o a quien tenga con el funcionario relación de parentesco, estrecha amistad o esté ligado con él por negocios de interés común; (Ref. P.O. No. 61, 1-IX-17)

XIII. Detener a un individuo fuera de los casos permitidos por las disposiciones jurídicas aplicables; (Ref. P.O. No. 54, 12-VII-19)

XIV. Omitir, retardar o rehusar medidas para hacer cesar o denunciar a la autoridad que debe proveer al efecto de una detención ilegal de la que haya tenido conocimiento; (Ref. P.O. No. 61, 1-IX-17)

XV. Abstenerse de ejercitar la acción persecutoria, cuando sea procedente conforme a la Constitución y a las Leyes de la materia, en los casos en que la Ley le imponga esa obligación; (Ref. P.O. No. 61, 1-IX-17)

XVI. Ordenar la aprehensión de un individuo por delito que no amerite pena privativa de libertad o sin que preceda denuncia, acusación o querella; (Ref. P.O. No. 61, 1-IX-17)

XVII. Realizar una aprehensión o detención sin poner al aprehendido o detenido a disposición de la autoridad que corresponda, dentro de los términos que la propia Constitución dispone; (Ref. P.O. No. 61, 1-IX-17)

XVIII. Compeler al imputado a declarar en su contra usando la incomunicación o cualquier otro medio ilícito; (Ref. P.O. No. 61, 1-IX-17)

XIX. Ordenar o practicar cateos o visitas domiciliarias fuera de los casos autorizados por la Ley; (Ref. P.O. No. 61, 1-IX-17)

XX. Demorar injustificadamente el cumplimiento de las providencias judiciales en la que se ordene poner en libertad a un detenido con la realización de un acto obligatorio que produzca la indebida dilación de un proceso; (Ref. P.O. No. 61, 1-IX-17)

XXI. Prolongar la prisión preventiva por más tiempo del que como máximo fije la Ley al delito que motivó el proceso; (Ref. P.O. No. 61, 1-IX-17)

XXII. Permitir, consentir o llevar a cabo el internamiento de una persona en cualquier establecimiento carcelario o lugar de detención, sin satisfacer los requisitos legales y sin dar aviso inmediato a la autoridad competente; (Ref. P.O. No. 61, 1-IX-17)

XXIII. Exigir gabelas o contribuciones los encargados o empleados de lugares de reclusión o internamiento, a los internos o a sus familiares, a cambio de proporcionales bienes o servicios que gratuitamente brinda el Estado, o para otorgarles condiciones de privilegio en el alojamiento, alimentación o régimen; (Ref. P.O. No. 61, 1-IX-17)

XXIV. Permitir fuera de los casos previstos por la Ley la salida temporal de personas legalmente privadas de su libertad; (Ref. P.O. No. 61, 1-IX-17)

XXV. Derogada. (Ref. P.O. No. 61, 1-IX-17)

XXVI. Propiciar o favorecer el quebrantamiento de alguna pena no privativa de libertad o medida de seguridad impuesta; y (Ref. P.O. No. 54, 12-VII-19)

XXVII. Tratar asuntos vigentes sometidos a su conocimiento o jurisdicción fuera de audiencia judicial y sin conocimiento de la parte contraria. (Adición P.O. No. 54, 12-VII-19)

Artículo 275. Al que cometa alguno de los delitos a que se refiere el artículo anterior, se le aplicará prisión de 1 a 6 años y de 60 a 360 días multa. (Ref. P.O. No. 39, 27-V-22)

Además de las penas establecidas en el párrafo que antecede, el agente sufrirá privación del cargo e inhabilitación para obtener otro cargo público hasta por un término igual al de la pena de prisión impuesta. (Ref. P.O. No. 39, 27-V-22)

CAPÍTULO XV
EVASIÓN DE PERSONAS ASEGURADAS

(Adición P.O. No. 61, 1-IX-17)

Artículo 276. Al que indebidamente ponga en libertad o favorezca la evasión de una persona que se encuentre legalmente privada de aquella, se le impondrán las siguientes penas: (Ref. P.O. No. 61, 1-IX-17)

I. De 3 a 6 meses de prisión si el evadido estuviere detenido por falta administrativa; (Ref. P.O. No. 61, 1-IX-17)

Además de las penas establecidas en el párrafo anterior, se impondrán de 150 a 200 días multa; (Adición P.O. No. 39, 27-V-22)

II. De 2 a 5 años de prisión si el evadido hubiere estado detenido por delito no grave; (Ref. P.O. No. 61, 1-IX-17)

Además de las penas establecidas en el párrafo anterior, se impondrán de 200 a 250 días multa; (Adición P.O. No. 39, 27-V-22)

III. De 3 a 8 años de prisión si el evadido hubiere estado detenido por delito grave; (Ref. P.O. No. 61, 1-IX-17)

Además de las penas establecidas en el párrafo anterior, se impondrán de 250 a 300 días multa; (Adición P.O. No. 39, 27-V-22)

IV. De 4 a 9 años de prisión si el evadido hubiere sido sentenciado por delito no grave; o (Ref. P.O. No. 61, 1-IX-17)

Además de las penas establecidas en el párrafo anterior, se impondrán de 350 a 400 días multa; (Adición P.O. No. 39, 27-V-22)

V. De 5 a 10 años de prisión y de 350 a 400 días multa, si el evadido hubiese sido sentenciado por delito grave, o que amerite prisión preventiva. (Ref. P.O. No. 39, 27- V-22)

En cualquiera de los casos anteriores, la pena incrementara hasta en una mitad si el sujeto activo es un servidor público o si los evadidos fueren dos o más personas. (Ref. P.O. No. 61, 1-IX-17)

Artículo 277. A los ascendientes, descendientes, adoptante, adoptado, cónyuge, concubina, concubinario, hermanos o parientes por afinidad hasta el segundo grado, del evadido cuya fuga propicien; se les aplicará hasta un tercio de las penas previstas en el artículo anterior; pero si mediare violencia, se les aplicará hasta la mitad de la pena prevista en el artículo anterior. (Ref. P.O. No. 39, 27-V-22)

Artículo 278. Si la reaprehensión del evadido se lograre por gestiones del responsable de la evasión, la pena se reducirá hasta la mitad de su duración. (Ref. P.O. No. 61, 1-IX-17)

Artículo 279. Al evadido no se le aplicará sanción, salvo que obre en concierto con otra u otras personas aseguradas y se fugue con alguno de ellos o ejerza violencia o cause un daño, en cuyo caso la prisión será de 3 a 6 años y de 200 a 250 días multa. (Ref. P.O. No. 39, 27-V-22)

CAPÍTULO XVI
PROMOCIÓN DE CONDUCTAS ILÍCITAS

(Adición P.O. No. 39, 27-V-22)

Artículo 279 Bis. Al particular que promueva una conducta ilícita de un servidor público

o se preste para que él mismo o por interpósita persona promueva o gestione la tramitación

o resolución ilícita de negocios públicos ajenos a las responsabilidades inherentes a su empleo, cargo o comisión, se le impondrá prisión de 3 a 6 años y de 100 a 500 días multa. (Adición P.O. No. 39, 27-V-22)

CAPÍTULO XVII
ADQUISICIÓN U OCULTACIÓN INDEBIDA DE RECURSOS PÚBLICOS

(Adición P.O. No. 39, 27-V-22)

Artículo 279 Ter. Se aplicará prisión de 3 a 6 años y de 100 a 500 días multa al que adquiera, posea, oculte o haga figurar como suyos, bienes de un servidor público, que haya adquirido de manera ilegal, con conocimiento de esta situación. (Adición P.O. No. 39, 27-V- 22)

TÍTULO TERCERO
DELITOS EN MATERIA DEL COMBATE A LA CORRUPCIÓN COMETIDOS POR PARTICULARES

Derogado. (P.O. No. 39, 27-V-22)

CAPÍTULO I
PROMOCIÓN DE CONDUCTAS ILÍCITAS

Derogado. (P.O. No. 39, 27-V-22)

Artículo 280. Derogado. (P.O. No. 39, 27-V-22)

CAPÍTULO II
COHECHO COMETIDO POR PARTICULARES

Derogado. (P.O. No. 39, 27-V-22)

Artículo 281. Derogado. (P.O. No. 39, 27-V-22)

Artículo 282. Derogado. (P.O. No. 39, 27-V-22)

CAPÍTULO III
ADQUISICIÓN U OCULTACIÓN INDEBIDA DE RECURSOS PÚBLICOS

Derogado. (P.O. No. 39, 27-V-22)

Artículo 283. Derogado. (P.O. No. 39, 27-V-22)

TÍTULO CUARTO
DELITOS COMETIDOS CONTRA EL SERVICIO PÚBLICO

(Ref. P.O. No. 61, 1-IX-17)

CAPÍTULO I
FALSEDAD ANTE AUTORIDADES

(Ref. P.O. No. 61, 1-IX-17)

Artículo 284. Al que teniendo la obligación legal de conducirse con verdad en un acto ante la autoridad, lo haga falsamente u ocultando la verdad, se le impondrán de 3 meses a 3 años de prisión y hasta 50 UMA de multa. (Ref. P.O. No. 61, 1-IX-17)

Si el agente se retractare de sus declaraciones falsas antes de que se pronuncie resolución en el procedimiento en el que se condujo con falsedad, sólo se le impondrá la sanción pecuniaria a que se refiere el párrafo anterior. (Ref. P.O. No. 61, 1-IX-17)

Artículo 285. Al que presente testigos falsos conociendo esta circunstancia o logre que un testigo, perito, intérprete o traductor falte a la verdad o la oculte al ser examinado por la autoridad pública en el ejercicio de sus funciones, se le impondrá prisión de 6 meses a 3 años y de 10 a 60 UMA de multa. (Ref. P.O. No. 61, 1-IX-17)

Además de las penas a que se refiere el artículo anterior, el perito, intérprete o traductor, sufrirá inhabilitación para desempeñar sus funciones hasta por 2 años. (Ref. P.O. No. 61, 1- IX-17)

Artículo 285 Bis. Al que soborne, amenace, intimide, persuada o aleccione a una persona para conducirse con falsedad ante una autoridad se le impondrá de 3 a 6 años, de

200 a 500 días multa y 150 a 300 jornadas de medidas para mejorar la convivencia cotidiana. (Adición P.O. No. 39, 27-V-22)

Cuando la conducta produzca un beneficio económico, o ventaja en un procedimiento de cualquier naturaleza, la pena será de 5 a 8 años de prisión, de 500 a 1000 días multa y 50 a

150 jornadas de medidas para mejorar la convivencia cotidiana. (Adición P.O. No. 39, 27-V- 22)

Si alguna de las conductas descritas en los párrafos anteriores, se realiza por persona que desempeñe una actividad regulada, la sanción será también de inhabilitación para ejercer la misma por el mismo tiempo de la pena de prisión impuesta. (Adición P.O. No. 39, 27-V-22)

CAPÍTULO II
DESOBEDIENCIA Y RESISTENCIA DE PARTICULARES

(Ref. P.O. No. 61, 1-IX-17)

Artículo 286. Al que sin causa legítima rehusare prestar un servicio al que la ley obligue o desobedeciere un mandato legítimo de la autoridad, se le impondrá prisión de seis meses a dos años y hasta cuarenta veces el valor diario de la UMA de multa. (Ref. P.O. No. 45, 2- VI-21)

Si la desobediencia fuera respecto de medidas de seguridad sanitaria o de protección civil que se hubiesen decretado por la autoridad competente, durante una emergencia sanitaria, se aplicará la misma sanción del párrafo anterior. (Ref. P.O. No. 99, 18-XII-20)

Artículo 287. Al que debiendo declarar ante la autoridad y sin que le beneficien las excepciones legales se niegue a otorgar la protesta de ley o a declarar, se le impondrán de seis meses a cuatro años de prisión y hasta cuarenta veces el valor diario de la UMA de multa, o trabajo en favor de la comunidad de hasta por un año. (Ref. P.O. No. 45, 2-VI-21)

Artículo 288. Al que por medio de amenazas o de violencia se oponga a que la autoridad pública o sus agentes ejerzan alguna de sus funciones en forma legal o resista el cumplimiento de un mandato de autoridad que satisfaga todos los requisitos legales, se le aplicará prisión de dos a cuatro años y hasta ochenta veces el valor diario de la UMA de multa, o trabajo en favor de la comunidad hasta por seis meses. (Ref. P.O. No. 45, 2-VI-21)

Durante una emergencia sanitaria decretada por la autoridad competente, cuando la conducta del párrafo anterior se ejecute contra autoridades de servicios de salud, seguridad o protección civil, la pena se incrementará hasta en una mitad más. (Ref. P.O. No. 45, 2-VI- 21)

Artículo 289. Al que procure por medio de violencia física impedir la ejecución de una obra o trabajos públicos, dispuestos por la autoridad competente con los requisitos legales o con su autorización, se le aplicarán de uno a dos años de prisión y hasta doscientas veces el valor diario de la UMA de multa, o trabajo a favor de la comunidad hasta por cuatro meses. (Ref. P.O. No. 45, 2-VI-21)

Cuando el delito se cometa por varias personas de común acuerdo se les aplicará prisión de dos a cuatro años y de trescientas a quinientas veces el valor diario de la UMA de multa, o trabajo a favor de la comunidad hasta por cuatro meses. (Ref. P.O. No. 45, 2-VI-21)

Artículo 290. Cuando la Ley autorice el empleo del apremio para hacer efectivas las determinaciones de la autoridad, sólo se consumarán los delitos de resistencia y desobediencia cuando se hubiere empleado algún medio de apremio. (Ref. P.O. No. 45, 2- VI-21)

CAPÍTULO III
QUEBRANTAMIENTO DE SELLOS

(Ref. P.O. No. 61, 1-IX-17)

Artículo 291. Al que indebidamente destruya, retire, oculte o de cualquier otro modo quebrante los sellos puestos por orden legítima de la autoridad, se aplicará prisión de 3 meses a 1 año y hasta 15 UMA de multa. (Ref. P.O. No. 61, 1-IX-17)

CAPÍTULO IV
DELITOS CONTRA SERVIDORES PÚBLICOS EN EJERCICIO DE SUS FUNCIONES

(Ref. P.O. No. 61, 1-IX-17)

Artículo 292. Derogado. (P.O. No. 61, 1-IX-17)

Artículo 293. Al que cometa un delito en contra de un servidor público en el acto de ejercer sus funciones o con motivo de ellas, cuando se tenga conocimiento de esa circunstancia, se le aplicarán de dos a cinco años de prisión o hasta seis meses de trabajo a favor de la comunidad, además de la que le corresponda por el delito cometido. (Ref. P.O. No. 45, 2-VI-21)

CAPÍTULO V
USURPACIÓN DE FUNCIONES PÚBLICAS

(Ref. P.O. No. 61, 1-IX-17)

Artículo 294. Al que indebidamente se atribuya y ejerza funciones propias de un servidor público, se le aplicarán de 6 meses a 5 años de prisión y de 20 a 100 UMA de multa. (Ref. P.O. No. 61, 1-IX-17)

CAPÍTULO VI
USO INDEBIDO DE UNIFORMES OFICIALES Y CONDECORACIONES

(Ref. P.O. No. 61, 1-IX-17)

Artículo 295. Al que usare uniformes oficiales, condecoraciones, grados jerárquicos, distintivos o insignias a que no tenga derecho, con el propósito de obtener un beneficio indebido o lesionando la dignidad o respeto de la Corporación o a la investidura a que correspondan aquéllos, se le impondrán de 3 meses a 5 años de prisión y de 20 a 100 UMA de multa. (Ref. P.O. No. 61, 1-IX-17)

Artículo 295 Bis. Derogado. (P.O. No. 39, 27-V-22)

TÍTULO QUINTO
DELITOS CONTRA LA ADMINISTRACIÓN DE JUSTICIA

(Ref. P.O. No. 61, 1-IX-17)

CAPÍTULO I
FRAUDE PROCESAL

(Ref. P.O. No. 61, 1-IX-17)

Artículo 296. Al que para obtener un beneficio indebido para sí o para otro, simule un acto jurídico o un juicio, o un acto o escrito judiciales, o altere elementos de prueba en perjuicio de otro, se le impondrá prisión de 3 meses a 5 años y de 20 a 200 UMA de multa. (Ref. P.O. No. 61, 1-IX-17)

Se entenderá simulado el juicio que se siga en contra de un depositario, si trae como consecuencia el secuestro de la cosa embargada o depositada con anterioridad en otro procedimiento judicial o administrativo. (Ref. P.O. No. 61, 1-IX-17)

También se entenderá simulado el que se siga contra cualquier otra persona, si con ese motivo se desposee al depositario de la cosa previamente embargada o secuestrada en otro juicio o procedimiento, siempre que éste no la reclame dentro de los 3 días siguientes. (Ref. P.O. No. 61, 1-IX-17)

CAPÍTULO II
IMPUTACIÓN DE HECHOS FALSOS Y SIMULACIÓN DE PRUEBAS

(Adición P.O. No. 61, 1-IX-17)

Artículo 297. Al que con el propósito de inculpar a alguien como responsable de un delito, le impute ante una autoridad un hecho falso o simule en su contra la existencia de pruebas materiales que hagan presumir su responsabilidad, se le impondrá prisión de 6 meses a 5 años y de 20 a 100 UMA de multa. (Ref. P.O. No. 61, 1-IX-17)

No se procederá contra el agente sino después de que se dicte resolución irrevocable que ponga fin al proceso que se le instruye por el delito imputado. (Ref. P.O. No. 61, 1-IX-17)

Son aplicables por este delito, en lo conducente, los artículos 178, 179 y 180 de este Código. (Ref. P.O. No. 61, 1-IX-17)

CAPÍTULO III
SUSTRACCIÓN, DESTRUCCIÓN, ALTERACIÓN O DAÑO DE ACTUACIONES U OBJETOS RELACIONADOS CON ELLAS O CON EL LUGAR DE LOS HECHOS DELICTIVOS

(Ref. P.O. No. 54, 12-VII-19)

Artículo 298. Al que sustraiga, destruya, altere o dañe cualquier documento u objeto relacionado con un proceso o investigación, se le impondrá sanción de 1 a 5 años de prisión y de 200 a 500 días multa, de 4 a 6 meses de trabajo en favor de la comunidad y 150 a 300 jornadas de medidas para mejorar la convivencia cotidiana. (Ref. P.O. No. 39, 27-V-22)

Si los anteriores actos se realizan sobre la totalidad del documento u objeto relacionado con un proceso o investigación, se aumentará la pena hasta en una mitad. (Ref. P.O. No. 39, 27-V-22)

Artículo 298 Bis. Al que dolosamente destruya, altere o dañe el lugar de los hechos delictivos o sustraiga instrumento, documento, objeto o evidencia del mismo antes de que tenga conocimiento la autoridad competente, se le impondrá una sanción de 3 a 9 años de prisión, hasta 900 días multa y trabajo a favor de la comunidad de hasta por 1 año y 150 a 300 jornadas de medidas para mejorar la convivencia cotidiana. (Ref. P.O. No. 39, 27-V-22)

Si la conducta se realiza para favorecer al autor del delito, la pena se aumentará en su duración en una mitad más, cuando no concurra ninguna causa de exclusión de la sanción. (Adición P.O. No. 54, 12-VII-19)

Si la conducta se realiza por un servidor público cuyas funciones sean las de investigación del delito, procuración o administración de justicia o servicios penitenciarios, la pena del párrafo anterior se incrementará con destitución e inhabilitación para desempeñar cualquier cargo público hasta por 15 años. (Adición P.O. No. 54, 12-VII-19)

CAPÍTULO IV
QUEBRANTAMIENTO DE PENAS NO PRIVATIVAS DE LIBERTAD, MEDIDAS DE SEGURIDAD Y OTRAS MEDIDAS

(Ref. P.O. No. 39, 27-V-22)

Artículo 299. Derogado. (P.O. No. 39, 27-V-22)

Artículo 300. Derogado. (P.O. No. 39, 27-V-22)

Artículo 301. Derogado. (P.O. No. 39, 27-V-22)

Artículo 302. Derogado. (P.O. No. 39, 27-V-22)

Artículo 303. Al que por sí o interpósita persona de manera dolosa, quebrante o incumpla cualquier otra pena no privativa de libertad, medida de seguridad, medida cautelar, medida de protección decretada conforme a las disposiciones penales aplicables, se le impondrá de 1 a 5 años de prisión y de 500 a 1000 días multa. (Ref. P.O. No. 39, 27-V-22)

Las penas previstas en el artículo, se aumentarán hasta en una mitad cuando: (Ref. P.O. No. 39, 27-V-22)

I. Se haga uso de violencia o se cause daño a terceros; o (Ref. P.O. No. 39, 27-V-22)

II. El sujeto activo sea un servidor público. (Ref. P.O. No. 39, 27-V-22)

Si el responsable es servidor público al momento del hecho, se impondrá además, destitución e inhabilitación de 4 a 10 años para desempeñarse en cualquier empleo, puesto, cargo o comisión de carácter público. (Ref. P.O. No. 39, 27-V-22)

Artículo 304. Derogado. (P.O. No. 39, 27-V-22)

CAPÍTULO V
ENCUBRIMIENTO POR FAVORECIMIENTO

(Adición P.O. No. 61, 1-IX-17)

Artículo 305. Al que después de la ejecución de un delito y sin haber participado en éste, auxilie en cualquier forma al inculpado a eludir las investigaciones de la autoridad competente o a sustraerse de la acción de ésta, o bien oculte, altere, destruya o haga desaparecer los vestigios, pruebas, instrumentos u objetos del delito o asegure para el inculpado el producto o provecho del mismo, se le impondrá prisión de 3 meses a 3 años y hasta 60 UMA de multa. (Ref. P.O. No. 61, 1-IX-17)

Artículo 306. Al que por los medios lícitos que tenga a su alcance y sin riesgo de su persona o bienes, no procure impedir la consumación de los delitos que sepa van a cometerse o se estén cometiendo, si son de los que se persiguen de oficio, se les sancionará con prisión de 3 meses a 1 año y hasta 20 UMA de multa. (Ref. P.O. No. 61, 1- IX-17)

Las mismas penas se impondrán a quien requerido por la autoridad no proporcione auxilio para la investigación de los delitos o para la persecución de los delincuentes. (Ref. P.O. No. 61, 1-IX-17)

Artículo 307. No se impondrá sanción al que auxilie u oculte al responsable de un delito o los efectos, objetos o instrumentos del mismo, no procure impedir su consumación o impida que se investigue, siempre que se trate de: (Ref. P.O. No. 61, 1-IX-17)

I. Los ascendientes o descendientes consanguíneos o por adopción; (Ref. P.O. No. 61, 1-IX-17)

II. El cónyuge, concubina o concubinario y parientes colaterales por consanguinidad hasta el cuarto grado y por afinidad hasta el segundo; (Ref. P.O. No. 61, 1-IX-17)

III. Los que estén ligados al delincuente por amor, respecto, gratitud o estrecha amistad. (Ref. P.O. No. 61, 1-IX-17)

La excusa no favorecerá a quien obre por motivos reprobables o emplee medios delictuosos. (Ref. P.O. No. 61, 1-IX-17)

CAPÍTULO VI
EJERCICIO INDEBIDO DEL PROPIO DERECHO

(Adición P.O. No. 61, 1-IX-17)

Artículo 308. Al que empleare la violencia para hacer efectivo un derecho o pretendido derecho que deba ejecutar, se le aplicará prisión de 3 meses a 1 año y de 500 a 800 días multa. (Ref. P.O. No. 39, 27-V-22)

Además de las penas anteriores, se impondrá de 150 a 500 jornadas de medidas para mejorar la convivencia cotidiana. (Ref. P.O. No. 39, 27-V-22)

CAPÍTULO VII
DELITOS DE ABOGADOS DEFENSORES, LITIGANTES Y REPRESENTANTES JURÍDICOS

(Ref. P.O. No. 54, 12-VII-19)

Artículo 309. Se impondrá prisión de 3 meses a 4 años, de 20 a 300 UMA de multa, suspensión hasta por 3 años para ejercer la abogacía, en su caso, y hasta por el doble si reincidiere, a quien: (Ref. P.O. No. 61, 1-IX-17)

I. Asista o ayude de 2 o más contendientes o partes con intereses opuestos en un mismo negocio o negocios conexos, o acepte el patrocinio de alguno y admita después el de la parte contraria; (Ref. P.O. No. 61, 1-IX-17)

II. Pida términos para probar lo que notoriamente no puede demostrar o no ha de aprovechar a su parte; (Ref. P.O. No. 61, 1-IX-17)

III. Promueva incidentes o recursos o use medios notoriamente improcedentes o ilegales, para dilatar o suspender un juicio; (Ref. P.O. No. 61, 1-IX-17)

IV. A sabiendas alegue hechos falsos; (Ref. P.O. No. 61, 1-IX-17)

V. Con el carácter de defensor, abogado patrono o apoderado, no ofrezca ni rinda pruebas dentro de los plazos previstos por la Ley, si está en posibilidad de hacerlo y corresponden a la naturaleza y estado del asunto; (Ref. P.O. No. 61, 1-IX-17)

VI. Como defensor, sea particular o de oficio, sólo se concrete a aceptar el cargo y a solicitar la libertad caucional del inculpado, sin promover más pruebas ni dirigirlo en su defensa; o (Ref. P.O. No. 61, 1-IX-17)

VII. Abandone una defensa o negocio sin motivo justificado y causando daño. (Ref. P.O. No. 61, 1-IX-17)

Artículo 309 Bis. Se impondrá prisión de 2 a 6 años, de 50 a 100 veces el valor diario de la UMA, y hasta 3 años de suspensión para ejercer la función de defensor, litigante o representante jurídico en materia penal, al que: (Adición P.O. No. 54, 12-VII-19)

I. Se entreviste o promueva, solicite o gestione, por sí o interpósita persona entrevista con la autoridad judicial que atiende el caso, en cualquier etapa del procedimiento penal, fuera de audiencia judicial y sin conocimiento de la parte contraria; (Adición P.O. No. 54, 12-VII-19)

II. Aleccione o prepare personas para que rindan testimonios falsos o fabrique evidencias y las incorpore en audiencia judicial, a sabiendas de que no están relacionadas con el hecho delictivo que conoce la autoridad judicial; (Adición P.O. No. 54, 12-VII-19)

III. Induzca a sus representados o terceros a entrevistarse con la autoridad judicial que conoce su caso, fuera de audiencia judicial y sin conocimiento de su contraria; (Adición P.O. No. 54, 12-VII-19)

IV. Insulte de cualquier forma, arengue o promueva actos de violencia física o verbal contra las autoridades que presiden la audiencia judicial, su contraparte, imputado, víctima u ofendido, o cualquier persona con participación legal en la misma, y (Adición P.O. No. 54, 12-VII-19)

V. Ofrezca, entregue o prometa dinero o cualquier otra dádiva o prestación a un servidor público que participe o pueda participar en el caso del que hace representación o defensa. (Adición P.O. No. 54, 12-VII-19)

Si el defensor o representante jurídico es servidor público, también se impondrá sanción de destitución e inhabilitación para desempeñar cualquier cargo público hasta por 15 años. (Adición P.O. No. 54, 12-VII-19)

Artículo 310. Al defensor de oficio que cometa alguno de los delitos a que se refiere el artículo anterior, se le sancionará además, con privación del cargo e inhabilitación para ejercer otro cargo público hasta por 2 años. (Ref. P.O. No. 61, 1-IX-17)

CAPÍTULO VIII
DE LA TORTURA

Derogado. (P.O. No. 79, 7-IX-18)

Artículo 311. Derogado. (P.O. No. 79, 7-IX-18)

Artículo 312. Derogado. (P.O. No. 79, 7-IX-18)

Artículo 313. Derogado. (P.O. No. 79, 7-IX-18)

Artículo 314. Derogado. (P.O. No. 79, 7-IX-18)

Artículo 315. Derogado. (P.O. No. 79, 7-IX-18)

Artículo 316. Derogado. (P.O. No. 79, 7-IX-18)

Artículo 317. Derogado. (P.O. No. 79, 7-IX-18)

TRANSITORIOS

ARTÍCULO PRIMERO. Este Código entrará en vigor treinta días después de su publicación en el Periódico Oficial del Gobierno del Estado "La Sombra de Arteaga".

ARTÍCULO SEGUNDO. Se abroga el Código Penal para el Estado Libre y Soberano de Querétaro promulgado el día 21 del mes de junio de 1985, publicado en el Periódico Oficial del Gobierno del Estado "La Sombra de Arteaga" el 18 de julio de 1985 y que entró en vigor el día 29 de agosto del mismo año.

ARTÍCULO TERCERO. Se derogan las leyes especiales y demás disposiciones que contravengan lo establecido en el presente Código.

ARTÍCULO CUARTO. Quedan vigentes las disposiciones de carácter penal contenidas en leyes especiales de todo lo no previsto por este Código.

ARTÍCULO QUINTO. El Código abrogado seguirá aplicándose para los hechos ocurridos durante su vigencia a menos que conforme al nuevo Código hayan dejado de considerarse como delitos o el presente ordenamiento le resulte más favorable.

LO TENDRÁ ENTENDIDO EL C. GOBERNADOR CONSTITUCIONAL DEL ESTADO Y MANDARA QUE SE IMPRIMA, PUBLIQUE Y OBSERVE.

DADA EN EL RECINTO OFICIAL DEL PODER LEGISLATIVO DEL ESTADO A LOS DIEZ DÍAS DEL MES DE JULIO DE MIL NOVECIENTOS OCHENTA Y SIETE.

Diputado Presidente,
ING. EDGARDO ROCHA PEDRAZA.

Diputado Secretario,
DR. JAIME ZÚÑIGA BURGOS

Diputado Secretario,
RAUL SOTO

EN CUMPLIMIENTO A LO DISPUESTO POR LA FRACCIÓN SEGUNDA DEL ARTÍCULO NOVENTA Y TRES DE LA CONSTITUCIÓN POLÍTICA DE ESTA ENTIDAD Y PARA SU DEBIDA PUBLICACIÓN Y OBSERVANCIA, EXPIDO LA PRESENTE LEY EN LA RESIDENCIA OFICIAL DEL PODER EJECUTIVO DEL ESTADO DE QUERÉTARO A LOS TRECE DÍAS DEL MES DE JULIO DE MIL NOVECIENTOS OCHENTA Y SIETE.

El Gobernador Constitucional del Estado,
LIC. MARIANO PALACIOS ALCOCER

El Secretario de Gobierno,
LIC. JOSÉ MARÍA HERNANDEZ SOLÍS

Código Nacional de Procedimientos Penales

Nuevo Código publicado en el Diario Oficial de la Federación el 5 de marzo de 2014

Última reforma publicada DOF 28-11-2025

Al margen un sello con el Escudo Nacional, que dice: Estados Unidos Mexicanos.- Presidencia de la República.

ENRIQUE PEÑA NIETO, Presidente de los Estados Unidos Mexicanos, a sus habitantes sabed:

Que el Honorable Congreso de la Unión, se ha servido dirigirme el siguiente

DECRETO

"EL CONGRESO GENERAL DE LOS ESTADOS UNIDOS MEXICANOS, D E C R E T A:

SE EXPIDE EL CÓDIGO NACIONAL DE PROCEDIMIENTOS PENALES

Artículo Único.- Se expide el Código Nacional de Procedimientos Penales.

CÓDIGO NACIONAL DE PROCEDIMIENTOS PENALES

LIBRO PRIMERO
DISPOSICIONES GENERALES

TÍTULO I
DISPOSICIONES PRELIMINARES

CAPÍTULO ÚNICO
ÁMBITO DE APLICACIÓN Y OBJETO

Artículo 1o. Ámbito de aplicación

Las disposiciones de este Código son de orden público y de observancia general en toda la República Mexicana, por los delitos que sean competencia de los órganos jurisdiccionales federales y locales en el marco de los principios y derechos consagrados en la Constitución Política de los Estados Unidos Mexicanos y en los Tratados Internacionales de los que el Estado mexicano sea parte.

Artículo 2o. Objeto del Código

Este Código tiene por objeto establecer las normas que han de observarse en la investigación, el procesamiento y la sanción de los delitos, para esclarecer los hechos, proteger al inocente, procurar que el culpable no quede impune y que se repare el daño, y así contribuir a asegurar el acceso a la justicia en la aplicación del derecho y resolver el conflicto que surja con motivo de la comisión del delito, en un marco de respeto a los derechos humanos reconocidos en la Constitución y en los Tratados Internacionales de los que el Estado mexicano sea parte.

Artículo 3o. Glosario

Para los efectos de este Código, según corresponda, se entenderá por:

I. Asesor jurídico: Los asesores jurídicos de las víctimas, federales y de las Entidades federativas;

II. Código: El Código Nacional de Procedimientos Penales;

III. Consejo: El Consejo de la Judicatura Federal, los Consejos de las Judicaturas de las Entidades federativas o el órgano judicial, con funciones propias del Consejo o su equivalente, que realice las funciones de administración, vigilancia y disciplina;

IV. Constitución: La Constitución Política de los Estados Unidos Mexicanos;

V. Defensor: El defensor público federal, defensor público o de oficio de las Entidades federativas, o defensor particular;

VI. Entidades federativas: Las partes integrantes de la Federación a que se refiere el artículo 43 de la Constitución;

VII. Juez de control: El Órgano jurisdiccional del fuero federal o del fuero común que interviene desde el principio del procedimiento y hasta el dictado del auto de apertura a juicio, ya sea local o federal;

VIII. Ley Orgánica: La Ley Orgánica del Poder Judicial de la Federación o la Ley Orgánica del Poder Judicial de cada Entidad federativa;

IX. Ministerio Público: El Ministerio Público de la Federación o al Ministerio Público de las Entidades federativas;

X. Órgano jurisdiccional: El Juez de control, el Tribunal de enjuiciamiento o el Tribunal de alzada ya sea del fuero federal o común;

XI. Perspectiva de Género: Concepto que se refiere a la metodología y los mecanismos que permiten identificar, cuestionar y valorar la discriminación, desigualdad y exclusión de las mujeres, que se pretende justificar con base en las diferencias biológicas entre mujeres y hombres, así como las acciones que deben emprenderse para actuar sobre los factores de género y crear las condiciones de cambio que permitan avanzar en la construcción de la igualdad de género;

Fracción adicionada DOF 25-04-2023

XII. Policía: Los cuerpos de Policía especializados en la investigación de delitos del fuero federal o del fuero común, así como los cuerpos de seguridad pública de los fueros federal o común, que en el ámbito de sus respectivas competencias actúan todos bajo el mando y la conducción del Ministerio Público para efectos de la investigación, en términos de lo que disponen la Constitución, este Código y demás disposiciones aplicables;

Fracción recorrida DOF 25-04-2023

XIII. Procurador: El titular del Ministerio Público de la Federación o del Ministerio Público de las Entidades federativas o los Fiscales Generales en las Entidades federativas;

Fracción recorrida DOF 25-04-2023

XIV. Procuraduría: La Procuraduría General de la República, las Procuradurías Generales de Justicia y Fiscalías Generales de las Entidades federativas;

Fracción recorrida DOF 25-04-2023

XV. Tratados: Los Tratados Internacionales en los que el Estado mexicano sea parte;

Fracción recorrida DOF 25-04-2023

XVI. Tribunal de enjuiciamiento: El Órgano jurisdiccional del fuero federal o del fuero común integrado por uno o tres juzgadores, que interviene después del auto de apertura a juicio oral, hasta el dictado y explicación de sentencia, y

Fracción recorrida DOF 25-04-2023

XVII. Tribunal de alzada: El Órgano jurisdiccional integrado por uno o tres magistrados, que resuelve la apelación, federal o de las Entidades federativas.

Fracción recorrida DOF 25-04-2023

TÍTULO II
PRINCIPIOS Y DERECHOS EN EL PROCEDIMIENTO

CAPÍTULO I
PRINCIPIOS EN EL PROCEDIMIENTO

Artículo 4o. Características y principios rectores

El proceso penal será acusatorio y oral, en él se observarán los principios de publicidad, contradicción, concentración, continuidad e inmediación y aquellos previstos en la Constitución, Tratados y demás leyes.

Este Código y la legislación aplicable establecerán las excepciones a los principios antes señalados, de conformidad con lo previsto en la Constitución. En todo momento, las autoridades deberán respetar y proteger tanto la dignidad de la víctima como la dignidad del imputado.

Artículo 5o. Principio de publicidad

Las audiencias serán públicas, con el fin de que a ellas accedan no sólo las partes que intervienen en el procedimiento sino también el público en general, con las excepciones previstas en este Código.

Los periodistas y los medios de comunicación podrán acceder al lugar en el que se desarrolle la audiencia en los casos y condiciones que determine el Órgano jurisdiccional conforme a lo dispuesto por la Constitución, este Código y los acuerdos generales que emita el Consejo.

Artículo 6o. Principio de contradicción

Las partes podrán conocer, controvertir o confrontar los medios de prueba, así como oponerse a las peticiones y alegatos de la otra parte, salvo lo previsto en este Código.

Artículo 7o. Principio de continuidad

Las audiencias se llevarán a cabo de forma continua, sucesiva y secuencial, salvo los casos excepcionales previstos en este Código.

Artículo 8o. Principio de concentración

Las audiencias se desarrollarán preferentemente en un mismo día o en días consecutivos hasta su conclusión, en los términos previstos en este Código, salvo los casos excepcionales establecidos en este ordenamiento.

Asimismo, las partes podrán solicitar la acumulación de procesos distintos en aquellos supuestos previstos en este Código.

Artículo 9o. Principio de inmediación

Toda audiencia se desarrollará íntegramente en presencia del Órgano jurisdiccional, así como de las partes que deban de intervenir en la misma, con las excepciones previstas en este Código. En ningún caso, el Órgano jurisdiccional podrá delegar en persona alguna la admisión, el desahogo o la valoración de las pruebas, ni la emisión y explicación de la sentencia respectiva.

Artículo 10. Principio de igualdad ante la ley

Todas las personas que intervengan en el procedimiento penal recibirán el mismo trato y tendrán las mismas oportunidades para sostener la acusación o la defensa. No se admitirá discriminación motivada por origen étnico o nacional, género, edad, discapacidad, condición social, condición de salud, religión, opinión, preferencia sexual, estado civil o cualquier otra que atente contra la dignidad humana y tenga por objeto anular o menoscabar los derechos y las libertades de las personas.

Las autoridades velarán por que las personas en las condiciones o circunstancias señaladas en el párrafo anterior, sean atendidas a fin de garantizar la igualdad sobre la base de la equidad en el ejercicio de sus derechos. En el caso de las personas con discapacidad, deberán preverse ajustes razonables al procedimiento cuando se requiera.

Artículo 11. Principio de igualdad entre las partes

Se garantiza a las partes, en condiciones de igualdad, el pleno e irrestricto ejercicio de los derechos previstos en la Constitución, los Tratados y las leyes que de ellos emanen.

Artículo 12. Principio de juicio previo y debido proceso

Ninguna persona podrá ser condenada a una pena ni sometida a una medida de seguridad, sino en virtud de resolución dictada por un Órgano jurisdiccional previamente establecido, conforme a leyes expedidas con anterioridad al hecho, en un proceso sustanciado de manera imparcial y con apego estricto a los derechos humanos previstos en la Constitución, los Tratados y las leyes que de ellos emanen.

Artículo 13. Principio de presunción de inocencia

Toda persona se presume inocente y será tratada como tal en todas las etapas del procedimiento, mientras no se declare su responsabilidad mediante sentencia emitida por el Órgano jurisdiccional, en los términos señalados en este Código.

Artículo 14. Principio de prohibición de doble enjuiciamiento

La persona condenada, absuelta o cuyo proceso haya sido sobreseído, no podrá ser sometida a otro proceso penal por los mismos hechos.

CAPÍTULO II
DERECHOS EN EL PROCEDIMIENTO

Artículo 15. Derecho a la intimidad y a la privacidad

En todo procedimiento penal se respetará el derecho a la intimidad de cualquier persona que intervenga en él, asimismo se protegerá la información que se refiere a la vida privada y los datos personales, en los términos y con las excepciones que fijan la Constitución, este Código y la legislación aplicable.

Artículo 16. Justicia pronta

Toda persona tendrá derecho a ser juzgada dentro de los plazos legalmente establecidos. Los servidores públicos de las instituciones de procuración e impartición de justicia deberán atender las solicitudes de las partes con prontitud, sin causar dilaciones injustificadas.

Artículo 17. Derecho a una defensa y asesoría jurídica adecuada e inmediata

La defensa es un derecho fundamental e irrenunciable que asiste a todo imputado, no obstante, deberá ejercerlo siempre con la asistencia de su Defensor o a través de éste. El Defensor deberá ser licenciado en derecho o abogado titulado, con cédula profesional.

Se entenderá por una defensa técnica, la que debe realizar el Defensor particular que el imputado elija libremente o el Defensor público que le corresponda, para que le asista desde su detención y a lo largo de todo el procedimiento, sin perjuicio de los actos de defensa material que el propio imputado pueda llevar a cabo.

La víctima u ofendido tendrá derecho a contar con un Asesor jurídico gratuito en cualquier etapa del procedimiento, en los términos de la legislación aplicable.

Corresponde al Órgano jurisdiccional velar sin preferencias ni desigualdades por la defensa adecuada y técnica del imputado.

Artículo 18. Garantía de ser informado de sus derechos

Todas las autoridades que intervengan en los actos iniciales del procedimiento deberán velar porque tanto el imputado como la víctima u ofendido conozcan los derechos que le reconocen en ese momento procedimental la Constitución, los Tratados y las leyes que de ellos emanen, en los términos establecidos en el presente Código.

Artículo 19. Derecho al respeto a la libertad personal

Toda persona tiene derecho a que se respete su libertad personal, por lo que nadie podrá ser privado de la misma, sino en virtud de mandamiento dictado por la autoridad judicial o de conformidad con las demás causas y condiciones que autorizan la Constitución y este Código.

La autoridad judicial sólo podrá autorizar como medidas cautelares, o providencias precautorias restrictivas de la libertad, las que estén establecidas en este Código y en las leyes especiales. La prisión preventiva será de carácter excepcional y su aplicación se regirá en los términos previstos en este Código.

TÍTULO III
COMPETENCIA

CAPÍTULO I
GENERALIDADES

Artículo 20. Reglas de competencia

Para determinar la competencia territorial de los Órganos jurisdiccionales federales o locales, según corresponda, se observarán las siguientes reglas:

I. Los Órganos jurisdiccionales del fuero común tendrán competencia sobre los hechos punibles cometidos dentro de la circunscripción judicial en la que ejerzan sus funciones, conforme a la distribución y las disposiciones establecidas por su Ley Orgánica, o en su defecto, conforme a los acuerdos expedidos por el Consejo;

II. Cuando el hecho punible sea del orden federal, conocerán los Órganos jurisdiccionales federales;

III. Cuando el hecho punible sea del orden federal pero exista competencia concurrente, deberán conocer los Órganos jurisdiccionales del fuero común, en los términos que dispongan las leyes;

IV. En caso de concurso de delitos, el Ministerio Público de la Federación podrá conocer de los delitos del fuero común que tengan conexidad con delitos federales cuando lo considere conveniente, asimismo los Órganos jurisdiccionales federales, en su caso, tendrán competencia para juzgarlos. Para la aplicación de sanciones y medidas de seguridad en delitos del fuero común, se atenderá a la legislación de su fuero de origen. En tanto la Federación no ejerza dicha facultad, las autoridades estatales estarán obligadas a asumir su competencia en términos de la fracción primera de este artículo;

V. Cuando el hecho punible haya sido cometido en los límites de dos circunscripciones judiciales, será competente el Órgano jurisdiccional del fuero común o federal, según sea el caso, que haya prevenido en el conocimiento de la causa;

VI. Cuando el lugar de comisión del hecho punible sea desconocido, será competente el Órgano jurisdiccional del fuero común o federal, según sea el caso, de la circunscripción judicial dentro de cuyo territorio haya sido detenido el imputado, a menos que haya prevenido el Órgano jurisdiccional de la circunscripción judicial donde resida. Si, posteriormente, se descubre el lugar de comisión del hecho punible, continuará la causa el Órgano jurisdiccional de este último lugar;

VII. Cuando el hecho punible haya iniciado su ejecución en un lugar y consumado en otro, el conocimiento corresponderá al Órgano jurisdiccional de cualquiera de los dos lugares, y

VIII. Cuando el hecho punible haya comenzado su ejecución o sea cometido en territorio extranjero y se siga cometiendo o produzca sus efectos en territorio nacional, en términos de la legislación aplicable, será competencia del Órgano jurisdiccional federal.

Artículo 21. Facultad de atracción de los delitos cometidos contra la libertad de expresión

En los casos de delitos del fuero común cometidos contra algún periodista, persona o instalación, que dolosamente afecten, limiten o menoscaben el derecho a la información o las libertades de expresión o imprenta, el Ministerio Público de la Federación podrá ejercer la facultad de atracción para conocerlos y perseguirlos, y los Órganos jurisdiccionales federales tendrán, asimismo, competencia para juzgarlos. Esta facultad se ejercerá cuando se presente alguna de las siguientes circunstancias:

I. Existan indicios de que en el hecho constitutivo de delito haya participado algún servidor público de los órdenes estatal o municipal;

II. En la denuncia o querella u otro requisito equivalente, la víctima u ofendido hubiere señalado como probable autor o partícipe a algún servidor público de los órdenes estatal o municipal;

III. Se trate de delitos graves así calificados por este Código y legislación aplicable para prisión preventiva oficiosa;

IV. La vida o integridad física de la víctima u ofendido se encuentre en riesgo real;

V. Lo solicite la autoridad competente de la Entidad federativa de que se trate;

VI. Los hechos constitutivos de delito impacten de manera trascendente al ejercicio del derecho a la información o a las libertades de expresión o imprenta;

VII. En la Entidad federativa en la que se hubiere realizado el hecho constitutivo de delito o se hubieren manifestado sus resultados, existan circunstancias objetivas y generalizadas de riesgo para el ejercicio del derecho a la información o las libertades de expresión o imprenta;

VIII. El hecho constitutivo de delito trascienda el ámbito de una o más Entidades federativas, o

IX. Por sentencia o resolución de un órgano previsto en cualquier Tratado, se hubiere determinado la responsabilidad internacional del Estado mexicano por defecto u omisión en la investigación, persecución o enjuiciamiento de delitos contra periodistas, personas o instalaciones que afecten, limiten o menoscaben el derecho a la información o las libertades de expresión o imprenta.

En cualquiera de los supuestos anteriores, la víctima u ofendido podrá solicitar al Ministerio Público de la Federación el ejercicio de la facultad de atracción.

Artículo 22. Competencia por razón de seguridad

Será competente para conocer de un asunto un Órgano jurisdiccional distinto al del lugar de la comisión del delito, o al que resultare competente con motivo de las reglas antes señaladas, cuando atendiendo a las características del hecho investigado, por razones de seguridad en las prisiones o por otras que impidan garantizar el desarrollo adecuado del proceso.

Lo anterior es igualmente aplicable para los casos en que por las mismas razones la autoridad judicial, a petición de parte, estime necesario trasladar a un imputado a algún centro de reclusión de máxima seguridad, en el que será competente el Órgano jurisdiccional del lugar en que se ubique dicho centro.

Con el objeto de que los procesados por delitos federales puedan cumplir su medida cautelar en los centros penitenciarios más cercanos al lugar en el que se desarrolla su procedimiento, las entidades federativas deberán aceptar internarlos en los centros penitenciarios locales con el fin de llevar a cabo su debido proceso, salvo la regla prevista en el párrafo anterior y en los casos en que sean procedentes medidas especiales de seguridad no disponibles en dichos centros.

Párrafo reformado DOF 17-06-2016

Artículo 23. Competencia auxiliar

Cuando el Ministerio Público o el Órgano jurisdiccional actúe en auxilio de otra jurisdicción en la práctica de diligencias urgentes, debe resolver conforme a lo dispuesto en este Código.

Artículo 24. Autorización judicial para diligencias urgentes

El Juez de control que resulte competente para conocer de los actos o cualquier otra medida que requiera de control judicial previo, se pronunciará al respecto durante el procedimiento correspondiente; sin embargo, cuando estas actuaciones debieran efectuarse fuera de su jurisdicción y se tratare de diligencias que requieran atención urgente, el Ministerio Público podrá pedir la autorización directamente al Juez de control competente en aquel lugar; en este caso, una vez realizada la diligencia, el Ministerio Público lo informará al Juez de control competente en el procedimiento correspondiente.

CAPÍTULO II
INCOMPETENCIA

Artículo 25. Tipos o formas de incompetencia

La incompetencia puede decretarse por declinatoria o por inhibitoria.

La parte que opte por uno de estos medios no lo podrá abandonar y recurrir al otro, ni tampoco los podrá emplear simultánea ni sucesivamente, debiendo sujetarse al resultado del que se hubiere elegido.

La incompetencia procederá a petición del Ministerio Público, el imputado o su Defensor, la víctima u ofendido o su Asesor jurídico y será resuelta en audiencia con las formalidades previstas en este Código.

Artículo 26. Reglas de incompetencia

Para la decisión de la incompetencia se observarán las siguientes reglas:

I. Las que se susciten entre Órganos jurisdiccionales de la Federación se decidirán a favor del que haya prevenido, conforme a las reglas previstas en este Código y en la Ley Orgánica del Poder Judicial de la Federación y si hay dos o más competentes, a favor del que haya prevenido;

II. Las que se susciten entre los Órganos jurisdiccionales de una misma Entidad federativa se decidirán conforme a las reglas previstas en este Código y en la Ley Orgánica aplicable, y si hay dos o más competentes a favor del que haya prevenido, o

III. Las que se susciten entre la Federación y una o más Entidades federativas o entre dos o más Entidades federativas entre sí, se decidirán por el Poder Judicial Federal en los términos de su Ley Orgánica.

El Órgano jurisdiccional que resulte competente podrá confirmar, modificar, revocar, o en su caso reponer bajo su criterio y responsabilidad, cualquier tipo de acto procesal que estime pertinente conforme a lo previsto en este Código.

Dirimida la incompetencia, el imputado, en su caso, será puesto inmediatamente a disposición del Órgano jurisdiccional que resulte competente, así como los antecedentes que obren en poder del Órgano jurisdiccional incompetente.

Artículo 27. Procedencia de incompetencia por declinatoria

En cualquier etapa del procedimiento, salvo las excepciones previstas en este Código, el Órgano jurisdiccional que reconozca su incompetencia remitirá los registros correspondientes al que considere competente y, en su caso, pondrá también a su disposición al imputado.

La declinatoria se podrá promover por escrito, o de forma oral, en cualquiera de las audiencias ante el Órgano jurisdiccional que conozca del asunto hasta antes del auto de apertura a juicio, pidiéndole que se abstenga del conocimiento del mismo y que remita el caso y sus registros al que estime competente.

Si la incompetencia es del Órgano jurisdiccional deberá promoverse dentro del plazo de tres días siguientes a que surta sus efectos la notificación de la resolución que fije la fecha para la realización de la audiencia de juicio. En este supuesto, se promoverá ante el Juez de control que fijó la competencia del Tribunal de enjuiciamiento, sin perjuicio de ser declarada de oficio.

No se podrá promover la declinatoria en los casos previstos de competencia en razón de seguridad.

Artículo 28. Procedencia de incompetencia por inhibitoria

En cualquier etapa del procedimiento, la inhibitoria se tramitará a petición de cualquiera de las partes ante el Órgano jurisdiccional que crea competente para que se avoque al conocimiento del asunto; en caso de ser procedente, el Órgano jurisdiccional que reconozca su incompetencia remitirá los registros correspondientes al que se determine competente y, en su caso, pondrá también a su disposición al imputado.

La inhibitoria se podrá promover por escrito, o de forma oral, en audiencia ante el Juez de control que se considere debe conocer del asunto hasta antes de que se dicte auto de apertura a juicio.

Si la incompetencia es del Tribunal de enjuiciamiento, deberá promover la incompetencia dentro del plazo de tres días siguientes a que surta sus efectos la notificación de la resolución que fije la fecha para la realización de la audiencia de juicio. En este supuesto, se promoverá ante el Tribunal de enjuiciamiento que se considere debe conocer del asunto.

No se podrá promover la inhibitoria en los casos previstos de competencia en razón de seguridad.

Artículo 29. Actuaciones urgentes ante Juez de control incompetente

La competencia por declinatoria o inhibitoria no podrá resolverse sino hasta después de que se practiquen las actuaciones que no admitan demora como las providencias precautorias y, en caso de que exista detenido, cuando se haya resuelto sobre la legalidad de la detención, formulado la imputación, resuelto la procedencia de las medidas cautelares solicitadas y la vinculación a proceso.

El Juez de control incompetente por declinatoria o inhibitoria enviará de oficio los registros y en su caso, pondrá a disposición al imputado del Juez de control competente después de haber practicado las diligencias urgentes enunciadas en el párrafo anterior.

Si la autoridad judicial a quien se remitan las actuaciones no admite la competencia, devolverá los registros al declinante; si éste insiste en rechazarla, elevará las diligencias practicadas ante el Órgano jurisdiccional competente, de conformidad con lo que establezca la Ley Orgánica respectiva, con el propósito de que se pronuncie sobre quién deba conocer. Ningún Órgano jurisdiccional puede promover competencia a favor de su superior en grado.

CAPÍTULO III
ACUMULACIÓN Y SEPARACIÓN DE PROCESOS

Artículo 30. Causas de acumulación y conexidad

Para los efectos de este Código, habrá acumulación de procesos cuando:

I. Se trate de concurso de delitos;

II. Se investiguen delitos conexos;

III. En aquellos casos seguidos contra los autores o partícipes de un mismo delito, o

IV. Se investigue un mismo delito cometido en contra de diversas personas.

Se entenderá que existe conexidad de delitos cuando se hayan cometido simultáneamente por varias personas reunidas, o por varias personas en diversos tiempos y lugares en virtud de concierto entre ellas, o para procurarse los medios para cometer otro, para facilitar su ejecución, para consumarlo o para asegurar la impunidad.

Existe concurso real cuando con pluralidad de conductas se cometen varios delitos. Existe concurso ideal cuando con una sola conducta se cometen varios delitos. No existirá concurso cuando se trate de delito continuado en términos de la legislación aplicable. En estos casos se harán saber los elementos indispensables de cada clasificación jurídica y la clase de concurso correspondiente.

Artículo 31. Competencia en la acumulación

Cuando dos o más procesos sean susceptibles de acumulación, y se sigan por diverso Órgano jurisdiccional, será competente el que corresponda, de conformidad con las reglas generales previstas en este Código, ponderando en todo momento la competencia en razón de seguridad; en caso de que persista la duda, será competente el que conozca del delito cuya punibilidad sea mayor. Si los delitos establecen la misma punibilidad, la competencia será del que conozca de los actos procesales más antiguos, y si éstos comenzaron en la misma fecha, el que previno primero. Para efectos de este artículo, se entenderá que previno quien dictó la primera resolución del procedimiento.

Artículo 32. Término para decretar la acumulación

La acumulación podrá decretarse hasta antes de que se dicte el auto de apertura a juicio.

Artículo 33. Sustanciación de la acumulación

Promovida la acumulación, el Juez de control citará a las partes a una audiencia que deberá tener lugar dentro de los tres días siguientes, en la que podrán manifestarse y hacer las observaciones que estimen pertinentes respecto de la cuestión debatida y sin más trámite se resolverá en la misma lo que corresponda.

Artículo 34. Efectos de la acumulación

Si se resuelve la acumulación, el Juez de control solicitará la remisión de los registros, y en su caso, que se ponga a su disposición inmediatamente al imputado o imputados.

El Juez de control notificará a aquellos que tienen una medida cautelar diversa a la prisión preventiva la obligación de presentarse en un término perentorio ante él, así como a la víctima u ofendido.

Artículo 35. Separación de los procesos

Podrá ordenarse la separación de procesos cuando concurran las siguientes circunstancias:

I. Cuando la solicite una de las partes antes del auto de apertura al juicio, y

II. Cuando el Juez de control estime que de continuar la acumulación el proceso se demoraría.

La separación de procesos se promoverá en la misma forma que la acumulación. La separación se podrá promover hasta antes de la audiencia de juicio.

Decretada la separación de procesos, conocerá de cada asunto el Juez de control que conocía antes de haberse efectuado la acumulación. Si dicho juzgador es diverso del que decretó la separación de procesos, no podrá rehusarse a conocer del caso, sin perjuicio de que pueda suscitarse una cuestión de competencia.

La resolución del Juez de control que declare improcedente la separación de procesos, no admitirá recurso alguno.

CAPÍTULO IV
EXCUSAS, RECUSACIONES E IMPEDIMENTOS

Artículo 36. Excusa o recusación

Los jueces y magistrados deberán excusarse o podrán ser recusados para conocer de los asuntos en que intervengan por cualquiera de las causas de impedimento que se establecen en este Código, mismas que no podrán dispensarse por voluntad de las partes.

Artículo 37. Causas de impedimento

Son causas de impedimento de los jueces y magistrados:

I. Haber intervenido en el mismo procedimiento como Ministerio Público, Defensor, Asesor jurídico, denunciante o querellante, o haber ejercido la acción penal particular; haber actuado como perito, consultor técnico, testigo o tener interés directo en el procedimiento;

II. Ser cónyuge, concubina o concubinario, conviviente, tener parentesco en línea recta sin limitación de grado, en línea colateral por consanguinidad y por afinidad hasta el segundo grado con alguno de los interesados, o que éste cohabite o haya cohabitado con alguno de ellos;

III. Ser o haber sido tutor, curador, haber estado bajo tutela o curatela de alguna de las partes, ser o haber sido administrador de sus bienes por cualquier título;

IV. Cuando él, su cónyuge, concubina, concubinario, conviviente, o cualquiera de sus parientes en los grados que expresa la fracción II de este artículo, tenga un juicio pendiente iniciado con anterioridad con alguna de las partes;

V. Cuando él, su cónyuge, concubina, concubinario, conviviente, o cualquiera de sus parientes en los grados que expresa la fracción II de este artículo, sea acreedor, deudor, arrendador, arrendatario o fiador de alguna de las partes, o tengan alguna sociedad con éstos;

VI. Cuando antes de comenzar el procedimiento o durante éste, haya presentado él, su cónyuge, concubina, concubinario, conviviente o cualquiera de sus parientes en los grados que expresa la fracción II de este artículo, querella, denuncia, demanda o haya entablado cualquier acción legal en contra de alguna de las partes, o cuando antes de comenzar el procedimiento hubiera sido denunciado o acusado por alguna de ellas;

VII. Haber dado consejos o manifestado extrajudicialmente su opinión sobre el procedimiento o haber hecho promesas que impliquen parcialidad a favor o en contra de alguna de las partes;

VIII. Cuando él, su cónyuge, concubina, concubinario, conviviente o cualquiera de sus parientes en los grados que expresa la fracción II de este artículo, hubiera recibido o reciba beneficios de alguna de las partes o si, después de iniciado el procedimiento, hubiera recibido presentes o dádivas independientemente de cuál haya sido su valor, o

IX. Para el caso de los jueces del Tribunal de enjuiciamiento, haber fungido como Juez de control en el mismo procedimiento.

Artículo 38. Excusa

Cuando un Juez o Magistrado advierta que se actualiza alguna de las causas de impedimento, se declarará separado del asunto sin audiencia de las partes y remitirá los registros al Órgano jurisdiccional competente, de conformidad con lo que establezca la Ley Orgánica, para que resuelva quién debe seguir conociendo del mismo.

Artículo 39. Recusación

Cuando el Juez o Magistrado no se excuse a pesar de tener algún impedimento, procederá la recusación.

Artículo 40. Tiempo y forma de recusar

La recusación debe interponerse ante el propio Juez o Magistrado recusado, por escrito y dentro de las cuarenta y ocho horas siguientes a que se tuvo conocimiento del impedimento. Se interpondrá oralmente si se conoce en el curso de una audiencia y en ella se indicará, bajo pena de inadmisibilidad, la causa en que se justifica y los medios de prueba pertinentes.

Toda recusación que sea notoriamente improcedente o sea promovida de forma extemporánea será desechada de plano.

Artículo 41. Trámite de recusación

Interpuesta la recusación, el recusado remitirá el registro de lo actuado y los medios de prueba ofrecidos al Órgano jurisdiccional competente, de conformidad con lo que establezca la Ley Orgánica para que la califique.

Recibido el escrito, se pedirá informe al juzgador recusado, quien lo rendirá dentro del plazo de veinticuatro horas, señalándosele fecha y hora para realizar la audiencia dentro de los tres días siguientes a que se recibió el informe, misma que se celebrará con las partes que comparezcan, las que podrán hacer uso de la palabra sin que se admitan réplicas.

Concluido el debate, el Órgano jurisdiccional competente resolverá de inmediato sobre la legalidad de la causa de recusación que se hubiere señalado y, contra la misma, no habrá recurso alguno.

Artículo 42. Efectos de la recusación y excusa

El Juez o Magistrado recusado se abstendrá de seguir conociendo de la audiencia correspondiente, ordenará la suspensión de la misma y sólo podrá realizar aquellos actos de mero trámite o urgentes que no admitan dilación.

La sustitución del Juez o Magistrado se determinará en los términos que señale la Ley Orgánica.

Artículo 43. Impedimentos del Ministerio Público y de peritos

El Ministerio Público y los peritos deberán excusarse o podrán ser recusados por las mismas causas previstas para los jueces o magistrados.

La excusa o la recusación será resuelta por la autoridad que resulte competente de acuerdo con las disposiciones aplicables, previa realización de la investigación que se estime conveniente.

TÍTULO IV
ACTOS PROCEDIMENTALES

CAPÍTULO I
FORMALIDADES

Artículo 44. Oralidad de las actuaciones procesales

Las audiencias se desarrollarán de forma oral, pudiendo auxiliarse las partes con documentos o con cualquier otro medio. En la práctica de las actuaciones procesales se utilizarán los medios técnicos disponibles que permitan darle mayor agilidad, exactitud y autenticidad a las mismas, sin perjuicio de conservar registro de lo acontecido.

El Órgano jurisdiccional propiciará que las partes se abstengan de leer documentos completos o apuntes de sus actuaciones que demuestren falta de argumentación y desconocimiento del asunto. Sólo se podrán leer registros de la investigación para apoyo de memoria, así como para demostrar o superar contradicciones; la parte interesada en dar lectura a algún documento o registro, solicitará al juzgador que presida la audiencia, autorización para proceder a ello indicando específicamente el motivo de su solicitud conforme lo establece este artículo, sin que ello sea motivo de que se reemplace la argumentación oral.

Artículo 45. Idioma

Los actos procesales deberán realizarse en idioma español.

Cuando las personas no hablen o no entiendan el idioma español, deberá proveerse traductor o intérprete, y se les permitirá hacer uso de su propia lengua o idioma, al igual que las personas que tengan algún impedimento para darse a entender. En el caso de que el imputado no hable o entienda el idioma español deberá ser asistido por traductor o intérprete para comunicarse con su Defensor en las entrevistas que con él mantenga. El imputado podrá nombrar traductor o intérprete de su confianza, por su cuenta.

Si se trata de una persona con algún tipo de discapacidad, tiene derecho a que se le facilite un intérprete o aquellos medios tecnológicos que le permitan obtener de forma comprensible la información solicitada o, a falta de éstos, a alguien que sepa comunicarse con ella. En los actos de comunicación, los Órganos jurisdiccionales deberán tener certeza de que la persona con discapacidad ha sido informada de las decisiones judiciales que deba conocer y de que comprende su alcance. Para ello deberá utilizarse el medio que, según el caso, garantice que tal comprensión exista.

Cuando a solicitud fundada de la persona con discapacidad, o a juicio de la autoridad competente, sea necesario adoptar otras medidas para salvaguardar su derecho a ser debidamente asistida, la persona con discapacidad podrá recibir asistencia en materia de estenografía proyectada, en los términos de la ley de la materia, por un intérprete de lengua de señas o a través de cualquier otro medio que permita un entendimiento cabal de todas y cada una de las actuaciones.

Los medios de prueba cuyo contenido se encuentra en un idioma distinto al español deberán ser traducidos y, a fin de dar certeza jurídica sobre las manifestaciones del declarante, se dejará registro de su declaración en el idioma de origen.

En el caso de los miembros de pueblos o comunidades indígenas, se les nombrará intérprete que tenga conocimiento de su lengua y cultura, aun cuando hablen el español, si así lo solicitan.

El Órgano jurisdiccional garantizará el acceso a traductores e intérpretes que coadyuvarán en el proceso según se requiera.

Artículo 46. Declaraciones e interrogatorios con intérpretes y traductores

Las personas serán interrogadas en idioma español, mediante la asistencia de un traductor o intérprete. En ningún caso las partes o los testigos podrán ser intérpretes.

Artículo 47. Lugar de audiencias

El Órgano jurisdiccional celebrará las audiencias en la sala que corresponda, excepto si ello puede provocar una grave alteración del orden público, no garantiza la defensa de alguno de los intereses comprometidos en el procedimiento u obstaculiza seriamente su realización, en cuyo caso se celebrarán en el lugar que para tal efecto designe el Órgano jurisdiccional y bajo las medidas de seguridad que éste determine, de conformidad con lo que establezca la legislación aplicable.

Artículo 48. Tiempo

Los actos procesales podrán ser realizados en cualquier día y a cualquier hora, sin necesidad de previa habilitación. Se registrará el lugar, la hora y la fecha en que se cumplan. La omisión de estos datos no hará nulo el acto, salvo que no pueda determinarse, de acuerdo con los datos del registro u otros conexos, la fecha en que se realizó.

Artículo 49. Protesta

Dentro de cualquier audiencia y antes de que toda persona mayor de dieciocho años de edad inicie su declaración, con excepción del imputado, se le informará de las sanciones penales que la ley establece a los que se conducen con falsedad, se nieguen a declarar o a otorgar la protesta de ley; acto seguido se le tomará protesta de decir verdad.

A quienes tengan entre doce años de edad y menos de dieciocho, se les informará que deben conducirse con verdad en sus manifestaciones ante el Órgano jurisdiccional, lo que se hará en presencia de la persona que ejerza la patria potestad o tutela y asistencia legal pública o privada, y se les explicará que, de conducirse con falsedad, incurrirán en una conducta tipificada como delito en la ley penal y se harán acreedores a una medida de conformidad con las disposiciones aplicables.

A las personas menores de doce años de edad y a los imputados que deseen declarar se les exhortará para que se conduzcan con verdad.

Artículo 50. Acceso a las carpetas digitales

Las partes siempre tendrán acceso al contenido de las carpetas digitales consistente en los registros de las audiencias y complementarios. Dichos registros también podrán ser consultados por terceros cuando dieren cuenta de actuaciones que fueren públicas, salvo que durante el proceso el Órgano jurisdiccional restrinja el acceso para evitar que se afecte su normal sustanciación, el principio de presunción de inocencia o los derechos a la privacidad o a la intimidad de las partes, o bien, se encuentre expresamente prohibido en la ley de la materia.

El Órgano jurisdiccional autorizará la expedición de copias de los contenidos de las carpetas digitales o de la parte de ellos que le fueren solicitados por las partes.

Artículo 51. Utilización de medios electrónicos

Durante todo el proceso penal, se podrán utilizar los medios electrónicos en todas las actuaciones para facilitar su operación, incluyendo el informe policial; así como también podrán instrumentar, para la presentación de denuncias o querellas en línea que permitan su seguimiento.

Párrafo adicionado DOF 17-06-2016

La videoconferencia en tiempo real u otras formas de comunicación que se produzcan con nuevas tecnologías podrán ser utilizadas para la recepción y transmisión de medios de prueba y la realización de actos procesales, siempre y cuando se garantice previamente la identidad de los sujetos que intervengan en dicho acto.

CAPÍTULO II
AUDIENCIAS

Artículo 52. Disposiciones comunes

Los actos procedimentales que deban ser resueltos por el Órgano jurisdiccional se llevarán a cabo mediante audiencias, salvo los casos de excepción que prevea este Código. Las cuestiones debatidas en una audiencia deberán ser resueltas en ella.

Artículo 53. Disciplina en las audiencias

El orden en las audiencias estará a cargo del Órgano jurisdiccional. Toda persona que altere el orden en éstas podrá ser acreedora a una medida de apremio sin perjuicio de que se pueda solicitar su retiro de la sala de audiencias y su puesta a disposición de la autoridad competente.

Antes y durante las audiencias, el imputado tendrá derecho a comunicarse con su Defensor, pero no con el público. Si infringe esa disposición, el Órgano jurisdiccional podrá imponerle una medida de apremio.

Si alguna persona del público se comunica o intenta comunicarse con alguna de las partes, el Órgano jurisdiccional podrá ordenar que sea retirada de la audiencia e imponerle una medida de apremio.

Artículo 54. Identificación de declarantes

Previo a cualquier audiencia, se llevará a cabo la identificación de toda persona que vaya a declarar, para lo cual deberá proporcionar su nombre, apellidos, edad y domicilio. Dicho registro lo llevará a cabo el personal auxiliar de la sala, dejando constancia de la manifestación expresa de la voluntad del declarante de hacer públicos, o no, sus datos personales.

Artículo 55. Restricciones de acceso a las audiencias

El Órgano jurisdiccional podrá, por razones de orden o seguridad en el desarrollo de la audiencia, prohibir el ingreso a:

I. Personas armadas, salvo que cumplan funciones de vigilancia o custodia;

II. Personas que porten distintivos gremiales o partidarios;

III. Personas que porten objetos peligrosos o prohibidos o que no observen las disposiciones que se establezcan, o

IV. Cualquier otra que el Órgano jurisdiccional considere como inapropiada para el orden o seguridad en el desarrollo de la audiencia.

El Órgano jurisdiccional podrá limitar el ingreso del público a una cantidad determinada de personas, según la capacidad de la sala de audiencia, así como de conformidad con las disposiciones aplicables.

Los periodistas, o los medios de comunicación acreditados, deberán informar de su presencia al Órgano jurisdiccional con el objeto de ubicarlos en un lugar adecuado para tal fin y deberán abstenerse de grabar y transmitir por cualquier medio la audiencia.

Artículo 56. Presencia del imputado en las audiencias

Las audiencias se realizarán con la presencia ininterrumpida de quien o quienes integren el Órgano jurisdiccional y de las partes que intervienen en el proceso, salvo disposición en contrario. El imputado no podrá retirarse de la audiencia sin autorización del Órgano jurisdiccional.

El imputado asistirá a la audiencia libre en su persona y ocupará un asiento a lado de su defensor. Sólo en casos excepcionales podrán disponerse medidas de seguridad que impliquen su confinamiento en un cubículo aislado en la sala de audiencia, cuando ello sea una medida indispensable para salvaguardar la integridad física de los intervinientes en la audiencia.

Si el imputado se rehúsa a permanecer en la audiencia, será custodiado en una sala próxima, desde la que pueda seguir la audiencia, y representado para todos los efectos por su Defensor. Cuando sea necesario para el desarrollo de la audiencia, se le hará comparecer para la realización de actos particulares en los cuales su presencia resulte imprescindible.

Artículo 57. Ausencia de las partes

En el caso de que estuvieren asignados varios Defensores o varios Ministerios Públicos, la presencia de cualquiera de ellos bastará para celebrar la audiencia respectiva.

El Defensor no podrá renunciar a su cargo conferido ni durante las audiencias ni una vez notificado de ellas.

Si el Defensor no comparece a la audiencia, o se ausenta de la misma sin causa justificada, se considerará abandonada la defensa y se procederá a su reemplazo con la mayor prontitud por el Defensor público que le sea designado, salvo que el imputado designe de inmediato otro Defensor.

Si el Ministerio Público no comparece a la audiencia o se ausenta de la misma, se procederá a su remplazo dentro de la misma audiencia. Para tal efecto se notificará por cualquier medio a su superior jerárquico para que lo designe de inmediato.

El Ministerio Público sustituto o el nuevo Defensor podrán solicitar al Órgano jurisdiccional que aplace el inicio de la audiencia o suspenda la misma por un plazo que no podrá exceder de diez días para la adecuada preparación de su intervención en el juicio. El Órgano jurisdiccional resolverá considerando la complejidad del caso, las circunstancias de la ausencia de la defensa o del Ministerio Público y las posibilidades de aplazamiento.

En el caso de que el Defensor, Asesor jurídico o el Ministerio Público se ausenten de la audiencia sin causa justificada, se les impondrá una multa de diez a cincuenta días de salario mínimo vigente, sin perjuicio de las sanciones administrativas o penales que correspondan.

Si la víctima u ofendido no concurren, o se retiran de la audiencia, la misma continuará sin su presencia, sin perjuicio de que pueda ser citado a comparecer en calidad de testigo.

En caso de que la víctima u ofendido constituido como coadyuvante se ausente, o se retire de la audiencia intermedia o de juicio, se le tendrá por desistido de sus pretensiones.

Si el Asesor jurídico de la víctima u ofendido abandona su asesoría, o ésta es deficiente, el Órgano jurisdiccional le informará a la víctima u ofendido su derecho a nombrar a otro Asesor jurídico. Si la víctima u ofendido no quiere o no puede nombrar un Asesor jurídico, el Órgano jurisdiccional lo informará a la instancia correspondiente para efecto de que se designe a otro, y en caso de ausencia, y de manera excepcional, lo representará el Ministerio Público.

El Órgano jurisdiccional deberá imponer las medidas de apremio necesarias para garantizar que las partes comparezcan en juicio.

Artículo 58. Deberes de los asistentes

Quienes asistan a la audiencia deberán permanecer en la misma respetuosamente, en silencio y no podrán introducir instrumentos que permitan grabar imágenes de video, sonidos o gráficas. Tampoco podrán portar armas ni adoptar un comportamiento intimidatorio, provocativo, contrario al decoro, ni alterar o afectar el desarrollo de la audiencia.

Artículo 59. De los medios de apremio

Para asegurar el orden en las audiencias o restablecerlo cuando hubiere sido alterado, así como para garantizar la observancia de sus decisiones en audiencia, el Órgano jurisdiccional podrá aplicar indistintamente cualquiera de los medios de apremio establecidos en este Código.

Artículo 60. Hechos delictivos surgidos en audiencia

Si durante la audiencia se advierte que existen elementos que hagan presumir la existencia de un hecho delictivo distinto del que constituye la materia del procedimiento, el Órgano jurisdiccional lo hará del conocimiento del Ministerio Público competente y le remitirá el registro correspondiente.

Artículo 61. Registro de las audiencias

Todas las audiencias previstas en este Código serán registradas por cualquier medio tecnológico que tenga a su disposición el Órgano jurisdiccional.

La grabación o reproducción de imágenes o sonidos se considerará como parte de las actuaciones y registros y se conservarán en resguardo del Poder Judicial para efectos del conocimiento de otros órganos distintos que conozcan del mismo procedimiento y de las partes, garantizando siempre su conservación.

Artículo 62. Asistencia del imputado a las audiencias

Si el imputado se encuentra privado de su libertad, el Órgano jurisdiccional determinará las medidas especiales de seguridad o los mecanismos necesarios para garantizar el adecuado desarrollo de la audiencia: impedir la fuga o la realización de actos de violencia de parte del imputado o en su contra.

Si la persona está en libertad, asistirá a la audiencia el día y hora en que se determine; en caso de no presentarse, el Órgano jurisdiccional podrá imponerle un medio de apremio y en su caso, previa solicitud del Ministerio Público, ordenar su comparecencia.

Cuando el imputado haya sido vinculado a proceso, se encuentre en libertad, deje de asistir a una audiencia, el Ministerio Público solicitará al Órgano jurisdiccional la imposición de una medida cautelar o la modificación de la ya impuesta.

Artículo 63. Notificación en audiencia

Las resoluciones del Órgano jurisdiccional serán dictadas en forma oral, con expresión de sus fundamentos y motivaciones, quedando los intervinientes en ellas y quienes estaban obligados a asistir formalmente notificados de su emisión, lo que constará en el registro correspondiente en los términos previstos en este Código.

Artículo 64. Excepciones al principio de publicidad

El debate será público, pero el Órgano jurisdiccional podrá resolver excepcionalmente, aun de oficio, que se desarrolle total o parcialmente a puerta cerrada, cuando:

I. Pueda afectar la integridad de alguna de las partes, o de alguna persona citada para participar en él;

II. La seguridad pública o la seguridad nacional puedan verse gravemente afectadas;

III. Peligre un secreto oficial, particular, comercial o industrial, cuya revelación indebida sea punible;

IV. El Órgano jurisdiccional estime conveniente;

V. Se afecte el Interés Superior del Niño y de la Niña en términos de lo establecido por los Tratados y las leyes en la materia, o

VI. Esté previsto en este Código o en otra ley.

La resolución que decrete alguna de estas excepciones será fundada y motivada constando en el registro de la audiencia.

Artículo 65. Continuación de audiencia pública

Una vez desaparecida la causa de excepción prevista en el artículo anterior, se permitirá ingresar nuevamente al público y, el juzgador que presida la audiencia de juicio, informará brevemente sobre el resultado esencial de los actos desarrollados a puerta cerrada.

Artículo 66. Intervención en la audiencia

En las audiencias, el imputado podrá defenderse por sí mismo y deberá estar asistido por un licenciado en derecho o abogado titulado que haya elegido o se le haya designado como Defensor.

El Ministerio Público, el imputado o su Defensor, así como la víctima u ofendido y su Asesor jurídico, podrán intervenir y replicar cuantas veces y en el orden que lo autorice el Órgano jurisdiccional.

El imputado o su Defensor podrán hacer uso de la palabra en último lugar, por lo que el Órgano jurisdiccional que preside la audiencia preguntará siempre al imputado o su Defensor, antes de cerrar el debate o la audiencia misma, si quieren hacer uso de la palabra, concediéndosela en caso afirmativo.

CAPÍTULO III
RESOLUCIONES JUDICIALES

Artículo 67. Resoluciones judiciales

La autoridad judicial pronunciará sus resoluciones en forma de sentencias y autos. Dictará sentencia para decidir en definitiva y poner término al procedimiento y autos en todos los demás casos. Las resoluciones judiciales deberán mencionar a la autoridad que resuelve, el lugar y la fecha en que se dictaron y demás requisitos que este Código prevea para cada caso.

Los autos y resoluciones del Órgano jurisdiccional serán emitidos oralmente y surtirán sus efectos a más tardar al día siguiente. Deberán constar por escrito, después de su emisión oral, los siguientes:

I. Las que resuelven sobre providencias precautorias;

II. Las órdenes de aprehensión y comparecencia;

III. La de control de la detención;

IV. La de vinculación a proceso;

V. La de medidas cautelares;

VI. La de apertura a juicio;

VII. Las que versen sobre sentencias definitivas de los procesos especiales y de juicio;

VIII. Las de sobreseimiento, y

IX. Las que autorizan técnicas de investigación con control judicial previo.

En ningún caso, la resolución escrita deberá exceder el alcance de la emitida oralmente, surtirá sus efectos inmediatamente y deberá dictarse de forma inmediata a su emisión en forma oral, sin exceder de veinticuatro horas, salvo disposición que establezca otro plazo.

Las resoluciones de los tribunales colegiados se tomarán por mayoría de votos. En el caso de que un Juez o Magistrado no esté de acuerdo con la decisión adoptada por la mayoría, deberá emitir su voto particular y podrá hacerlo en la propia audiencia, expresando sucintamente su opinión y deberá formular dentro de los tres días siguientes la versión escrita de su voto para ser integrado al fallo mayoritario.

Artículo 68. Congruencia y contenido de autos y sentencias

Los autos y las sentencias deberán ser congruentes con la petición o acusación formulada y contendrán de manera concisa los antecedentes, los puntos a resolver y que estén debidamente fundados y motivados; deberán ser claros, concisos y evitarán formulismos innecesarios, privilegiando el esclarecimiento de los hechos.

Artículo 69. Aclaración

En cualquier momento, el Órgano jurisdiccional, de oficio o a petición de parte, podrá aclarar los términos oscuros, ambiguos o contradictorios en que estén emitidas las resoluciones judiciales, siempre que tales aclaraciones no impliquen una modificación o alteración del sentido de la resolución.

En la misma audiencia, después de dictada la resolución y hasta dentro de los tres días posteriores a la notificación, las partes podrán solicitar su aclaración, la cual, si procede, deberá efectuarse dentro de las veinticuatro horas siguientes. La solicitud suspenderá el término para interponer los recursos que procedan.

Artículo 70. Firma

Las resoluciones escritas serán firmadas por los jueces o magistrados. No invalidará la resolución el hecho de que el juzgador no la haya firmado oportunamente, siempre que la falta sea suplida y no exista ninguna duda sobre su participación en el acto que debió suscribir, sin perjuicio de la responsabilidad disciplinaria a que haya lugar.

Artículo 71. Copia auténtica

Se considera copia auténtica al documento o registro del original de las sentencias, o de otros actos procesales, que haya sido certificado por la autoridad autorizada para tal efecto.

Cuando, por cualquier causa se destruya, se pierda o sea sustraído el original de las sentencias o de otros actos procesales, la copia auténtica tendrá el valor de aquéllos. Para tal fin, el Órgano jurisdiccional ordenará a quien tenga la copia entregarla, sin perjuicio del derecho de obtener otra en forma gratuita cuando así lo solicite. La reposición del original de la sentencia o de otros actos procesales también podrá efectuarse utilizando los archivos informáticos o electrónicos del juzgado.

Cuando la sentencia conste en medios informáticos, electrónicos, magnéticos o producidos por nuevas tecnologías, la autenticación de la autorización del fallo por el Órgano jurisdiccional, se hará constar a través del medio o forma más adecuada, de acuerdo con el propio sistema utilizado.

Artículo 72. Restitución y renovación

Si no existe copia de las sentencias o de otros actos procesales el Órgano jurisdiccional ordenará que se repongan, para lo cual recibirá de las partes los datos y medios de prueba que evidencien su preexistencia y su contenido. Cuando esto sea imposible, ordenará la renovación de los mismos, señalando el modo de realizarla.

CAPÍTULO IV
COMUNICACIÓN ENTRE AUTORIDADES

Artículo 73. Regla general de la comunicación entre autoridades

El Órgano jurisdiccional o el Ministerio Público, de manera fundada y motivada, podrán solicitar el auxilio a otra autoridad para la práctica de un acto procedimental. Dicha solicitud podrá realizarse por cualquier medio que garantice su autenticidad. La autoridad requerida colaborará y tramitará sin demora los requerimientos que reciba.

Artículo 74. Colaboración procesal

Los actos de colaboración entre el Ministerio Público o la Policía con autoridades federales o de alguna Entidad federativa, se sujetarán a lo previsto en la Constitución, en el presente Código, así como a las disposiciones contenidas en otras normas y convenios de colaboración que se hayan emitido o suscrito de conformidad con ésta.

Artículo 75. Exhortos y requisitorias

Cuando tengan que practicarse actos procesales fuera del ámbito territorial del Órgano jurisdiccional que conozca del asunto, éste solicitará su cumplimiento por medio de exhorto, si la autoridad requerida es de la misma jerarquía que la requirente, o por medio de requisitoria, si ésta es inferior. La comunicación que deba hacerse a autoridades no judiciales se hará por cualquier medio de comunicación expedito y seguro que garantice su autenticidad, siendo aplicable en lo conducente lo previsto en el artículo siguiente.

Artículo 76. Empleo de los medios de comunicación

Para el envío de oficios, exhortos o requisitorias, el Órgano jurisdiccional, el Ministerio Público, o la Policía, podrán emplear cualquier medio de comunicación idóneo y ágil que ofrezca las condiciones razonables de seguridad, de autenticidad y de confirmación posterior en caso de ser necesario, debiendo expresarse, con toda claridad, la actuación que ha de practicarse, el nombre del imputado si fuere posible, el delito de que se trate, el número único de causa, así como el fundamento de la providencia y, en caso necesario, el aviso de que se mandará la información: el oficio de colaboración y el exhorto o requisitoria que ratifique el mensaje. La autoridad requirente deberá cerciorarse de que el requerido recibió la comunicación que se le dirigió y el receptor resolverá lo conducente, acreditando el origen de la petición y la urgencia de su atención.

Artículo 77. Plazo para el cumplimiento de exhortos y requisitorias

Los exhortos o requisitorias se proveerán dentro de las veinticuatro horas siguientes a su recepción y se despacharán dentro de los tres días siguientes, a no ser que las actuaciones que se hayan de practicar exijan necesariamente mayor tiempo, en cuyo caso, el Juez de control fijará el que crea conveniente y lo notificará al requirente, indicando las razones existentes para la ampliación. Si el Juez de control requerido estima que no es procedente la práctica del acto solicitado, lo hará saber al requirente dentro de las veinticuatro horas siguientes a la recepción de la solicitud, con indicación expresa de las razones que tenga para abstenerse de darle cumplimiento.

Si el Juez de control exhortado o requerido estimare que no debe cumplimentarse el acto solicitado, porque el asunto no resulta ser de su competencia o si tuviere dudas sobre su procedencia, podrá comunicarse con el Órgano jurisdiccional exhortante o requirente, oirá al Ministerio Público y resolverá dentro de los tres días siguientes, promoviendo, en su caso, la competencia respectiva.

Cuando se cumpla una orden de aprehensión, el exhortado o requerido pondrá al detenido, sin dilación alguna, a disposición del Órgano jurisdiccional que libró aquella. Si no fuere posible poner al detenido inmediatamente a disposición del exhortante o requirente, el requerido dará vista al Ministerio Público para que formule la imputación; se decidirá sobre las medidas cautelares que se le soliciten y resolverá su vinculación a proceso, remitirá las actuaciones y, en su caso, al detenido, al Órgano jurisdiccional que haya librado el exhorto dentro de las veinticuatro horas siguientes a la determinación de fondo que adopte.

Cuando un Juez de control no pueda dar cumplimiento al exhorto o requisitoria, por hallarse en otra jurisdicción la persona o las cosas que sean objeto de la diligencia, lo remitirá al Juez de control del lugar en que aquélla o éstas se encuentren, y lo hará saber al exhortante o requirente dentro de las veinticuatro horas siguientes. Si el Juez de control que recibe el exhorto o requisitoria del juzgador originalmente exhortado, resuelve desahogarlo, una vez hecho lo devolverá directamente al exhortante.

Las autoridades exhortadas o requeridas remitirán las diligencias o actos procesales practicados o requeridos por cualquier medio que garantice su autenticidad.

Artículo 78. Exhortos de tribunales extranjeros

Las solicitudes que provengan de tribunales extranjeros, deberán ser tramitadas de conformidad con el Título XI del presente Código.

Párrafo reformado DOF 17-06-2016

Toda solicitud que se reciba del extranjero en idioma distinto del español deberá acompañarse de su traducción.

Artículo 79. Exhortos internacionales que requieran homologación

Los exhortos internacionales que se reciban sólo requerirán homologación cuando implique ejecución coactiva sobre personas, bienes o derechos. Los exhortos relativos a notificaciones, recepción de pruebas y a otros asuntos de mero trámite se diligenciarán sin formar incidente.

Artículo 80. Actos procesales en el extranjero

Los exhortos que se remitan al extranjero serán comunicaciones oficiales escritas que contendrán la petición de realización de las actuaciones necesarias en el procedimiento en que se expidan. Dichas comunicaciones contendrán los datos e información necesaria, las constancias y demás anexos procedentes según sea el caso.

Los exhortos serán transmitidos al Órgano jurisdiccional requerido a través de los funcionarios consulares o agentes diplomáticos, o por la autoridad competente del Estado requirente o requerido según sea el caso.

Podrá encomendarse la práctica de diligencias en países extranjeros a los funcionarios consulares de la República por medio de oficio.

Artículo 81. Demora o rechazo de requerimientos

Cuando la cumplimentación de un requerimiento de cualquier naturaleza fuere demorada o rechazada injustificadamente, la autoridad requirente podrá dirigirse al superior jerárquico de la autoridad que deba cumplimentar dicho requerimiento a fin de que, de considerarlo procedente, ordene o gestione su tramitación inmediata.

CAPÍTULO V
NOTIFICACIONES Y CITACIONES

Artículo 82. Formas de notificación

Las notificaciones se practicarán personalmente, por lista, estrado o boletín judicial según corresponda y por edictos:

I. Personalmente podrán ser:

a) En Audiencia;

b) Por alguno de los medios tecnológicos señalados por el interesado o su representante legal;

c) En las instalaciones del Órgano jurisdiccional, o

d) En el domicilio que éste establezca para tal efecto. Las realizadas en domicilio se harán de conformidad con las reglas siguientes:

1) El notificador deberá cerciorarse de que se trata del domicilio señalado. Acto seguido, se requerirá la presencia del interesado o su representante legal. Una vez que cualquiera de ellos se haya identificado, le entregará copia del auto o la resolución que deba notificarse y recabará su firma, asentando los datos del documento oficial con el que se identifique. Asimismo, se deberán asentar en el acta de notificación, los datos de identificación del servidor público que la practique;

2) De no encontrarse el interesado o su representante legal en la primera notificación, el notificador dejará citatorio con cualquier persona que se encuentre en el domicilio, para que el interesado espere a una hora fija del día hábil siguiente. Si la persona a quien haya de notificarse no atendiere el citatorio, la notificación se entenderá con cualquier persona que se encuentre en el domicilio en que se realice la diligencia y, de negarse ésta a recibirla o en caso de encontrarse cerrado el domicilio, se realizará por instructivo que se fijará en un lugar visible del domicilio, y

3) En todos los casos deberá levantarse acta circunstanciada de la diligencia que se practique;

II. Lista, Estrado o Boletín Judicial según corresponda, y

III. Por edictos, cuando se desconozca la identidad o domicilio del interesado, en cuyo caso se publicará por una sola ocasión en el medio de publicación oficial de la Federación o de las Entidades federativas y en un periódico de circulación nacional, los cuales deberán contener un resumen de la resolución que deba notificarse.

Las notificaciones previstas en la fracción I de este artículo surtirán efectos al día siguiente en que hubieren sido practicadas y las efectuadas en las fracciones II y III surtirán efectos el día siguiente de su publicación.

Artículo 83. Medios de notificación

Los actos que requieran una intervención de las partes se podrán notificar mediante fax y correo electrónico, debiendo imprimirse copia de envío y recibido, y agregarse al registro, o bien se guardará en el sistema electrónico existente para tal efecto; asimismo, podrá notificarse a las partes por teléfono o cualquier otro medio, de conformidad con las disposiciones previstas en las leyes orgánicas o, en su caso, los acuerdos emitidos por los órganos competentes, debiendo dejarse constancia de ello.

El uso de los medios a que hace referencia este artículo, deberá asegurar que las notificaciones se hagan en el tiempo establecido y se transmita con claridad, precisión y en forma completa el contenido de la resolución o de la diligencia ordenada.

En la notificación de las resoluciones judiciales se podrá aceptar el uso de la firma digital.

Artículo 84. Regla general sobre notificaciones

Las resoluciones deberán notificarse personalmente a quien corresponda, dentro de las veinticuatro horas siguientes a que se hayan dictado. Se tendrán por notificadas las personas que se presenten a la audiencia donde se dicte la resolución o se desahoguen las respectivas diligencias.

Cuando la notificación deba hacerse a una persona con discapacidad o cualquier otra circunstancia que le impida comprender el alcance de la notificación, deberá realizarse en los términos establecidos en el presente Código.

Artículo 85. Lugar para las notificaciones

Al comparecer en el procedimiento, las partes deberán señalar domicilio dentro del lugar en donde éste se sustancie y en su caso, manifestarse sobre la forma más conveniente para ser notificados conforme a los medios establecidos en este Código.

El Ministerio Público, Defensor y Asesor jurídico, cuando éstos últimos sean públicos, serán notificados en sus respectivas oficinas, siempre que éstas se encuentren dentro de la jurisdicción del Órgano jurisdiccional que ordene la notificación, salvo que hayan presentado solicitud de ser notificadas por fax, por correo electrónico, por teléfono o por cualquier otro medio. En caso de que las oficinas se encuentren fuera de la jurisdicción, deberán señalar domicilio dentro de dicha jurisdicción.

Si el imputado estuviere detenido, será notificado en el lugar de su detención.

Las partes que no señalaren domicilio o el medio para ser notificadas o no informen de su cambio, serán notificadas de conformidad con lo señalado en la fracción II del artículo 82 de este Código.

Artículo 86. Notificaciones a Defensores o Asesores jurídicos

Cuando se designe Defensor o Asesor jurídico y éstos sean particulares, las notificaciones deberán ser dirigidas a éstos, sin perjuicio de notificar al imputado y a la víctima u ofendido, según sea el caso, cuando la ley o la naturaleza del acto así lo exijan.

Cuando el imputado tenga varios Defensores, deberá notificarse al representante común, en caso de que lo hubiere, sin perjuicio de que otros acudan a la oficina del Ministerio Público o del Órgano jurisdiccional para ser notificados. La misma disposición se aplicará a los Asesores jurídicos.

Artículo 87. Forma especial de notificación

La notificación realizada por medios electrónicos surtirá efecto el mismo día a aquel en que por sistema se confirme que recibió el archivo electrónico correspondiente.

Asimismo, podrá notificarse mediante otros sistemas autorizados en la ley de la materia, siempre que no causen indefensión. También podrá notificarse por correo certificado y el plazo correrá a partir del día siguiente hábil en que fue recibida la notificación.

Artículo 88. Nulidad de la notificación

La notificación podrá ser nula cuando cause indefensión y no se cumplan las formalidades previstas en el presente Código.

Artículo 89. Validez de la notificación

Si a pesar de no haberse hecho la notificación en la forma prevista en este ordenamiento, la persona que deba ser notificada se muestra sabedora de la misma, ésta surtirá efectos legales.

Artículo 90. Citación

Toda persona está obligada a presentarse ante el Órgano jurisdiccional o ante el Ministerio Público, cuando sea citada. Quedan exceptuados de esa obligación el Presidente de la República y los servidores públicos a que se refieren los párrafos primero y quinto del artículo 111 de la Constitución, el Consejero Jurídico del Ejecutivo, los magistrados y jueces y las personas imposibilitadas físicamente ya sea por su edad, por enfermedad grave o alguna otra que dificulte su comparecencia.

Cuando haya que examinar a los servidores públicos o a las personas señaladas en el párrafo anterior, el Órgano jurisdiccional dispondrá que dicho testimonio sea desahogado en el juicio por sistemas de reproducción a distancia de imágenes y sonidos o cualquier otro medio que permita su trasmisión, en sesión privada.

La citación a quien desempeñe un empleo, cargo o comisión en el servicio público, distintos a los señalados en este artículo, se hará por conducto del superior jerárquico respectivo, a menos que para garantizar el éxito de la comparecencia se requiera que la citación se realice en forma distinta.

En el caso de cualquier persona que se haya desempeñado como servidor público y no sea posible su localización, el Órgano jurisdiccional solicitará a la institución donde haya prestado sus servicios la información del domicilio, número telefónico, y en su caso, los datos necesarios para su localización, a efecto de que comparezca a la audiencia respectiva.

Artículo 91. Forma de realizar las citaciones

Cuando sea necesaria la presencia de una persona para la realización de un acto procesal, la autoridad que conoce del asunto deberá ordenar su citación mediante oficio, correo certificado o telegrama con aviso de entrega en el domicilio proporcionado, cuando menos con cuarenta y ocho horas de anticipación a la celebración del acto.

También podrá citarse por teléfono al testigo o perito que haya manifestado expresamente su voluntad para que se le cite por este medio, siempre que haya proporcionado su número, sin perjuicio de que si no es posible realizar tal citación, se pueda realizar por alguno de los otros medios señalados en este Capítulo.

En caso de que las partes ofrezcan como prueba a un testigo o perito, deberán presentarlo el día y hora señalados, salvo que soliciten al Órgano jurisdiccional que por su conducto sea citado en virtud de que se encuentran imposibilitados para su comparecencia debido a la naturaleza de las circunstancias.

En caso de que las partes, estando obligadas a presentar a sus testigos o peritos, no cumplan con dicha comparecencia, se les tendrá por desistidos de la prueba, a menos que justifiquen la imposibilidad que se tuvo para presentarlos, dentro de las veinticuatro horas siguientes a la fecha fijada para la comparecencia de sus testigos o peritos.

La citación deberá contener:

I. La autoridad y el domicilio ante la que deberá presentarse;

II. El día y hora en que debe comparecer;

III. El objeto de la misma;

IV. El procedimiento del que se deriva;

V. La firma de la autoridad que la ordena, y

VI. El apercibimiento de la imposición de un medio de apremio en caso de incumplimiento.

Artículo 92. Citación al imputado

Siempre que sea requerida la presencia del imputado para realizar un acto procesal por el Órgano jurisdiccional, según corresponda, lo citará junto con su Defensor a comparecer.

La citación deberá contener, además de los requisitos señalados en el artículo anterior, el domicilio, el número telefónico y en su caso, los datos necesarios para comunicarse con la autoridad que ordene la citación.

Artículo 93. Comunicación de actuaciones del Ministerio Público

Cuando en el curso de una investigación el Ministerio Público deba comunicar alguna actuación a una persona, podrá hacerlo por cualquier medio que garantice la recepción del mensaje. Serán aplicables, en lo que corresponda, las disposiciones de este Código.

CAPÍTULO VI
PLAZOS

Artículo 94. Reglas generales

Los actos procedimentales serán cumplidos en los plazos establecidos, en los términos que este Código autorice.

Los plazos sujetos al arbitrio judicial serán determinados conforme a la naturaleza del procedimiento y a la importancia de la actividad que se deba de desarrollar, teniendo en cuenta los derechos de las partes.

No se computarán los días sábados, los domingos ni los días que sean determinados inhábiles por los ordenamientos legales aplicables, salvo que se trate de los actos relativos a providencias precautorias, puesta del imputado a disposición del Órgano jurisdiccional, resolver la legalidad de la detención, formulación de la imputación, resolver sobre la procedencia de las medidas cautelares en su caso y decidir sobre la procedencia de su vinculación a proceso, para tal efecto todos los días se computarán como hábiles.

Con la salvedad de la excepción prevista en el párrafo anterior, los demás plazos que venzan en día inhábil, se tendrán por prorrogados hasta el día hábil siguiente.

Los plazos establecidos en horas correrán de momento a momento y los establecidos en días a partir del día en que surte efectos la notificación.

Artículo 95. Renuncia o abreviación

Las partes en cuyo favor se haya establecido un plazo podrán renunciar a él o consentir su abreviación mediante manifestación expresa. En caso de que el plazo sea común para las partes, para proceder en los mismos términos, todos los interesados deberán expresar su voluntad en el mismo sentido.

Cuando sea el Ministerio Público el que renuncie a un plazo o consienta en su abreviación, deberá oírse a la víctima u ofendido para que manifieste lo que a su interés convenga.

Artículo 96. Reposición del plazo

La parte que no haya podido observar un plazo por causa no atribuible a él, podrá solicitar de manera fundada y motivada su reposición total o parcial, con el fin de realizar el acto omitido o ejercer la facultad concedida por la ley, dentro de las veinticuatro horas siguientes a aquel en que el perjudicado tenga conocimiento fehaciente del acto cuya reposición del plazo se pretenda. El Órgano jurisdiccional podrá ordenar la reposición una vez que haya escuchado a las partes.

CAPÍTULO VII
NULIDAD DE ACTOS PROCEDIMENTALES

Artículo 97. Principio general

Cualquier acto realizado con violación de derechos humanos será nulo y no podrá ser saneado, ni convalidado y su nulidad deberá ser declarada de oficio por el Órgano jurisdiccional al momento de advertirla o a petición de parte en cualquier momento.

Los actos ejecutados en contravención de las formalidades previstas en este Código podrán ser declarados nulos, salvo que el defecto haya sido saneado o convalidado, de acuerdo con lo señalado en el presente Capítulo.

Artículo 98. Solicitud de declaración de nulidad sobre actos ejecutados en contravención de las formalidades

La solicitud de declaración de nulidad deberá estar fundada y motivada y presentarse por escrito dentro de los dos días siguientes a aquel en que el perjudicado tenga conocimiento fehaciente del acto cuya invalidación se pretenda. Si el vicio se produjo en una actuación realizada en audiencia y el afectado estuvo presente, deberá presentarse verbalmente antes del término de la misma audiencia.

En caso de que el acto declarado nulo se encuentre en los supuestos establecidos en la parte final del artículo 101 de este Código, se ordenará su reposición.

Artículo 99. Saneamiento

Los actos ejecutados con inobservancia de las formalidades previstas en este Código podrán ser saneados, reponiendo el acto, rectificando el error o realizando el acto omitido a petición del interesado.

La autoridad judicial que constate un defecto formal saneable en cualquiera de sus actuaciones, lo comunicará al interesado y le otorgará un plazo para corregirlo, el cual no será mayor de tres días. Si el acto no quedare saneado en dicho plazo, el Órgano jurisdiccional resolverá lo conducente.

La autoridad judicial podrá corregir en cualquier momento de oficio, o a petición de parte, los errores puramente formales contenidos en sus actuaciones o resoluciones, respetando siempre los derechos y garantías de los intervinientes.

Se entenderá que el acto se ha saneado cuando, no obstante la irregularidad, ha conseguido su fin respecto de todos los interesados.

Artículo 100. Convalidación

Los actos ejecutados con inobservancia de las formalidades previstas en este Código que afectan al Ministerio Público, la víctima u ofendido o el imputado, quedarán convalidados cuando:

Párrafo reformado DOF 17-06-2016

I. Las partes hayan aceptado, expresa o tácitamente, los efectos del acto;

II. Ninguna de las partes hayan solicitado su saneamiento en los términos previstos en este Código, o

Fracción reformada DOF 17-06-2016

III. Dentro de las veinticuatro horas siguientes de haberse realizado el acto, la parte que no hubiere estado presente o participado en él no solicita su saneamiento. En caso de que por las especiales circunstancias del caso no hubiera sido posible advertir en forma oportuna el defecto en la realización del acto procesal, el interesado deberá solicitar en forma justificada el saneamiento del acto, dentro de las veinticuatro horas siguientes a que haya tenido conocimiento del mismo.

Lo anterior, siempre y cuando no se afecten derechos fundamentales del imputado o la víctima u ofendido.

Párrafo reformado DOF 17-06-2016

Artículo 101. Declaración de nulidad

Cuando haya sido imposible sanear o convalidar un acto, en cualquier momento el Órgano jurisdiccional, a petición de parte, en forma fundada y motivada, deberá declarar su nulidad, señalando en su resolución los efectos de la declaratoria de nulidad, debiendo especificar los actos a los que alcanza la nulidad por su relación con el acto anulado. El Tribunal de enjuiciamiento no podrá declarar la nulidad de actos realizados en las etapas previas al juicio, salvo las excepciones previstas en este Código.

Para decretar la nulidad de un acto y disponer su reposición, no basta la simple infracción de la norma, sino que se requiere, además, que:

I. Se haya ocasionado una afectación real a alguna de las partes, y

II. Que la reposición resulte esencial para garantizar el cumplimiento de los derechos o los intereses del sujeto afectado.

Artículo 102. Sujetos legitimados

Sólo podrá solicitar la declaración de nulidad el interviniente perjudicado por un vicio en el procedimiento, siempre que no hubiere contribuido a causarlo.

CAPÍTULO VIII
GASTOS DE PRODUCCIÓN DE PRUEBA

Artículo 103. Gastos de producción de prueba

Tratándose de la prueba pericial, el Órgano jurisdiccional ordenará, a petición de parte, la designación de peritos de instituciones públicas, las que estarán obligadas a practicar el peritaje correspondiente, siempre que no exista impedimento material para ello.

CAPÍTULO IX
MEDIOS DE APREMIO

Artículo 104. Imposición de medios de apremio

El Órgano jurisdiccional y el Ministerio Público podrán disponer de los siguientes medios de apremio para el cumplimiento de los actos que ordenen en el ejercicio de sus funciones:

I. El Ministerio Público contará con las siguientes medidas de apremio:

a) Amonestación;

b) Multa de veinte a mil días de salario mínimo vigente en el momento y lugar en que se cometa la falta que amerite una medida de apremio. Tratándose de jornaleros, obreros y trabajadores que perciban salario mínimo, la multa no deberá exceder de un día de salario y tratándose de trabajadores no asalariados, de un día de su ingreso;

c) Auxilio de la fuerza pública, o

d) Arresto hasta por treinta y seis horas;

II. El Órgano jurisdiccional contará con las siguientes medidas de apremio:

a) Amonestación;

b) Multa de veinte a cinco mil días de salario mínimo vigente en el momento y lugar en que se cometa la falta que amerite una medida de apremio. Tratándose de jornaleros, obreros y trabajadores que perciban salario mínimo, la multa no deberá exceder de un día de salario y tratándose de trabajadores no asalariados, de un día de su ingreso;

c) Auxilio de la fuerza pública, o

d) Arresto hasta por treinta y seis horas.

El Órgano jurisdiccional también podrá ordenar la expulsión de las personas de las instalaciones donde se lleve a cabo la diligencia.

La resolución que determine la imposición de medidas de apremio deberá estar fundada y motivada.

La imposición del arresto sólo será procedente cuando haya mediado apercibimiento del mismo y éste sea debidamente notificado a la parte afectada.

El Órgano jurisdiccional y el Ministerio Público podrán dar vista a las autoridades competentes para que se determinen las responsabilidades que en su caso procedan en los términos de la legislación aplicable.

TÍTULO V
SUJETOS DEL PROCEDIMIENTO Y SUS AUXILIARES

CAPÍTULO I
DISPOSICIONES COMUNES

Artículo 105. Sujetos de procedimiento penal

Son sujetos del procedimiento penal los siguientes:

I. La víctima u ofendido;

II. El Asesor jurídico;

III. El imputado;

IV. El Defensor;

V. El Ministerio Público;

VI. La Policía;

VII. El Órgano jurisdiccional, y

VIII. La autoridad de supervisión de medidas cautelares y de la suspensión condicional del proceso.

Los sujetos del procedimiento que tendrán la calidad de parte en los procedimientos previstos en este Código, son el imputado y su Defensor, el Ministerio Público, la víctima u ofendido y su Asesor jurídico.

Artículo 106. Reserva sobre la identidad

En ningún caso se podrá hacer referencia o comunicar a terceros no legitimados la información confidencial relativa a los datos personales de los sujetos del procedimiento penal o de cualquier persona relacionada o mencionada en éste.

Toda violación al deber de reserva por parte de los servidores públicos, será sancionada por la legislación aplicable.

En los casos de personas sustraídas de la acción de la justicia, se admitirá la publicación de los datos que permitan la identificación del imputado para ejecutar la orden judicial de aprehensión o de comparecencia.

Artículo 107. Probidad

Los sujetos del procedimiento que intervengan en calidad de parte, deberán conducirse con probidad, evitando los planteamientos dilatorios de carácter formal o cualquier abuso en el ejercicio de las facultades o derechos que este Código les concede.

El Órgano jurisdiccional procurará que en todo momento se respete la regularidad del procedimiento, el ejercicio de las facultades o derechos en términos de ley y la buena fé.

CAPÍTULO II
VÍCTIMA U OFENDIDO

Artículo 108. Víctima u ofendido

Para los efectos de este Código, se considera víctima del delito al sujeto pasivo que resiente directamente sobre su persona la afectación producida por la conducta delictiva. Asimismo, se considerará ofendido a la persona física o moral titular del bien jurídico lesionado o puesto en peligro por la acción u omisión prevista en la ley penal como delito.

En los delitos cuya consecuencia fuera la muerte de la víctima o en el caso en que ésta no pudiera ejercer personalmente los derechos que este Código le otorga, se considerarán como ofendidos, en el siguiente orden, el o la cónyuge, la concubina o concubinario, el conviviente, los parientes por consanguinidad en la línea recta ascendente o descendente sin limitación de grado, por afinidad y civil, o cualquier otra persona que tenga relación afectiva con la víctima.

La víctima u ofendido, en términos de la Constitución y demás ordenamientos aplicables, tendrá todos los derechos y prerrogativas que en éstas se le reconocen.

Artículo 109. Derechos de la víctima u ofendido

En los procedimientos previstos en este Código, la víctima u ofendido tendrán los siguientes derechos:

I. A ser informado de los derechos que en su favor le reconoce la Constitución;

II. A que el Ministerio Público y sus auxiliares así como el Órgano jurisdiccional les faciliten el acceso a la justicia y les presten los servicios que constitucionalmente tienen encomendados con legalidad, honradez, lealtad, imparcialidad, profesionalismo, eficiencia, perspectiva de género y eficacia y con la debida diligencia;

Fracción reformada DOF 25-04-2023

III. A contar con información sobre los derechos que en su beneficio existan, como ser atendidos por personal del mismo sexo, o del sexo que la víctima elija, cuando así lo requieran y recibir desde la comisión del delito atención médica y psicológica de urgencia, así como asistencia jurídica a través de un Asesor jurídico;

IV. A comunicarse, inmediatamente después de haberse cometido el delito con un familiar, e incluso con su Asesor jurídico;

V. A ser informado, cuando así lo solicite, del desarrollo del procedimiento penal por su Asesor jurídico, el Ministerio Público y/o, en su caso, por el Juez o Tribunal;

VI. A ser tratado con respeto y dignidad;

VII. A contar con un Asesor jurídico gratuito en cualquier etapa del procedimiento, en los términos de la legislación aplicable;

VIII. A recibir trato sin discriminación a fin de evitar que se atente contra la dignidad humana y se anulen o menoscaben sus derechos y libertades, por lo que la protección de sus derechos se hará sin distinción alguna;

IX. A acceder a la justicia de manera pronta, gratuita e imparcial respecto de sus denuncias o querellas;

X. A participar en los mecanismos alternativos de solución de controversias;

XI. A recibir gratuitamente la asistencia de un intérprete o traductor desde la denuncia hasta la conclusión del procedimiento penal, cuando la víctima u ofendido pertenezca a un grupo étnico o pueblo indígena o no conozca o no comprenda el idioma español;

XII. En caso de tener alguna discapacidad, a que se realicen los ajustes al procedimiento penal que sean necesarios para salvaguardar sus derechos.

De igual forma, se adaptarán las condiciones que sean necesarias para garantizar el acceso de las personas adultas mayores, cuando así lo requieran;

Fracción reformada DOF 03-01-2024

XIII. A que se le proporcione asistencia migratoria cuando tenga otra nacionalidad;

XIV. A que se le reciban todos los datos o elementos de prueba pertinentes con los que cuente, tanto en la investigación como en el proceso, a que se desahoguen las diligencias correspondientes, y a intervenir en el juicio e interponer los recursos en los términos que establece este Código;

XV. A intervenir en todo el procedimiento por sí o a través de su Asesor jurídico, conforme lo dispuesto en este Código;

XVI. A que se le provea protección cuando exista riesgo para su vida o integridad personal;

XVII. A solicitar la realización de actos de investigación que en su caso correspondan, salvo que el Ministerio Público considere que no es necesario, debiendo fundar y motivar su negativa;

XVIII. A recibir atención médica y psicológica o a ser canalizado a instituciones que le proporcionen estos servicios, así como a recibir protección especial de su integridad física y psíquica cuando así lo solicite, o cuando se trate de delitos que así lo requieran;

XIX. A solicitar medidas de protección, providencias precautorias y medidas cautelares;

XX. A solicitar el traslado de la autoridad al lugar en donde se encuentre, para ser interrogada o participar en el acto para el cual fue citada, cuando por su edad, enfermedad grave o por alguna otra imposibilidad física o psicológica se dificulte su comparecencia, a cuyo fin deberá requerir la dispensa, por sí o por un tercero, con anticipación;

XXI. A impugnar por sí o por medio de su representante, las omisiones o negligencia que cometa el Ministerio Público en el desempeño de sus funciones de investigación, en los términos previstos en este Código y en las demás disposiciones legales aplicables;

XXII. A tener acceso a los registros de la investigación durante el procedimiento, así como a obtener copia gratuita de éstos, salvo que la información esté sujeta a reserva así determinada por el Órgano jurisdiccional;

XXIII. A ser restituido en sus derechos, cuando éstos estén acreditados;

XXIV. A que se le garantice la reparación del daño durante el procedimiento en cualquiera de las formas previstas en este Código;

XXV. A que se le repare el daño causado por la comisión del delito, pudiendo solicitarlo directamente al Órgano jurisdiccional, sin perjuicio de que el Ministerio Público lo solicite;

XXVI. Al resguardo de su identidad y demás datos personales cuando sean menores de edad, se trate de delitos de violación contra la libertad y el normal desarrollo psicosexual, violencia familiar, secuestro, trata de personas o cuando a juicio del Órgano jurisdiccional sea necesario para su protección, salvaguardando en todo caso los derechos de la defensa;

XXVII. A ser notificado del desistimiento de la acción penal y de todas las resoluciones que finalicen el procedimiento, de conformidad con las reglas que establece este Código;

XXVIII. A solicitar la reapertura del proceso cuando se haya decretado su suspensión, y

XXIX. Los demás que establezcan este Código y otras leyes aplicables.

En el caso de que las víctimas sean personas menores de dieciocho años, el Órgano jurisdiccional o el Ministerio Público tendrán en cuenta los principios del interés superior de los niños o adolescentes, la prevalencia de sus derechos, su protección integral y los derechos consagrados en la Constitución, en los Tratados, así como los previstos en el presente Código.

Para los delitos que impliquen violencia contra las mujeres, se deberán observar todos los derechos que en su favor establece la Ley General de Acceso de las Mujeres a una Vida Libre de Violencia y demás disposiciones aplicables.

Artículo 110. Designación de Asesor jurídico

En cualquier etapa del procedimiento, las víctimas u ofendidos podrán designar a un Asesor jurídico, el cual deberá ser licenciado en derecho o abogado titulado, quien deberá acreditar su profesión desde el inicio de su intervención mediante cédula profesional. Si la víctima u ofendido no puede designar uno particular, tendrá derecho a uno de oficio.

Cuando la víctima u ofendido perteneciere a un pueblo o comunidad indígena, el Asesor jurídico deberá tener conocimiento de su lengua y cultura y, en caso de que no fuere posible, deberá actuar asistido de un intérprete que tenga dicho conocimiento.

La intervención del Asesor jurídico será para orientar, asesorar o intervenir legalmente en el procedimiento penal en representación de la víctima u ofendido.

En cualquier etapa del procedimiento, las víctimas podrán actuar por sí o a través de su Asesor jurídico, quien sólo promoverá lo que previamente informe a su representado. El Asesor jurídico intervendrá en representación de la víctima u ofendido en igualdad de condiciones que el Defensor.

Artículo 111. Restablecimiento de las cosas al estado previo

En cualquier estado del procedimiento, la víctima u ofendido podrá solicitar al Órgano jurisdiccional, ordene como medida provisional, cuando la naturaleza del hecho lo permita, la restitución de sus bienes, objetos, instrumentos o productos del delito, o la reposición o restablecimiento de las cosas al estado que tenían antes del hecho, siempre que haya suficientes elementos para decidirlo.

CAPÍTULO III
IMPUTADO

Artículo 112. Denominación

Se denominará genéricamente imputado a quien sea señalado por el Ministerio Público como posible autor o partícipe de un hecho que la ley señale como delito.

Además, se denominará acusado a la persona contra quien se ha formulado acusación y sentenciado a aquel sobre quien ha recaído una sentencia aunque no haya sido declarada firme.

Artículo 113. Derechos del Imputado

El imputado tendrá los siguientes derechos:

I. A ser considerado y tratado como inocente hasta que se demuestre su responsabilidad;

II. A comunicarse con un familiar y con su Defensor cuando sea detenido, debiendo brindarle el Ministerio Público todas las facilidades para lograrlo;

III. A declarar o a guardar silencio, en el entendido que su silencio no podrá ser utilizado en su perjuicio;

IV. A estar asistido de su Defensor al momento de rendir su declaración, así como en cualquier otra actuación y a entrevistarse en privado previamente con él;

V. A que se le informe, tanto en el momento de su detención como en su comparecencia ante el Ministerio Público o el Juez de control, los hechos que se le imputan y los derechos que le asisten, así como, en su caso, el motivo de la privación de su libertad y el servidor público que la ordenó, exhibiéndosele, según corresponda, la orden emitida en su contra;

VI. A no ser sometido en ningún momento del procedimiento a técnicas ni métodos que atenten contra su dignidad, induzcan o alteren su libre voluntad;

VII. A solicitar ante la autoridad judicial la modificación de la medida cautelar que se le haya impuesto, en los casos en que se encuentre en prisión preventiva, en los supuestos señalados por este Código;

VIII. A tener acceso él y su defensa, salvo las excepciones previstas en la ley, a los registros de la investigación, así como a obtener copia gratuita, registro fotográfico o electrónico de los mismos, en términos de los artículos 218 y 219 de este Código.

Fracción reformada DOF 17-06-2016

IX. A que se le reciban los medios pertinentes de prueba que ofrezca, concediéndosele el tiempo necesario para tal efecto y auxiliándosele para obtener la comparecencia de las personas cuyo testimonio solicite y que no pueda presentar directamente, en términos de lo establecido por este Código;

X. A ser juzgado en audiencia por un Tribunal de enjuiciamiento, antes de cuatro meses si se tratare de delitos cuya pena máxima no exceda de dos años de prisión, y antes de un año si la pena excediere de ese tiempo, salvo que solicite mayor plazo para su defensa;

XI. A tener una defensa adecuada por parte de un licenciado en derecho o abogado titulado, con cédula profesional, al cual elegirá libremente incluso desde el momento de su detención y, a falta de éste, por el Defensor público que le corresponda, así como a reunirse o entrevistarse con él en estricta confidencialidad;

XII. A ser asistido gratuitamente por un traductor o intérprete en el caso de que no comprenda o hable el idioma español; cuando el imputado perteneciere a un pueblo o comunidad indígena, el Defensor deberá tener conocimiento de su lengua y cultura y, en caso de que no fuere posible, deberá actuar asistido de un intérprete de la cultura y lengua de que se trate;

XIII. A ser presentado ante el Ministerio Público o ante el Juez de control, según el caso, inmediatamente después de ser detenido o aprehendido;

XIV. A no ser expuesto a los medios de comunicación;

XV. A no ser presentado ante la comunidad como culpable;

XVI. A solicitar desde el momento de su detención, asistencia social para los menores de edad o personas con discapacidad o personas adultas mayores cuyo cuidado personal tenga a su cargo;

Fracción reformada DOF 03-01-2024

XVII. A obtener su libertad en el caso de que haya sido detenido, cuando no se ordene la prisión preventiva, u otra medida cautelar restrictiva de su libertad;

XVIII. A que se informe a la embajada o consulado que corresponda cuando sea detenido, y se le proporcione asistencia migratoria cuando tenga nacionalidad extranjera, y

XIX. Los demás que establezca este Código y otras disposiciones aplicables.

Los plazos a que se refiere la fracción X de este artículo, se contarán a partir de la audiencia inicial hasta el momento en que sea dictada la sentencia emitida por el Órgano jurisdiccional competente.

Cuando el imputado tenga a su cuidado menores de edad, personas con discapacidad, o adultos mayores que dependan de él, y no haya otra persona que pueda ejercer ese cuidado, el Ministerio Público deberá canalizarlos a instituciones de asistencia social que correspondan, a efecto de recibir la protección.

Artículo 114. Declaración del imputado

El imputado tendrá derecho a declarar durante cualquier etapa del procedimiento. En este caso, podrá hacerlo ante el Ministerio Público o ante el Órgano jurisdiccional, con pleno respeto a los derechos que lo amparan y en presencia de su Defensor.

En caso que el imputado manifieste a la Policía su deseo de declarar sobre los hechos que se investigan, ésta deberá comunicar dicha situación al Ministerio Público para que se reciban sus manifestaciones con las formalidades previstas en este Código.

CAPÍTULO IV
DEFENSOR

Artículo 115. Designación de Defensor

El Defensor podrá ser designado por el imputado desde el momento de su detención, mismo que deberá ser licenciado en derecho o abogado titulado con cédula profesional. A falta de éste o ante la omisión de su designación, será nombrado el Defensor público que corresponda.

La intervención del Defensor no menoscabará el derecho del imputado de intervenir, formular peticiones y hacer las manifestaciones que estime pertinentes.

Artículo 116. Acreditación

Los Defensores designados deberán acreditar su profesión ante el Órgano jurisdiccional desde el inicio de su intervención en el procedimiento, mediante cédula profesional legalmente expedida por la autoridad competente.

Artículo 117. Obligaciones del Defensor

Son obligaciones del Defensor:

I. Entrevistar al imputado para conocer directamente su versión de los hechos que motivan la investigación, a fin de ofrecer los datos y medios de prueba pertinentes que sean necesarios para llevar a cabo una adecuada defensa;

II. Asesorar al imputado sobre la naturaleza y las consecuencias jurídicas de los hechos punibles que se le atribuyen;

III. Comparecer y asistir jurídicamente al imputado en el momento en que rinda su declaración, así como en cualquier diligencia o audiencia que establezca la ley;

IV. Analizar las constancias que obren en la carpeta de investigación, a fin de contar con mayores elementos para la defensa;

V. Comunicarse directa y personalmente con el imputado, cuando lo estime conveniente, siempre y cuando esto no altere el desarrollo normal de las audiencias;

VI. Recabar y ofrecer los medios de prueba necesarios para la defensa;

VII. Presentar los argumentos y datos de prueba que desvirtúen la existencia del hecho que la ley señala como delito, o aquellos que permitan hacer valer la procedencia de alguna causal de inimputabilidad, sobreseimiento o excluyente de responsabilidad a favor del imputado y la prescripción de la acción penal o cualquier otra causal legal que sea en beneficio del imputado;

VIII. Solicitar el no ejercicio de la acción penal;

IX. Ofrecer los datos o medios de prueba en la audiencia correspondientes y promover la exclusión de los ofrecidos por el Ministerio Público o la víctima u ofendido cuando no se ajusten a la ley;

X. Promover a favor del imputado la aplicación de mecanismos alternativos de solución de controversias o formas anticipadas de terminación del proceso penal, de conformidad con las disposiciones aplicables;

XI. Participar en la audiencia de juicio, en la que podrá exponer sus alegatos de apertura, desahogar las pruebas ofrecidas, controvertir las de los otros intervinientes, hacer las objeciones que procedan y formular sus alegatos finales;

XII. Mantener informado al imputado sobre el desarrollo y seguimiento del procedimiento o juicio;

XIII. En los casos en que proceda, formular solicitudes de procedimientos especiales;

XIV. Guardar el secreto profesional en el desempeño de sus funciones;

XV. Interponer los recursos e incidentes en términos de este Código y de la legislación aplicable y, en su caso, promover el juicio de Amparo;

XVI. Informar a los imputados y a sus familiares la situación jurídica en que se encuentre su defensa, y

XVII. Las demás que señalen las leyes.

Artículo 118. Nombramiento posterior

Durante el transcurso del procedimiento el imputado podrá designar a un nuevo Defensor, sin embargo, hasta en tanto el nuevo Defensor no comparezca a aceptar el cargo conferido, el Órgano jurisdiccional o el Ministerio Público le designarán al imputado un Defensor público, a fin de no dejarlo en estado de indefensión.

Artículo 119. Inadmisibilidad y apartamiento

En ningún caso podrá nombrarse como Defensor del imputado a cualquier persona que sea coimputada del acusado, haya sido sentenciada por el mismo hecho o imputada por ser autor o partícipe del encubrimiento o favorecimiento del mismo hecho.

Artículo 120. Renuncia y abandono

Cuando el Defensor renuncie o abandone la defensa, el Ministerio Público o el Órgano jurisdiccional le harán saber al imputado que tiene derecho a designar a otro Defensor; sin embargo, en tanto no lo designe o no quiera o no pueda nombrarlo, se le designará un Defensor público.

Artículo 121. Garantía de la Defensa técnica

Siempre que el Órgano jurisdiccional advierta que existe una manifiesta y sistemática incapacidad técnica del Defensor, prevendrá al imputado para que designe otro.

Si se trata de un Defensor privado, el imputado contará con tres días para designar un nuevo Defensor. Si prevenido el imputado, no se designa otro, un Defensor público será asignado para colaborar en su defensa.

Si se trata de un Defensor público, con independencia de la responsabilidad en que incurriere, se dará vista al superior jerárquico para los efectos de sustitución.

En ambos casos se otorgará un término que no excederá de diez días para que se desarrolle una defensa adecuada a partir del acto que suscitó el cambio.

Artículo 122. Nombramiento del Defensor público

Cuando el imputado no pueda o se niegue a designar un Defensor particular, el Ministerio Público solicitará a la autoridad competente se nombre un Defensor público; si es ante el Órgano jurisdiccional éste designará al defensor público, que lleve la representación de la defensa desde el primer acto en que intervenga. Será responsabilidad del defensor la oportuna comparecencia.

Artículo reformado DOF 17-06-2016

Artículo 123. Número de Defensores

El imputado podrá designar el número de Defensores que considere conveniente, los cuales, en las audiencias, tomarán la palabra en orden y deberán actuar en todo caso con respeto.

Artículo 124. Defensor común

La defensa de varios imputados en un mismo proceso por un Defensor común no será admisible, a menos que se acredite que no existe incompatibilidad ni conflicto de intereses de las defensas de los imputados. Si se autoriza el Defensor común y la incompatibilidad se advierte en el curso del proceso, será corregida de oficio y se proveerá lo necesario para reemplazar al Defensor.

Artículo 125. Entrevista con los detenidos

El imputado que se encuentre detenido por cualquier circunstancia, antes de rendir declaración tendrá derecho a entrevistarse oportunamente y en forma privada con su Defensor, cuando así lo solicite, en el lugar que para tal efecto se designe. La autoridad del conocimiento tiene la obligación de implementar todo lo necesario para el libre ejercicio de este derecho.

Artículo 126. Entrevista con otras personas

Si antes de una audiencia, con motivo de su preparación, el Defensor tuviera necesidad de entrevistar a una persona o interviniente del procedimiento que se niega a recibirlo, podrá solicitar el auxilio judicial, explicándole las razones por las que se hace necesaria la entrevista. El Órgano jurisdiccional, en caso de considerar fundada la solicitud, expedirá la orden para que dicha persona sea entrevistada por el Defensor en el lugar y tiempo que aquélla establezca o el propio Órgano jurisdiccional determine. Esta autorización no se concederá en aquellos casos en que, a solicitud del Ministerio Público, el Órgano jurisdiccional estime que la víctima o los testigos deben estar sujetos a protocolos especiales de protección.

CAPÍTULO V
MINISTERIO PÚBLICO

Artículo 127. Competencia del Ministerio Público

Compete al Ministerio Público conducir la investigación, coordinar a las Policías y a los servicios periciales durante la investigación, resolver sobre el ejercicio de la acción penal en la forma establecida por la ley y, en su caso, ordenar las diligencias pertinentes y útiles para demostrar, o no, la existencia del delito y la responsabilidad de quien lo cometió o participó en su comisión.

Artículo 128. Deber de lealtad

El Ministerio Público deberá actuar durante todas las etapas del procedimiento en las que intervenga con absoluto apego a lo previsto en la Constitución, en este Código y en la demás legislación aplicable.

El Ministerio Público deberá proporcionar información veraz sobre los hechos, sobre los hallazgos en la investigación y tendrá el deber de no ocultar a los intervinientes elemento alguno que pudiera resultar favorable para la posición que ellos asumen, sobre todo cuando resuelva no incorporar alguno de esos elementos al procedimiento, salvo la reserva que en determinados casos la ley autorice en las investigaciones.

Artículo 129. Deber de objetividad y debida diligencia

La investigación debe ser objetiva y referirse tanto a los elementos de cargo como de descargo y conducida con la debida diligencia, a efecto de garantizar el respeto de los derechos de las partes y el debido proceso.

Al concluir la investigación complementaria puede solicitar el sobreseimiento del proceso, o bien, en la audiencia de juicio podrá concluir solicitando la absolución o una condena más leve que aquella que sugiere la acusación, cuando en ésta surjan elementos que conduzcan a esa conclusión, de conformidad con lo previsto en este Código.

Durante la investigación, tanto el imputado como su Defensor, así como la víctima o el ofendido, podrán solicitar al Ministerio Público todos aquellos actos de investigación que consideraren pertinentes y útiles para el esclarecimiento de los hechos. El Ministerio Público dentro del plazo de tres días resolverá sobre dicha solicitud. Para tal efecto, podrá disponer que se lleven a cabo las diligencias que se estimen conducentes para efectos de la investigación.

El Ministerio Público podrá, con pleno respeto a los derechos que lo amparan y en presencia del Defensor, solicitar la comparecencia del imputado y/u ordenar su declaración, cuando considere que es relevante para esclarecer la existencia del hecho delictivo y la probable participación o intervención.

Artículo 130. Carga de la prueba

La carga de la prueba para demostrar la culpabilidad corresponde a la parte acusadora, conforme lo establezca el tipo penal.

Artículo 131. Obligaciones del Ministerio Público

Para los efectos del presente Código, el Ministerio Público tendrá las siguientes obligaciones:

I. Vigilar que en toda investigación de los delitos se cumpla estrictamente con los derechos humanos reconocidos en la Constitución y en los Tratados;

II. Recibir las denuncias o querellas que le presenten en forma oral, por escrito, o a través de medios digitales, incluso mediante denuncias anónimas en términos de las disposiciones legales aplicables, sobre hechos que puedan constituir algún delito;

III. Ejercer la conducción y el mando de la investigación de los delitos, para lo cual deberá coordinar a las Policías y a los peritos durante la misma;

IV. Ordenar o supervisar, según sea el caso, la aplicación y ejecución de las medidas necesarias para impedir que se pierdan, destruyan o alteren los indicios, una vez que tenga noticia del mismo, así como cerciorarse de que se han seguido las reglas y protocolos para su preservación y procesamiento;

V. Iniciar la investigación correspondiente cuando así proceda y, en su caso, ordenar la recolección de indicios y medios de prueba que deberán servir para sus respectivas resoluciones y las del Órgano jurisdiccional, así como recabar los elementos necesarios que determinen el daño causado por el delito y la cuantificación del mismo para los efectos de su reparación. Cuando se trate del delito de feminicidio se deberán aplicar los protocolos previstos para tales efectos;

Fracción reformada DOF 25-04-2023

VI. Ejercer funciones de investigación respecto de los delitos en materias concurrentes, cuando ejerza la facultad de atracción y en los demás casos que las leyes lo establezcan;

VII. Ordenar a la Policía y a sus auxiliares, en el ámbito de su competencia, la práctica de actos de investigación conducentes para el esclarecimiento del hecho delictivo, así como analizar las que dichas autoridades hubieren practicado;

VIII. Instruir a las Policías sobre la legalidad, pertinencia, suficiencia y contundencia de los indicios recolectados o por recolectar, así como las demás actividades y diligencias que deben ser llevadas a cabo dentro de la investigación;

IX. Requerir informes o documentación a otras autoridades y a particulares, así como solicitar la práctica de peritajes y diligencias para la obtención de otros medios de prueba;

X. Solicitar al Órgano jurisdiccional la autorización de actos de investigación y demás actuaciones que sean necesarias dentro de la misma;

XI. Ordenar la detención y la retención de los imputados cuando resulte procedente en los términos que establece este Código;

XII. Brindar las medidas de seguridad necesarias, a efecto de garantizar que las víctimas u ofendidos o testigos del delito puedan llevar a cabo la identificación del imputado sin riesgo para ellos;

XIII. Determinar el archivo temporal y el no ejercicio de la acción penal, así como ejercer la facultad de no investigar en los casos autorizados por este Código;

XIV. Decidir la aplicación de criterios de oportunidad en los casos previstos en este Código;

XV. Promover las acciones necesarias para que se provea la seguridad y proporcionar el auxilio a víctimas, ofendidos, testigos, jueces, magistrados, agentes del Ministerio Público, Policías, peritos y, en general, a todos los sujetos que con motivo de su intervención en el procedimiento, cuya vida o integridad corporal se encuentren en riesgo inminente;

XVI. Ejercer la acción penal cuando proceda;

XVII. Poner a disposición del Órgano jurisdiccional a las personas detenidas dentro de los plazos establecidos en el presente Código;

XVIII. Promover la aplicación de mecanismos alternativos de solución de controversias o formas anticipadas de terminación del proceso penal, de conformidad con las disposiciones aplicables;

XIX. Solicitar las medidas cautelares aplicables al imputado en el proceso, en atención a las disposiciones conducentes y promover su cumplimiento;

XX. Comunicar al Órgano jurisdiccional y al imputado los hechos, así como los datos de prueba que los sustentan y la fundamentación jurídica, atendiendo al objetivo o finalidad de cada etapa del procedimiento;

XXI. Solicitar a la autoridad judicial la imposición de las penas o medidas de seguridad que correspondan;

XXII. Solicitar el pago de la reparación del daño a favor de la víctima u ofendido del delito, sin perjuicio de que éstos lo pudieran solicitar directamente;

XXIII. Actuar en estricto apego a los principios de legalidad, objetividad, eficiencia, profesionalismo, honradez, perspectiva de género y respeto a los derechos humanos reconocidos en la Constitución;

Fracción reformada DOF 25-04-2023

XXIII Bis. Tratándose de delitos por razón de género, se deberá investigar con perspectiva de género, y

Fracción adicionada DOF 25-04-2023

XXIV. Las demás que señale este Código y otras disposiciones aplicables.

CAPÍTULO VI
POLICÍA

Artículo 132. Obligaciones de las y los Policías

El Policía actuará bajo la conducción y mando del Ministerio Público en la investigación de los delitos en estricto apego a los principios de legalidad, objetividad, eficiencia, profesionalismo, honradez, perspectiva de género y respeto a los derechos humanos reconocidos en la Constitución.

Párrafo reformado DOF 25-04-2023

Para los efectos del presente Código, el Policía tendrá las siguientes obligaciones:

I. Recibir las denuncias sobre hechos que puedan ser constitutivos de delito e informar al Ministerio Público por cualquier medio y de forma inmediata de las diligencias practicadas;

II. Recibir denuncias anónimas e inmediatamente hacerlo del conocimiento del Ministerio Público a efecto de que éste coordine la investigación;

III. Realizar detenciones en los casos que autoriza la Constitución, haciendo saber a la persona detenida los derechos que ésta le otorga;

IV. Impedir que se consumen los delitos o que los hechos produzcan consecuencias ulteriores. Especialmente estará obligada a realizar todos los actos necesarios para evitar una agresión real, actual o inminente y sin derecho en protección de bienes jurídicos de los gobernados a quienes tiene la obligación de proteger;

V. Actuar bajo el mando del Ministerio Público en el aseguramiento de bienes relacionados con la investigación de los delitos;

VI. Informar sin dilación por cualquier medio al Ministerio Público sobre la detención de cualquier persona, e inscribir inmediatamente las detenciones en el registro que al efecto establezcan las disposiciones aplicables;

VII. Practicar las inspecciones y otros actos de investigación, así como reportar sus resultados al Ministerio Público. En aquellos que se requiera autorización judicial, deberá solicitarla a través del Ministerio Público;

VIII. Preservar el lugar de los hechos o del hallazgo y en general, realizar todos los actos necesarios para garantizar la integridad de los indicios. En su caso deberá dar aviso a la Policía con capacidades para procesar la escena del hecho y al Ministerio Público conforme a las disposiciones previstas en este Código y en la legislación aplicable;

IX. Recolectar y resguardar objetos relacionados con la investigación de los delitos, en los términos de la fracción anterior;

X. Entrevistar a las personas que pudieran aportar algún dato o elemento para la investigación;

XI. Requerir a las autoridades competentes y solicitar a las personas físicas o morales, informes y documentos para fines de la investigación. En caso de negativa, informará al Ministerio Público para que determine lo conducente;

XII. Proporcionar atención a víctimas u ofendidos o testigos del delito. Para tal efecto, deberá:

a) Prestar protección y auxilio inmediato, de conformidad con las disposiciones aplicables;

b) Informar a la víctima u ofendido sobre los derechos que en su favor se establecen;

c) Procurar que reciban atención médica y psicológica cuando sea necesaria;

Inciso reformado DOF 25-04-2023

d) Adoptar las medidas que se consideren necesarias, en el ámbito de su competencia, tendientes a evitar que se ponga en peligro su integridad física y psicológica, y

Inciso reformado DOF 25-04-2023

e) Tratándose de delitos por razón de género, deberá actuar con perspectiva de género.

Inciso adicionado DOF 25-04-2023

XII Bis. Cuando se trate de delitos por motivo de género se deberán aplicar los protocolos previstos para tales efectos;

Fracción adicionada DOF 25-04-2023

XIII. Dar cumplimiento a los mandamientos ministeriales y jurisdiccionales que les sean instruidos, tratándose del cumplimiento de las medidas u órdenes de protección deberán estar a lo previsto en la Ley General de Acceso de las Mujeres a una Vida Libre de Violencia;

XIV. Emitir el informe policial y demás documentos, de conformidad con las disposiciones aplicables. Para tal efecto se podrá apoyar en los conocimientos que resulten necesarios, sin que ello tenga el carácter de informes periciales, y

XV. Las demás que le confieran este Código y otras disposiciones aplicables.

CAPÍTULO VII
JUECES Y MAGISTRADOS

Artículo 133. Competencia jurisdiccional

Para los efectos de este Código, la competencia jurisdiccional comprende a los siguientes órganos:

I. Juez de control, con competencia para ejercer las atribuciones que este Código le reconoce desde el inicio de la etapa de investigación hasta el dictado del auto de apertura a juicio;

II. Tribunal de enjuiciamiento, que preside la audiencia de juicio y dictará la sentencia, y

III. Tribunal de alzada, que conocerá de los medios de impugnación y demás asuntos que prevé este Código.

Artículo 134. Deberes comunes de los jueces

En el ámbito de sus respectivas competencias y atribuciones, son deberes comunes de los jueces y magistrados, los siguientes:

I. Resolver los asuntos sometidos a su consideración con la debida diligencia, dentro de los términos previstos en la ley y con sujeción a los principios que deben regir el ejercicio de la función jurisdiccional;

II. Respetar, garantizar y velar por la salvaguarda de los derechos de quienes intervienen en el procedimiento;

III. Guardar reserva sobre los asuntos relacionados con su función, aun después de haber cesado en el ejercicio del cargo;

IV. Atender oportuna y debidamente las peticiones dirigidas por los sujetos que intervienen dentro del procedimiento penal;

V. Abstenerse de presentar en público al imputado o acusado como culpable si no existiera condena;

VI. Mantener el orden en las salas de audiencias;

Fracción reformada DOF 25-04-2023

VI Bis. Tratándose de delitos por razón de género, se deberá juzgar con perspectiva de género;

Fracción adicionada DOF 25-04-2023

VI Ter. Cuando se trate de delitos por motivo de género se deberán aplicar los protocolos para juzgar con perspectiva de género, y

Fracción adicionada DOF 25-04-2023

VII. Los demás establecidos en la Ley Orgánica, en este Código y otras disposiciones aplicables.

Artículo 135. La queja y su procedencia

Procederá queja en contra del juzgador de primera instancia por no realizar un acto procesal dentro del plazo señalado por este Código. La queja podrá ser promovida por cualquier parte del procedimiento y se tramitará sin perjuicio de las otras consecuencias legales que tenga la omisión del juzgador.

La queja será interpuesta ante el Órgano jurisdiccional omiso; éste tiene un plazo de veinticuatro horas para subsanar dicha omisión, o bien, realizar un informe breve y conciso sobre las razones por las cuales no se ha verificado el acto procesal o la formalidad exigidos por la norma omitida y remitir el recurso y dicho informe al Órgano jurisdiccional competente.

Párrafo reformado DOF 17-06-2016

La autoridad jurisdiccional competente tramitará y resolverá en un plazo no mayor a tres días en los términos de las disposiciones aplicables.

Párrafo reformado DOF 17-06-2016

En ningún caso, el Órgano jurisdiccional competente para resolver la queja podrá ordenar al Órgano Jurisdiccional omiso los términos y las condiciones en que deberá subsanarse la omisión, debiéndose limitar su resolución a que se realice el acto omitido.

Párrafo reformado DOF 17-06-2016

CAPÍTULO VIII
AUXILIARES DE LAS PARTES

Artículo 136. Consultores técnicos

Si por las circunstancias del caso, las partes que intervienen en el procedimiento consideran necesaria la asistencia de un consultor en una ciencia, arte o técnica, así lo plantearán al Órgano jurisdiccional. El consultor técnico podrá acompañar en las audiencias a la parte con quien colabora, para apoyarla técnicamente.

TÍTULO VI
MEDIDAS DE PROTECCIÓN DURANTE LA INVESTIGACIÓN, FORMAS DE CONDUCCIÓN DEL IMPUTADO AL PROCESO Y MEDIDAS CAUTELARES

CAPÍTULO I
MEDIDAS DE PROTECCIÓN Y PROVIDENCIAS PRECAUTORIAS

Artículo 137. Medidas u Órdenes de protección

El Ministerio Público, bajo su más estricta responsabilidad, ordenará fundada y motivadamente la aplicación de las medidas de protección idóneas cuando estime que el imputado representa un riesgo inminente en contra de la seguridad de la víctima u ofendido. Son medidas de protección las siguientes:

I. Prohibición de acercarse o comunicarse con la víctima u ofendido;

II. Limitación para asistir o acercarse al domicilio de la víctima u ofendido o al lugar donde se encuentre;

III. Separación inmediata del domicilio;

IV. La entrega inmediata de objetos de uso personal y documentos de identidad de la víctima que tuviera en su posesión el probable responsable;

V. La prohibición de realizar conductas de intimidación o molestia a la víctima u ofendido o a personas relacionados con ellos;

VI. Vigilancia en el domicilio de la víctima u ofendido;

VII. Protección policial de la víctima u ofendido;

VIII. Auxilio inmediato por integrantes de instituciones policiales, al domicilio en donde se localice o se encuentre la víctima u ofendido en el momento de solicitarlo;

IX. Traslado de la víctima u ofendido a refugios o albergues temporales, así como de sus descendientes, y

X. El reingreso de la víctima u ofendido a su domicilio, una vez que se salvaguarde su seguridad.

Dentro de los cinco días siguientes a la imposición de las medidas de protección previstas en las fracciones I, II y III deberá celebrarse audiencia en la que el juez podrá cancelarlas, o bien, ratificarlas o modificarlas mediante la imposición de las medidas cautelares correspondientes.

En caso de incumplimiento de las medidas de protección, el Ministerio Público podrá imponer alguna de las medidas de apremio previstas en este Código.

Tratándose de delitos relacionados con las violencias de género contra las mujeres se aplicará de manera supletoria la Ley General de Acceso de las Mujeres a una Vida Libre de Violencia.

Artículo 138. Providencias precautorias para la restitución de derechos de la víctima

Para garantizar la reparación del daño, la víctima, el ofendido o el Ministerio Público, podrán solicitar al juez las siguientes providencias precautorias:

I. El embargo de bienes, y

II. La inmovilización de cuentas y demás valores que se encuentren dentro del sistema financiero.

El juez decretará las providencias precautorias, siempre y cuando, de los datos de prueba expuestos por el Ministerio Público y la víctima u ofendido, se desprenda la posible reparación del daño y la probabilidad de que el imputado será responsable de repararlo.

Decretada la providencia precautoria, podrá revisarse, modificarse, sustituirse o cancelarse a petición del imputado o de terceros interesados, debiéndose escuchar a la víctima u ofendido y al Ministerio Público.

Las providencias precautorias serán canceladas si el imputado garantiza o paga la reparación del daño; si fueron decretadas antes de la audiencia inicial y el Ministerio Público no las promueve, o no solicita orden de aprehensión en el término que señala este Código; si se declara fundada la solicitud de cancelación de embargo planteada por la persona en contra de la cual se decretó o de un tercero, o si se dicta sentencia absolutoria, se decreta el sobreseimiento o se absuelve de la reparación del daño.

La providencia precautoria se hará efectiva a favor de la víctima u ofendido cuando la sentencia que condene a reparar el daño cause ejecutoria. El embargo se regirá en lo conducente por las reglas generales del embargo previstas en el Código Nacional de Procedimientos Civiles y Familiares.

Artículo 139. Duración de las medidas u órdenes de protección y providencias precautorias

La imposición de las medidas de protección y de las providencias precautorias tendrá una duración máxima de sesenta días naturales, prorrogables hasta por treinta días.

Cuando hubiere desaparecido la causa que dio origen a la medida decretada, el imputado, su Defensor o en su caso el Ministerio Público, podrán solicitar al Juez de control que la deje sin efectos.

Tratándose de delitos relacionados con las violencias de género contra las mujeres, adolescentes y niñas, se aplicará de manera supletoria la Ley General de Acceso de las Mujeres a una Vida Libre de Violencia.

CAPÍTULO II
LIBERTAD DURANTE LA INVESTIGACIÓN

Artículo 140. Libertad durante la investigación

En los casos de detención por flagrancia, cuando se trate de delitos que no merezcan prisión preventiva oficiosa y el Ministerio Público determine que no solicitará prisión preventiva como medida cautelar, podrá disponer la libertad del imputado o imponerle una medida de protección en los términos de lo dispuesto por este Código.

Cuando el Ministerio Público decrete la libertad del imputado, lo prevendrá a fin de que se abstenga de molestar o afectar a la víctima u ofendido y a los testigos del hecho, a no obstaculizar la investigación y comparecer cuantas veces sea citado para la práctica de diligencias de investigación, apercibiéndolo con imponerle medidas de apremio en caso de desobediencia injustificada.

CAPÍTULO III
FORMAS DE CONDUCCIÓN DEL IMPUTADO AL PROCESO

SECCIÓN I
CITATORIO, ÓRDENES DE COMPARECENCIA Y APREHENSIÓN

Artículo 141. Citatorio, orden de comparecencia y aprehensión

Cuando se haya presentado denuncia o querella de un hecho que la ley señale como delito, el Ministerio Público anuncie que obran en la carpeta de investigación datos que establezcan que se ha cometido ese hecho y exista la probabilidad de que el imputado lo haya cometido o participado en su comisión, el Juez de control, a solicitud del Ministerio Público, podrá ordenar:

I. Citatorio al imputado para la audiencia inicial;

II. Orden de comparecencia, a través de la fuerza pública, en contra del imputado que habiendo sido citado previamente a una audiencia no haya comparecido, sin justificación alguna, y

III. Orden de aprehensión en contra de una persona cuando el Ministerio Público advierta que existe la necesidad de cautela.

En la clasificación jurídica que realice el Ministerio Público se especificará el tipo penal que se atribuye, el grado de ejecución del hecho, la forma de intervención y la naturaleza dolosa o culposa de la conducta, sin perjuicio de que con posterioridad proceda la reclasificación correspondiente.

También podrá ordenarse la aprehensión de una persona cuando resista o evada la orden de comparecencia judicial y el delito que se le impute merezca pena privativa de la libertad.

La autoridad judicial declarará sustraído a la acción de la justicia al imputado que, sin causa justificada, no comparezca a una citación judicial, se fugue del establecimiento o lugar donde esté detenido o se ausente de su domicilio sin aviso, teniendo la obligación de darlo. En cualquier caso, la declaración dará lugar a la emisión de una orden de aprehensión en contra del imputado que se haya sustraído de la acción de la justicia.

El Juez podrá dictar orden de reaprehensión en caso de que el Ministerio Público lo solicite para detener a un imputado cuya extradición a otro país hubiera dado lugar a la suspensión de un procedimiento penal, cuando en el Estado requirente el procedimiento para el cual fue extraditado haya concluido.

El Ministerio Público podrá solicitar una orden de aprehensión en el caso de que se incumpla una medida cautelar, en los términos del artículo 174, y el Juez de control la podrá dictar en el caso de que lo estime estrictamente necesario.

Artículo 142. Solicitud de las órdenes de comparecencia o de aprehensión

En la solicitud de orden de comparecencia o de aprehensión se hará una relación de los hechos atribuidos al imputado, sustentada en forma precisa en los registros correspondientes y se expondrán las razones por las que considera que se actualizaron las exigencias señaladas en el artículo anterior.

Las solicitudes se formularán por cualquier medio que garantice su autenticidad, o en audiencia privada con el Juez de control.

Artículo 143. Resolución sobre solicitud de orden de aprehensión o comparecencia

El Juez de control resolverá la solicitud de orden de aprehensión o comparecencia en audiencia, o a través del sistema informático; en ambos casos con la debida secrecía, y se pronunciará sobre cada uno de los elementos planteados en la solicitud.

Párrafo reformado DOF 17-06-2016

En el primer supuesto, la solicitud deberá ser resuelta en la misma audiencia, que se fijará dentro de las veinticuatro horas a partir de la solicitud, exclusivamente con la presencia del Ministerio Público.

Párrafo adicionado DOF 17-06-2016

En el segundo supuesto, dentro de un plazo máximo de veinticuatro horas, siguientes al momento en que se haya recibido la solicitud.

Párrafo adicionado DOF 17-06-2016

En caso de que la solicitud de orden de aprehensión o comparecencia no reúna alguno de los requisitos exigibles, el Juez de control prevendrá en la misma audiencia o por el sistema informático al Ministerio Público para que haga las precisiones o aclaraciones correspondientes, ante lo cual el Juez de control podrá dar una clasificación jurídica distinta a los hechos que se planteen o a la participación que tuvo el imputado en los mismos. No se concederá la orden de aprehensión cuando el Juez de control considere que los hechos que señale el Ministerio Público en su solicitud resulten no constitutivos de delito.

Si la resolución se registra por medios diversos al escrito, los puntos resolutivos de la orden de aprehensión deberán transcribirse y entregarse al Ministerio Público.

Artículo 144. Desistimiento de la acción penal

El Ministerio Público podrá solicitar el desistimiento de la acción penal en cualquier etapa del procedimiento, hasta antes de dictada la resolución de segunda instancia.

La solicitud de desistimiento debe contar con la autorización del Titular de la Procuraduría o del funcionario que en él delegue esa facultad.

El Ministerio Público expondrá brevemente en audiencia ante el Juez de control, Tribunal de enjuiciamiento o Tribunal de alzada, los motivos del desistimiento de la acción penal. La autoridad judicial resolverá de manera inmediata y decretará el sobreseimiento.

En caso de desistimiento de la acción penal, la victima u ofendido podrán impugnar la resolución emitida por el Juez de control, Tribunal de enjuiciamiento o Tribunal de alzada.

Artículo 145. Ejecución y cancelación de la orden de comparecencia y aprehensión

La orden de aprehensión se entregará física o electrónicamente al Ministerio Público, quien la ejecutará por conducto de la Policía. Los agentes policiales que ejecuten una orden judicial de aprehensión pondrán al detenido inmediatamente a disposición del Juez de control que hubiere expedido la orden, en área distinta a la destinada para el cumplimiento de la prisión preventiva o de sanciones privativas de libertad, informando a éste acerca de la fecha, hora y lugar en que ésta se efectuó, debiendo a su vez, entregar al imputado una copia de la misma.

Los agentes policiales deberán informar de inmediato al Ministerio Público sobre la ejecución de la orden de aprehensión para efectos de que éste solicite la celebración de la audiencia inicial a partir de la formulación de imputación.

Los agentes policiales que ejecuten una orden judicial de comparecencia pondrán al imputado inmediatamente a disposición del Juez de control que hubiere expedido la orden, en la sala donde ha de formularse la imputación, en la fecha y hora señalada para tales efectos. La Policía deberá informar al Ministerio Público acerca de la fecha, hora y lugar en que se cumplió la orden, debiendo a su vez, entregar al imputado una copia de la misma.

Cuando por cualquier razón la Policía no pudiera ejecutar la orden de comparecencia, deberá informarlo al Juez de control y al Ministerio Público, en la fecha y hora señaladas para celebración de la audiencia inicial.

El Ministerio Público podrá solicitar la cancelación de una orden de aprehensión o la reclasificación de la conducta o hecho por los cuales hubiese ejercido la acción penal, cuando estime su improcedencia por la aparición de nuevos datos.

La solicitud de cancelación deberá contar con la autorización del titular de la Procuraduría o del funcionario que en él delegue esta facultad.

El Ministerio Público solicitará audiencia privada ante el Juez de control en la que formulará su petición exponiendo los nuevos datos; el Juez de control resolverá de manera inmediata.

La cancelación no impide que continúe la investigación y que posteriormente vuelva a solicitarse orden de aprehensión, salvo que por la naturaleza del hecho en que se funde la cancelación, deba sobreseerse el proceso.

La cancelación de la orden de aprehensión podrá ser apelada por la víctima o el ofendido.

SECCIÓN II
FLAGRANCIA Y CASO URGENTE

Artículo 146. Supuestos de flagrancia

Se podrá detener a una persona sin orden judicial en caso de flagrancia. Se entiende que hay flagrancia cuando:

I. La persona es detenida en el momento de estar cometiendo un delito, o

II. Inmediatamente después de cometerlo es detenida, en virtud de que:

a) Es sorprendida cometiendo el delito y es perseguida material e ininterrumpidamente, o

b) Cuando la persona sea señalada por la víctima u ofendido, algún testigo presencial de los hechos o quien hubiere intervenido con ella en la comisión del delito y cuando tenga en su poder instrumentos, objetos, productos del delito o se cuente con información o indicios que hagan presumir fundadamente que intervino en el mismo.

Para los efectos de la fracción II, inciso b), de este precepto, se considera que la persona ha sido detenida en flagrancia por señalamiento, siempre y cuando, inmediatamente después de cometer el delito no se haya interrumpido su búsqueda o localización.

Artículo 147. Detención en caso de flagrancia

Cualquier persona podrá detener a otra en la comisión de un delito flagrante, debiendo entregar inmediatamente al detenido a la autoridad más próxima y ésta con la misma prontitud al Ministerio Público.

Los cuerpos de seguridad pública estarán obligados a detener a quienes cometan un delito flagrante y realizarán el registro de la detención.

La inspección realizada por los cuerpos de seguridad al imputado deberá conducirse conforme a los lineamientos establecidos para tal efecto en el presente Código.

En este caso o cuando reciban de cualquier persona o autoridad a una persona detenida, deberán ponerla de inmediato ante el Ministerio Público, quien realizará el registro de la hora a la cual lo están poniendo a disposición.

Artículo 148. Detención en flagrancia por delitos que requieran querella

Cuando se detenga a una persona por un hecho que pudiera constituir un delito que requiera querella de la parte ofendida, será informado inmediatamente quien pueda presentarla. Se le concederá para tal efecto un plazo razonable, de acuerdo con las circunstancias del caso, que en ningún supuesto podrá ser mayor de doce horas, contadas a partir de que la víctima u ofendido fue notificado o de veinticuatro horas a partir de su detención en caso de que no fuera posible su localización. Si transcurridos estos plazos no se presenta la querella, el detenido será puesto en libertad de inmediato.

En caso de que la víctima u ofendido tenga imposibilidad física de presentar su querella, se agotará el plazo legal de detención del imputado. En este caso serán los parientes por consanguinidad hasta el tercer grado o por afinidad en primer grado, quienes podrán legitimar la querella, con independencia de que la víctima u ofendido la ratifique o no con posterioridad.

Artículo 149. Verificación de flagrancia del Ministerio Público

En los casos de flagrancia, el Ministerio Público deberá examinar las condiciones en las que se realizó la detención inmediatamente después de que la persona sea puesta a su disposición. Si la detención no fue realizada conforme a lo previsto en la Constitución y en este Código, dispondrá la libertad inmediata de la persona y, en su caso, velará por la aplicación de las sanciones disciplinarias o penales que correspondan.

Así también, durante el plazo de retención el Ministerio Público analizará la necesidad de dicha medida y realizará los actos de investigación que considere necesarios para, en su caso, ejercer la acción penal.

Artículo 150. Supuesto de caso urgente

Sólo en casos urgentes el Ministerio Público podrá, bajo su responsabilidad y fundando y expresando los datos de prueba que motiven su proceder, ordenar la detención de una persona, siempre y cuando concurran los siguientes supuestos:

I. Existan datos que establezcan la existencia de un hecho señalado como delito grave y que exista la probabilidad de que la persona lo cometió o participó en su comisión. Se califican como graves, para los efectos de la detención por caso urgente, los delitos señalados como de prisión preventiva oficiosa en este Código o en la legislación aplicable así como aquellos cuyo término medio aritmético sea mayor de cinco años de prisión;

II. Exista riesgo fundado de que el imputado pueda sustraerse de la acción de la justicia, y

III. Por razón de la hora, lugar o cualquier otra circunstancia, no pueda ocurrir ante la autoridad judicial, o que de hacerlo, el imputado pueda evadirse.

Los delitos previstos en la fracción I de este artículo, se considerarán graves, aún tratándose de tentativa punible.

Los oficiales de la Policía que ejecuten una orden de detención por caso urgente, deberán hacer el registro de la detención y presentar inmediatamente al imputado ante el Ministerio Público que haya emitido dicha orden, quien procurará que el imputado sea presentado sin demora ante el Juez de control.

El Juez de control determinará la legalidad del mandato del Ministerio Público y su cumplimiento al realizar el control de la detención. La violación de esta disposición será sancionada conforme a las disposiciones aplicables y la persona detenida será puesta en inmediata libertad.

Para los efectos de este artículo, el término medio aritmético es el cociente que se obtiene de sumar la pena de prisión mínima y la máxima del delito consumado que se trate y dividirlo entre dos.

Artículo 151. Asistencia consular

En el caso de que el detenido sea extranjero, el Ministerio Público le hará saber sin demora y le garantizará su derecho a recibir asistencia consular, por lo que se le permitirá comunicarse a las Embajadas o Consulados del país respecto de los que sea nacional; y deberá notificar a las propias Embajadas o Consulados la detención de dicha persona, registrando constancia de ello, salvo que el imputado acompañado de su Defensor expresamente solicite que no se realice esta notificación.

Párrafo reformado DOF 17-06-2016

El Ministerio Público y la Policía deberán informar a quien lo solicite, previa identificación, si un extranjero está detenido y, en su caso, la autoridad a cuya disposición se encuentre y el motivo.

Artículo 152. Derechos que asisten al detenido

Las autoridades que ejecuten una detención por flagrancia o caso urgente deberán asegurarse de que la persona tenga pleno y claro conocimiento del ejercicio de los derechos citados a continuación, en cualquier etapa del período de custodia:

I. El derecho a informar a alguien de su detención;

II. El derecho a consultar en privado con su Defensor;

III. El derecho a recibir una notificación escrita que establezca los derechos establecidos en las fracciones anteriores y las medidas que debe tomar para la obtención de asesoría legal;

IV. El derecho a ser colocado en una celda en condiciones dignas y con acceso a aseo personal;

V. El derecho a no estar detenido desnudo o en prendas íntimas;

VI. Cuando, para los fines de la investigación sea necesario que el detenido entregue su ropa, se le proveerán prendas de vestir, y

VII. El derecho a recibir atención clínica si padece una enfermedad física, se lesiona o parece estar sufriendo de un trastorno mental.

CAPÍTULO IV
MEDIDAS CAUTELARES

SECCIÓN I
DISPOSICIONES GENERALES

Artículo 153. Reglas generales de las medidas cautelares

Las medidas cautelares serán impuestas mediante resolución judicial, por el tiempo indispensable para asegurar la presencia del imputado en el procedimiento, garantizar la seguridad de la víctima u ofendido o del testigo, o evitar la obstaculización del procedimiento.

Corresponderá a las autoridades competentes de la Federación y de las entidades federativas, para medidas cautelares, vigilar que el mandato de la autoridad judicial sea debidamente cumplido.

Artículo 154. Procedencia de medidas cautelares

El Juez podrá imponer medidas cautelares a petición del Ministerio Público o de la víctima u ofendido, en los casos previstos por este Código, cuando ocurran las circunstancias siguientes:

I. Formulada la imputación, el propio imputado se acoja al término constitucional, ya sea éste de una duración de setenta y dos horas o de ciento cuarenta y cuatro, según sea el caso, o

II. Se haya vinculado a proceso al imputado.

En caso de que el Ministerio Público, la víctima, el asesor jurídico, u ofendido, solicite una medida cautelar durante el plazo constitucional, dicha cuestión deberá resolverse inmediatamente después de formulada la imputación. Para tal efecto, las partes podrán ofrecer aquellos medios de prueba pertinentes para analizar la procedencia de la medida solicitada, siempre y cuando la misma sea susceptible de ser desahogada en las siguientes veinticuatro horas.

Párrafo reformado DOF 17-06-2016

Artículo 155. Tipos de medidas cautelares

A solicitud del Ministerio Público o de la víctima u ofendido, el juez podrá imponer al imputado una o varias de las siguientes medidas cautelares:

I. La presentación periódica ante el juez o ante autoridad distinta que aquél designe;

II. La exhibición de una garantía económica;

III. El embargo de bienes;

IV. La inmovilización de cuentas y demás valores que se encuentren dentro del sistema financiero;

V. La prohibición de salir sin autorización del país, de la localidad en la cual reside o del ámbito territorial que fije el juez;

VI. El sometimiento al cuidado o vigilancia de una persona o institución determinada o internamiento a institución determinada;

VII. La prohibición de concurrir a determinadas reuniones o acercarse o ciertos lugares;

VIII. La prohibición de convivir, acercarse o comunicarse con determinadas personas, con las víctimas u ofendidos o testigos, siempre que no se afecte el derecho de defensa;

IX. La separación inmediata del domicilio;

X. La suspensión temporal en el ejercicio del cargo cuando se le atribuye un delito cometido por servidores públicos;

XI. La suspensión temporal en el ejercicio de una determinada actividad profesional o laboral;

XII. La colocación de localizadores electrónicos;

XIII. El resguardo en su propio domicilio con las modalidades que el juez disponga, o

XIV. La prisión preventiva.

Las medidas cautelares no podrán ser usadas como medio para obtener un reconocimiento de culpabilidad o como sanción penal anticipada.

Artículo 156. Proporcionalidad

El Juez de control, al imponer una o varias de las medidas cautelares previstas en este Código, deberá tomar en consideración los argumentos que las partes ofrezcan o la justificación que el Ministerio Público realice, aplicando el criterio de mínima intervención según las circunstancias particulares de cada persona, en términos de lo dispuesto en el artículo 19 de la Constitución.

Para determinar la idoneidad y proporcionalidad de la medida, se podrá tomar en consideración el análisis de evaluación de riesgo realizado por personal especializado en la materia, de manera objetiva, imparcial y neutral en términos de la legislación aplicable.

En la resolución respectiva, el Juez de control deberá justificar las razones por las que la medida cautelar impuesta es la que resulta menos lesiva para el imputado.

Artículo 157. Imposición de medidas cautelares

Las solicitudes de medidas cautelares serán resueltas por el Juez de control, en audiencia y con presencia de las partes.

El Juez de control podrá imponer una de las medidas cautelares previstas en este Código, o combinar varias de ellas según resulte adecuado al caso, o imponer una diversa a la solicitada siempre que no sea más grave. Sólo el Ministerio Público podrá solicitar la prisión preventiva, la cual no podrá combinarse con otras medidas cautelares previstas en este Código, salvo el embargo precautorio o la inmovilización de cuentas y demás valores que se encuentren en el sistema financiero.

En ningún caso el Juez de control está autorizado a aplicar medidas cautelares sin tomar en cuenta el objeto o la finalidad de las mismas ni a aplicar medidas más graves que las previstas en el presente Código.

Artículo 158. Debate de medidas cautelares

Formulada la imputación, en su caso, o dictado el auto de vinculación a proceso a solicitud del Ministerio Público, de la víctima o de la defensa, se discutirá lo relativo a la necesidad de imposición o modificación de medidas cautelares.

Artículo 159. Contenido de la resolución

La resolución que establezca una medida cautelar deberá contener al menos lo siguiente:

I. La imposición de la medida cautelar y la justificación que motivó el establecimiento de la misma;

II. Los lineamientos para la aplicación de la medida, y

III. La vigencia de la medida.

Artículo 160. Impugnación de las decisiones judiciales

Todas las decisiones judiciales relativas a las medidas cautelares reguladas por este Código son apelables.

Artículo 161. Revisión de la medida

Cuando hayan variado de manera objetiva las condiciones que justificaron la imposición de una medida cautelar, las partes podrán solicitar al Órgano jurisdiccional, la revocación, sustitución o modificación de la misma, para lo cual el Órgano jurisdiccional citará a todos los intervinientes a una audiencia con el fin de abrir debate sobre la subsistencia de las condiciones o circunstancias que se tomaron en cuenta para imponer la medida y la necesidad, en su caso, de mantenerla y resolver en consecuencia.

Artículo 162. Audiencia de revisión de las medidas cautelares

De no ser desechada de plano la solicitud de revisión, la audiencia se llevará a cabo dentro de las cuarenta y ocho horas siguientes contadas a partir de la presentación de la solicitud.

Artículo 163. Medios de prueba para la imposición y revisión de la medida

Las partes pueden invocar datos u ofrecer medios de prueba para que se imponga, confirme, modifique o revoque, según el caso, la medida cautelar.

Artículo 164. Evaluación y supervisión de medidas cautelares

La evaluación y supervisión de medidas cautelares distintas a la prisión preventiva corresponderá a la autoridad de supervisión de medidas cautelares y de la suspensión condicional del proceso que se regirá por los principios de neutralidad, objetividad, imparcialidad y confidencialidad.

La información que se recabe con motivo de la evaluación de riesgo no puede ser usada para la investigación del delito y no podrá ser proporcionada al Ministerio Público. Lo anterior, salvo que se trate de un delito que está en curso o sea inminente su comisión, y peligre la integridad personal o la vida de una persona, el entrevistador quedará relevado del deber de confidencialidad y podrá darlo a conocer a los agentes encargados de la persecución penal.

Para decidir sobre la necesidad de la imposición o revisión de las medidas cautelares, la autoridad de supervisión de medidas cautelares y de la suspensión condicional del proceso proporcionará a las partes la información necesaria para ello, de modo que puedan hacer la solicitud correspondiente al Órgano jurisdiccional.

Para tal efecto, la autoridad de supervisión de medidas cautelares y de la suspensión condicional del proceso, tendrá acceso a los sistemas y bases de datos del Sistema Nacional de Información y demás de carácter público, y contará con una base de datos para dar seguimiento al cumplimiento de las medidas cautelares distintas a la prisión preventiva.

Las partes podrán obtener la información disponible de la autoridad competente cuando así lo solicite, previo a la audiencia para debatir la solicitud de medida cautelar.

La supervisión de la prisión preventiva quedará a cargo de la autoridad penitenciaria en los términos de la ley de la materia.

Artículo 165. Aplicación de la prisión preventiva

Sólo por delito que merezca pena privativa de libertad habrá lugar a prisión preventiva. La prisión preventiva será ordenada conforme a los términos y las condiciones de este Código.

La prisión preventiva no podrá exceder del tiempo que como máximo de pena fije la ley al delito que motivare el proceso y en ningún caso será superior a dos años, salvo que su prolongación se deba al ejercicio del derecho de defensa del imputado. Si cumplido este término no se ha pronunciado sentencia, el imputado será puesto en libertad de inmediato mientras se sigue el proceso, sin que ello obste para imponer otras medidas cautelares.

Párrafo reformado DOF 17-06-2016

Artículo 166. Excepciones

En el caso de que el imputado sea una persona mayor de setenta años de edad o afectada por una enfermedad grave o terminal, el Órgano jurisdiccional podrá ordenar que la prisión preventiva se ejecute en el domicilio de la persona imputada o, de ser el caso, en un centro médico o geriátrico, bajo las medidas cautelares que procedan.

De igual forma, procederá lo previsto en el párrafo anterior, cuando se trate de mujeres embarazadas, o de madres durante la lactancia.

No gozarán de la prerrogativa prevista en los dos párrafos anteriores, quienes a criterio del Juez de control puedan sustraerse de la acción de la justicia o manifiesten una conducta que haga presumible su riesgo social.

Artículo 167. Causas de procedencia

El Ministerio Público sólo podrá solicitar al Juez de control la prisión preventiva o el resguardo domiciliario cuando otras medidas cautelares no sean suficientes para garantizar la comparecencia del imputado en el juicio, el desarrollo de la investigación, la protección de la víctima, de los testigos o de la comunidad así como cuando el imputado esté siendo procesado o haya sido sentenciado previamente por la comisión de un delito doloso, siempre y cuando la causa diversa no sea acumulable o conexa en los términos del presente Código.

En el supuesto de que el imputado esté siendo procesado por otro delito distinto de aquel en el que se solicite la prisión preventiva, deberá analizarse si ambos procesos son susceptibles de acumulación, en cuyo caso la existencia de proceso previo no dará lugar por si sola a la procedencia de la prisión preventiva.

La Persona Juzgadora de control en el ámbito de su competencia, ordenará la prisión preventiva oficiosamente en los casos de abuso o violencia sexual contra menores, delincuencia organizada, extorsión, delitos previstos en las leyes aplicables cometidos para la ilegal introducción y desvío, producción, preparación, enajenación, adquisición, importación, exportación, transportación, almacenamiento y distribución de precursores químicos y sustancias químicas esenciales, drogas sintéticas, fentanilo y derivados, homicidio doloso, feminicidio, violación, secuestro, trata de personas, robo de casa habitación, uso de programas sociales con fines electorales, corrupción tratándose de los delitos de enriquecimiento ilícito y ejercicio abusivo de funciones, robo al transporte de carga en cualquiera de sus modalidades, delitos en materia de hidrocarburos, petrolíferos o petroquímicos, delitos en materia de desaparición forzada de personas y desaparición cometida por particulares, delitos cometidos con medios violentos como armas y explosivos, delitos en materia de armas de fuego y explosivos de uso exclusivo del Ejército, la Armada y la Fuerza Aérea, así como los delitos graves que determine la ley en contra de la seguridad de la nación, el libre desarrollo de la personalidad y de la salud, así como contrabando y cualquier actividad relacionada con falsos comprobantes fiscales.

Las leyes generales de salud, secuestro, trata de personas, extorsión, delitos electorales y desaparición forzada de personas y desaparición cometida por particulares, así como las leyes federales para prevenir y sancionar los delitos cometidos en materia de hidrocarburos, armas de fuego y explosivos, para el control de precursores químicos, productos químicos esenciales y máquinas para elaborar cápsulas, tabletas y/o comprimidos, y contra la delincuencia organizada; y el Código Fiscal de la Federación, establecerán los supuestos que ameriten prisión preventiva oficiosa de conformidad con lo dispuesto por el párrafo segundo del artículo 19 de la Constitución Política de los Estados Unidos Mexicanos.

Párrafo reformado DOF 19-02-2021

Se consideran delitos que ameritan prisión preventiva oficiosa, los previstos en el Código Penal Federal, de la manera siguiente:

Párrafo reformado DOF 08-11-2019

I. Homicidio doloso previsto en los artículos 302 en relación al 307, 313, 315, 315 Bis, 320 y 323;

II. Genocidio, previsto en el artículo 149 Bis;

III. Violación prevista en los artículos 265, 266 y 266 Bis;

IV. Traición a la patria, previsto en los artículos 123, 124, 125 y 126;

V. Espionaje, previsto en los artículos 127 y 128;

VI. Terrorismo, previsto en los artículos 139 al 139 Ter y terrorismo internacional previsto en los artículos 148 Bis al 148 Quáter;

VII. Sabotaje, previsto en el artículo 140, párrafo primero;

VIII. Los previstos en los artículos 142, párrafo segundo y 145;

IX. Corrupción de personas menores de dieciocho años de edad o de personas que no tienen capacidad para comprender el significado del hecho o de personas que no tienen capacidad para resistirlo, previsto en el artículo 201; Pornografía de personas menores de dieciocho años de edad o de personas que no tienen capacidad para comprender el significado del hecho o de personas que no tienen capacidad para resistirlo, previsto en el artículo 202; Turismo sexual en contra de personas menores de dieciocho años de edad o de personas que no tienen capacidad para comprender el significado del hecho o de personas que no tienen capacidad para resistirlo, previsto en los artículos 203 y 203 Bis; Lenocinio de personas menores de dieciocho años de edad o de personas que no tienen capacidad para comprender el significado del hecho o de personas que no tienen capacidad para resistirlo, previsto en el artículo 204 y Pederastia, previsto en el artículo 209 Bis;

X. Tráfico de menores, previsto en el artículo 366 Ter;

XI. Contra la salud, previsto en los artículos 194, 195, 196 Ter, 197, párrafo primero y 198, parte primera del párrafo tercero;

Fracción reformada DOF 19-02-2021

XII. Abuso o violencia sexual contra menores, previsto en los artículos 261 en relación con el 260;

Fracción adicionada DOF 19-02-2021

XIII. Feminicidio, previsto en el artículo 325;

Fracción adicionada DOF 19-02-2021

XIV. Robo a casa habitación, previsto en el artículo 381 Bis;

Fracción adicionada DOF 19-02-2021

XV. Ejercicio abusivo de funciones, previsto en las fracciones I y II del primer párrafo del artículo 220, en relación con su cuarto párrafo;

Fracción adicionada DOF 19-02-2021

XVI. Enriquecimiento ilícito previsto en el artículo 224, en relación con su séptimo párrafo, y

Fracción adicionada DOF 19-02-2021

XVII. Robo al transporte de carga, en cualquiera de sus modalidades, previsto en los artículos 376 Ter y 381, fracción XVII.

Fracción adicionada DOF 19-02-2021

[Se consideran delitos que ameritan prisión preventiva oficiosa, los previstos en el Código Fiscal de la Federación, de la siguiente manera:

I. Contrabando y su equiparable, de conformidad con lo dispuesto en los artículos 102 y 105, fracciones I y IV, cuando estén a las sanciones previstas en las fracciones II o III, párrafo segundo, del artículo 104, exclusivamente cuando sean calificados;

II. Defraudación fiscal y su equiparable, de conformidad con lo dispuesto en los artículos 108 y 109, cuando el monto de lo defraudado supere 3 veces lo dispuesto en la fracción III del artículo 108 del Código Fiscal de la Federación, exclusivamente cuando sean calificados, y

III. La expedición, venta, enajenación, compra o adquisición de comprobantes fiscales que amparen operaciones inexistentes, falsas o actos jurídicos simulados, de conformidad con lo dispuesto en el artículo 113 Bis del Código Fiscal de la Federación, exclusivamente cuando las cifras, cantidad o valor de los comprobantes fiscales, superen 3 veces lo establecido en la fracción III del artículo 108 del Código Fiscal de la Federación.]

Párrafo con fracciones adicionado DOF 08-11-2019

Párrafo con fracciones declarado inválido por sentencia de la SCJN a Acción de Inconstitucionalidad notificada para efectos legales 25-11-2022

El juez no impondrá la prisión preventiva oficiosa y la sustituirá por otra medida cautelar, únicamente cuando lo solicite el Ministerio Público por no resultar proporcional para garantizar la comparecencia del imputado en el proceso, el desarrollo de la investigación, la protección de la víctima y de los testigos o de la comunidad o bien, cuando exista voluntad de las partes para celebrar un acuerdo reparatorio de cumplimiento inmediato, siempre que se trate de alguno de los delitos en los que sea procedente dicha forma de solución alterna del procedimiento. La solicitud deberá contar con la autorización del titular de la Fiscalía o de la persona funcionaria en la cual delegue esa facultad.

Párrafo reformado DOF 19-02-2021

Si la prisión preventiva oficiosa ya hubiere sido impuesta, pero las partes manifiestan la voluntad de celebrar un acuerdo reparatorio de cumplimiento inmediato, el Ministerio Público solicitará al juez la sustitución de la medida cautelar para que las partes concreten el acuerdo con el apoyo del Órgano especializado en la materia.

Párrafo adicionado DOF 19-02-2021

En los casos en los que la víctima u ofendido y la persona imputada deseen participar en un Mecanismo Alternativo de Solución de Controversias, y no sea factible modificar la medida cautelar de prisión preventiva, por existir riesgo de que el imputado se sustraiga del procedimiento o lo obstaculice, el o la Juez de Control podrá derivar el asunto al Órgano especializado en la materia, para promover la reparación del daño y concretar el acuerdo correspondiente.

Párrafo adicionado DOF 19-02-2021

Reforma DOF 19-02-2021: Suprimió del artículo el entonces párrafo quinto

Artículo 168. Peligro de sustracción del imputado

Para decidir si está garantizada o no la comparecencia del imputado en el proceso, el Juez de control tomará en cuenta, especialmente, las siguientes circunstancias:

I. El arraigo que tenga en el lugar donde deba ser juzgado determinado por el domicilio, residencia habitual, asiento de la familia y las facilidades para abandonar el lugar o permanecer oculto. La falsedad sobre el domicilio del imputado constituye presunción de riesgo de fuga;

II. El máximo de la pena que en su caso pudiera llegar a imponerse de acuerdo al delito de que se trate y la actitud que voluntariamente adopta el imputado ante éste;

III. El comportamiento del imputado posterior al hecho cometido durante el procedimiento o en otro anterior, en la medida que indique su voluntad de someterse o no a la persecución penal;

IV. La inobservancia de medidas cautelares previamente impuestas, o

V. El desacato de citaciones para actos procesales y que, conforme a derecho, le hubieran realizado las autoridades investigadoras o jurisdiccionales.

Artículo 169. Peligro de obstaculización del desarrollo de la investigación

Para decidir acerca del peligro de obstaculización del desarrollo de la investigación, el Juez de control tomará en cuenta la circunstancia del hecho imputado y los elementos aportados por el Ministerio Público para estimar como probable que, de recuperar su libertad, el imputado:

I. Destruirá, modificará, ocultará o falsificará elementos de prueba;

II. Influirá para que coimputados, testigos o peritos informen falsamente o se comporten de manera reticente o inducirá a otros a realizar tales comportamientos, o

III. Intimidará, amenazará u obstaculizará la labor de los servidores públicos que participan en la investigación.

Artículo 170. Riesgo para la víctima u ofendido, testigos o para la comunidad

La protección que deba proporcionarse a la víctima u ofendido, a los testigos o a la comunidad, se establecerá a partir de la valoración que haga el Juez de control respecto de las circunstancias del hecho y de las condiciones particulares en que se encuentren dichos sujetos, de las que puedan derivarse la existencia de un riesgo fundado de que se cometa contra dichas personas un acto que afecte su integridad personal o ponga en riesgo su vida.

Artículo 171. Pruebas para la imposición, revisión, sustitución, modificación o cese de la prisión preventiva

Las partes podrán invocar datos u ofrecer medios de prueba con el fin de solicitar la imposición, revisión, sustitución, modificación o cese de la prisión preventiva.

En todos los casos se estará a lo dispuesto por este Código en lo relativo a la admisión y desahogo de medios de prueba.

Los medios de convicción allegados tendrán eficacia únicamente para la resolución de las cuestiones que se hubieren planteado.

Artículo 172. Presentación de la garantía

Al decidir sobre la medida cautelar consistente en garantía económica, el Juez de control previamente tomará en consideración la idoneidad de la medida solicitada por el Ministerio Público. Para resolver sobre dicho monto, el Juez de control deberá tomar en cuenta el peligro de sustracción del imputado a juicio, el peligro de obstaculización del desarrollo de la investigación y el riesgo para la víctima u ofendido, para los testigos o para la comunidad. Adicionalmente deberá considerar las características del imputado, su capacidad económica, la posibilidad de cumplimiento de las obligaciones procesales a su cargo.

El Juez de control hará la estimación de modo que constituya un motivo eficaz para que el imputado se abstenga de incumplir sus obligaciones y deberá fijar un plazo razonable para exhibir la garantía.

Artículo 173. Tipo de garantía

La garantía económica podrá constituirse de las siguientes maneras:

I. Depósito en efectivo;

II. Fianza de institución autorizada;

III. Hipoteca;

IV. Prenda;

V. Fideicomiso, o

VI. Cualquier otra que a criterio del Juez de control cumpla suficientemente con esta finalidad.

El Juez de control podrá autorizar la sustitución de la garantía impuesta al imputado por otra equivalente previa audiencia del Ministerio Público, la víctima u ofendido, si estuviese presente.

Las garantías económicas se regirán por las reglas generales previstas en el Código Civil Federal o de las Entidades federativas, según corresponda y demás legislaciones aplicables.

El depósito en efectivo será equivalente a la cantidad señalada como garantía económica y se hará en la institución de crédito autorizada para ello; sin embargo, cuando por razones de la hora o por tratarse de día inhábil no pueda constituirse el depósito, el Juez de control recibirá la cantidad en efectivo, asentará registro de ella y la ingresará el primer día hábil a la institución de crédito autorizada.

Artículo 174. Incumplimiento del imputado de las medidas cautelares

Cuando el supervisor de la medida cautelar detecte un incumplimiento de una medida cautelar distinta a la garantía económica o de prisión preventiva, deberá informar a las partes de forma inmediata a efecto de que en su caso puedan solicitar la revisión de la medida cautelar.

El Ministerio Público que reciba el reporte de la autoridad de supervisión de medidas cautelares y de la suspensión condicional del proceso, deberá solicitar audiencia para revisión de la medida cautelar impuesta en el plazo más breve posible y en su caso, solicite la comparecencia del imputado o una orden de aprehensión.

Párrafo reformado DOF 17-06-2016

En caso que el imputado notificado por cualquier medio no comparezca injustificadamente a la audiencia a la que fue citado, el Ministerio Público deberá solicitar la orden de aprehensión o comparecencia.

Párrafo adicionado DOF 17-06-2016

La justificación de la inasistencia por parte del imputado deberá presentarse a más tardar al momento de la audiencia.

Párrafo adicionado DOF 17-06-2016

En el caso de que al imputado se le haya impuesto como medida cautelar una garantía económica y, exhibida ésta sea citado para comparecer ante el juez e incumpla la cita, se requerirá al garante para que presente al imputado en un plazo no mayor a ocho días, advertidos, el garante y el imputado, de que si no lo hicieren o no justificaren la incomparecencia, se hará efectiva la garantía a favor del Fondo de Ayuda, Asistencia y Reparación Integral o sus equivalentes en las entidades federativas, previstos en la Ley General de Víctimas.

Párrafo reformado DOF 17-06-2016

Si el imputado es sorprendido infringiendo una medida cautelar de las establecidas en las fracciones V, VII, VIII, IX, XII y XIII del artículo 155 de este Código, el supervisor de la medida cautelar deberá dar aviso inmediatamente y por cualquier medio, al Juez de control quien con la misma inmediatez ordenará su arresto con fundamento en el inciso d), fracción II del artículo 104 de este Código, para que dentro de la duración de este sea llevado ante él en audiencia con las partes, con el fin de que se revise la medida cautelar; siempre y cuando se le haya apercibido que de incumplir con la medida cautelar se le impondría dicha medida de apremio.

Párrafo reformado DOF 17-06-2016

Artículo 175. Cancelación de la garantía

La garantía se cancelará y se devolverán los bienes afectados por ella, cuando:

I. Se revoque la decisión que la decreta;

II. Se dicte el sobreseimiento o la sentencia absolutoria, o

III. El imputado se someta a la ejecución de la pena o la garantía no deba ejecutarse.

CAPÍTULO V
DE LA SUPERVISIÓN DE LAS MEDIDAS CAUTELARES

SECCIÓN I
DE LA AUTORIDAD DE SUPERVISIÓN DE MEDIDAS CAUTELARES Y DE LA SUSPENSIÓN CONDICIONAL DEL PROCESO

Artículo 176. Naturaleza y objeto

La Autoridad de supervisión de medidas cautelares y de la suspensión condicional del proceso, tendrá por objeto realizar la evaluación de riesgo del imputado, así como llevar a cabo el seguimiento de las medidas cautelares y de la suspensión condicional del proceso, en caso de que no sea una institución de seguridad pública se podrá auxiliar de la instancia policial correspondiente para el desarrollo de sus funciones.

Esta autoridad deberá proporcionar a las partes información sobre la evaluación de riesgos que representa el imputado y el seguimiento de las medidas cautelares y de la suspensión condicional del proceso que le soliciten.

Artículo reformado DOF 17-06-2016

Artículo 177. Obligaciones de la autoridad de supervisión de medidas cautelares y de la suspensión condicional del proceso

La autoridad de supervisión de medidas cautelares y de la suspensión condicional del proceso tendrá las siguientes obligaciones:

I. Supervisar y dar seguimiento a las medidas cautelares impuestas, distintas a la prisión preventiva, y las condiciones a cargo del imputado en caso de suspensión condicional del proceso, así como hacer sugerencias sobre cualquier cambio que amerite alguna modificación de las medidas u obligaciones impuestas;

II. Entrevistar periódicamente a la víctima o testigo del delito, con el objeto de dar seguimiento al cumplimiento de la medida cautelar impuesta o las condiciones de la suspensión condicional del proceso y canalizarlos, en su caso, a la autoridad correspondiente;

III. Realizar entrevistas así como visitas no anunciadas en el domicilio o en el lugar en donde se encuentre el imputado;

IV. Verificar la localización del imputado en su domicilio o en el lugar en donde se encuentre, cuando la modalidad de la medida cautelar o de la suspensión condicional del proceso impuesta por la autoridad judicial así lo requiera;

V. Requerir que el imputado proporcione muestras, sin previo aviso, para detectar el posible uso de alcohol o drogas prohibidas, o el resultado del examen de las mismas en su caso, cuando la modalidad de la suspensión condicional del proceso impuesta por la autoridad judicial así lo requiera;

VI. Supervisar que las personas e instituciones públicas y privadas a las que la autoridad judicial encargue el cuidado del imputado, cumplan las obligaciones contraídas;

VII. Solicitar al imputado la información que sea necesaria para verificar el cumplimiento de las medidas y obligaciones impuestas;

VIII. Revisar y sugerir el cambio de las condiciones de las medidas impuestas al imputado, de oficio o a solicitud de parte, cuando cambien las circunstancias originales que sirvieron de base para imponer la medida;

IX. Informar a las partes aquellas violaciones a las medidas y obligaciones impuestas que estén debidamente verificadas, y puedan implicar la modificación o revocación de la medida o suspensión y sugerir las modificaciones que estime pertinentes;

X. Conservar actualizada una base de datos sobre las medidas cautelares y obligaciones impuestas, su seguimiento y conclusión;

XI. Solicitar y proporcionar información a las oficinas con funciones similares de la Federación o de Entidades federativas dentro de sus respectivos ámbitos de competencia;

XII. Ejecutar las solicitudes de apoyo para la obtención de información que le requieran las oficinas con funciones similares de la Federación o de las Entidades federativas en sus respectivos ámbitos de competencia;

XIII. Canalizar al imputado a servicios sociales de asistencia, públicos o privados, en materias de salud, empleo, educación, vivienda y apoyo jurídico, cuando la modalidad de la medida cautelar o de la suspensión condicional del proceso impuesta por la autoridad judicial así lo requiera, y

XIV. Las demás que establezca la legislación aplicable.

Artículo 178. Riesgo de incumplimiento de medida cautelar distinta a la prisión preventiva

En el supuesto de que la autoridad de supervisión de medidas cautelares y de la suspensión condicional del proceso, advierta que existe un riesgo objetivo en inminente de fuga o de afectación a la integridad personal de los intervinientes, deberá informar a las partes de forma inmediata a efecto de que en su caso puedan solicitar al Juez de control la revisión de la medida cautelar.

Artículo 179. Suspensión de la medida cautelar

Cuando se determine la suspensión condicional de proceso, la autoridad judicial deberá suspender las medidas cautelares impuestas, las que podrán continuar en los mismos términos o modificarse, si el proceso se reanuda, de acuerdo con las peticiones de las partes y la determinación judicial.

Artículo 180. Continuación de la medida cautelar en caso de sentencia condenatoria recurrida

Cuando el sentenciado recurra la sentencia condenatoria, continuará el seguimiento de las medidas cautelares impuestas hasta que cause estado la sentencia, sin perjuicio de que puedan ser sujetas de revisión de conformidad con las reglas de este Código.

Artículo 181. Seguimiento de medidas cautelares en caso de suspensión del proceso

Cuando el proceso sea suspendido en virtud de que la autoridad judicial haya determinado la sustracción de la acción de la justicia, las medidas cautelares continuarán vigentes, salvo las que resulten de imposible cumplimiento.

En caso de que el proceso se suspenda por la falta de un requisito de procedibilidad, las medidas cautelares continuarán vigentes por el plazo que determine la autoridad judicial que no podrá exceder de cuarenta y ocho horas.

Si el imputado es declarado inimputable, se citará a una audiencia de revisión de la medida cautelar proveyendo, en su caso, la aplicación de ajustes razonables solicitados por las partes.

Artículo 182. Registro de actividades de supervisión

Se llevará un registro, por cualquier medio fidedigno, de las actividades necesarias que permitan a la autoridad de supervisión de medidas cautelares y de la suspensión condicional del proceso tener certeza del cumplimiento o incumplimiento de las obligaciones impuestas.

LIBRO SEGUNDO
DEL PROCEDIMIENTO

TÍTULO I
SOLUCIONES ALTERNAS Y FORMAS DE TERMINACIÓN ANTICIPADA

CAPÍTULO I
DISPOSICIONES COMUNES

Artículo 183. Principio general

En los asuntos sujetos a procedimiento abreviado se aplicarán las disposiciones establecidas en este Título.

En todo lo no previsto en este Título, y siempre que no se opongan al mismo, se aplicarán las reglas del proceso ordinario.

Para las salidas alternas y formas de terminación anticipada, la autoridad competente contará con un registro para dar seguimiento al cumplimiento de los acuerdos reparatorios, los procesos de suspensión condicional del proceso, y el procedimiento abreviado, dicho registro deberá ser consultado por el Ministerio Público y la autoridad judicial antes de solicitar y conceder, respectivamente, alguna forma de solución alterna del procedimiento o de terminación anticipada del proceso.

Artículo reformado DOF 29-12-2014

Artículo 184. Soluciones alternas

Son formas de solución alterna del procedimiento:

I. El acuerdo reparatorio, y

II. La suspensión condicional del proceso.

Artículo 185. Formas de terminación anticipada del proceso

El procedimiento abreviado será considerado una forma de terminación anticipada del proceso.

CAPÍTULO II
ACUERDOS REPARATORIOS

Artículo 186. Definición

Los acuerdos reparatorios son aquéllos celebrados entre la víctima u ofendido y el imputado que, una vez aprobados por el Ministerio Público o el Juez de control y cumplidos en sus términos, tienen como efecto la extinción de la acción penal.

Artículo reformado DOF 29-12-2014

Artículo 187. Control sobre los acuerdos reparatorios

Procederán los acuerdos reparatorios únicamente en los casos siguientes:

I. Delitos que se persiguen por querella, por requisito equivalente de parte ofendida o que admiten el perdón de la víctima o el ofendido;

Fracción reformada DOF 29-12-2014

II. Delitos culposos, o

III. Delitos patrimoniales cometidos sin violencia sobre las personas.

No procederán los acuerdos reparatorios en los casos en que el imputado haya celebrado anteriormente otros acuerdos por hechos que correspondan a los mismos delitos dolosos, tampoco procederán cuando se trate de delitos de violencia familiar o sus equivalentes en las Entidades federativas. [Tampoco serán procedentes los acuerdos reparatorios para las hipótesis previstas en las fracciones I, II y III del párrafo séptimo del artículo 167 del presente Código.]

Párrafo reformado DOF 29-12-2014, 17-06-2016, 08-11-2019

Párrafo declarado inválido por sentencia de la SCJN a Acción de Inconstitucionalidad notificada para efectos legales 25-11-2022 (En la porción normativa "Tampoco serán procedentes los acuerdos reparatorios para las hipótesis previstas en las fracciones I, II y III del párrafo séptimo del artículo 167 del presente Código")

Tampoco serán procedentes en caso de que el imputado haya incumplido previamente un acuerdo reparatorio, salvo que haya sido absuelto.

Párrafo adicionado DOF 29-12-2014. Reformado DOF 17-06-2016

Artículo 188. Procedencia

Los acuerdos reparatorios procederán desde la presentación de la denuncia o querella hasta antes de decretarse el auto de apertura de juicio. En el caso de que se haya dictado el auto de vinculación a proceso y hasta antes de que se haya dictado el auto de apertura a juicio, el Juez de control, a petición de las partes, podrá suspender el proceso penal hasta por treinta días para que las partes puedan concretar el acuerdo con el apoyo de la autoridad competente especializada en la materia.

En caso de que la concertación se interrumpa, cualquiera de las partes podrá solicitar la continuación del proceso.

Artículo reformado DOF 29-12-2014

Artículo 189. Oportunidad

Desde su primera intervención, el Ministerio Público o en su caso, el Juez de control, podrán invitar a los interesados a que suscriban un acuerdo reparatorio en los casos en que proceda, de conformidad con lo dispuesto en el presente Código, debiendo explicarles a las partes los efectos del acuerdo.

Las partes podrán acordar acuerdos reparatorios de cumplimiento inmediato o diferido. En caso de señalar que el cumplimiento debe ser diferido y no señalar plazo específico, se entenderá que el plazo será por un año. El plazo para el cumplimiento de las obligaciones suspenderá el trámite del proceso y la prescripción de la acción penal.

Si el imputado incumple sin justa causa las obligaciones pactadas, la investigación o el proceso, según corresponda, continuará como si no se hubiera celebrado acuerdo alguno.

Párrafo reformado DOF 29-12-2014

La información que se genere como producto de los acuerdos reparatorios no podrá ser utilizada en perjuicio de las partes dentro del proceso penal.

El juez decretará la extinción de la acción una vez aprobado el cumplimiento pleno de las obligaciones pactadas en un acuerdo reparatorio, haciendo las veces de sentencia ejecutoriada.

Artículo 190. Trámite

Los acuerdos reparatorios deberán ser aprobados por el Juez de control a partir de la etapa de investigación complementaria y por el Ministerio Publico en la etapa de investigación inicial. En este último supuesto, las partes tendrán derecho a acudir ante el Juez de control, dentro de los cinco días siguientes a que se haya aprobado el acuerdo reparatorio, cuando estimen que el mecanismo alternativo de solución de controversias no se desarrolló conforme a las disposiciones previstas en la ley de la materia. Si el Juez de control determina como válidas las pretensiones de las partes, podrá declarar como no celebrado el acuerdo reparatorio y, en su caso, aprobar la modificación acordada entre las partes.

Párrafo reformado DOF 29-12-2014

Previo a la aprobación del acuerdo reparatorio, el Juez de control o el Ministerio Público verificarán que las obligaciones que se contraen no resulten notoriamente desproporcionadas y que los intervinientes estuvieron en condiciones de igualdad para negociar y que no hayan actuado bajo condiciones de intimidación, amenaza o coacción.

CAPÍTULO III
SUSPENSIÓN CONDICIONAL DEL PROCESO

Artículo 191. Definición

Por suspensión condicional del proceso deberá entenderse el planteamiento formulado por el Ministerio Público o por el imputado, el cual contendrá un plan detallado sobre el pago de la reparación del daño y el sometimiento del imputado a una o varias de las condiciones que refiere este Capítulo, que garanticen una efectiva tutela de los derechos de la víctima u ofendido y que en caso de cumplirse, pueda dar lugar a la extinción de la acción penal.

Artículo 192. Procedencia

La suspensión condicional del proceso, a solicitud del imputado o del Ministerio Público con acuerdo de aquél, procederá en los casos en que se cubran los requisitos siguientes:

I. Que el auto de vinculación a proceso del imputado se haya dictado por un delito cuya media aritmética de la pena de prisión no exceda de cinco años;

Fracción reformada DOF 17-06-2016

II. Que no exista oposición fundada de la víctima y ofendido, y

Fracción reformada DOF 17-06-2016

III. Que hayan transcurrido dos años desde el cumplimiento o cinco años desde el incumplimiento, de una suspensión condicional anterior, en su caso.

Fracción adicionada DOF 17-06-2016

Lo señalado en la fracción III del presente artículo, no procederá cuando el imputado haya sido absuelto en dicho procedimiento.

Párrafo reformado DOF 17-06-2016

[La suspensión condicional será improcedente para las hipótesis previstas en las fracciones I, II y III del párrafo séptimo del artículo 167 del presente Código.]

Párrafo adicionado DOF 08-11-2019

Párrafo declarado inválido por sentencia de la SCJN a Acción de Inconstitucionalidad notificada para efectos legales 25-11-2022

Artículo 193. Oportunidad

Una vez dictado el auto de vinculación a proceso, la suspensión condicional del proceso podrá solicitarse en cualquier momento hasta antes de acordarse la apertura de juicio, y no impedirá el ejercicio de la acción civil ante los tribunales respectivos.

Artículo 194. Plan de reparación

En la audiencia en donde se resuelva sobre la solicitud de suspensión condicional del proceso, el imputado deberá plantear, un plan de reparación del daño causado por el delito y plazos para cumplirlo.

Artículo 195. Condiciones por cumplir durante el periodo de suspensión condicional del proceso

El Juez de control fijará el plazo de suspensión condicional del proceso, que no podrá ser inferior a seis meses ni superior a tres años, y determinará imponer al imputado una o varias de las condiciones que deberá cumplir, las cuales en forma enunciativa más no limitativa se señalan:

I. Residir en un lugar determinado;

II. Frecuentar o dejar de frecuentar determinados lugares o personas;

III. Abstenerse de consumir drogas o estupefacientes o de abusar de las bebidas alcohólicas;

IV. Participar en programas especiales para la prevención y el tratamiento de adicciones;

V. Aprender una profesión u oficio o seguir cursos de capacitación en el lugar o la institución que determine el Juez de control;

VI. Prestar servicio social a favor del Estado o de instituciones de beneficencia pública;

VII. Someterse a tratamiento médico o psicológico, de preferencia en instituciones públicas;

VIII. Tener un trabajo o empleo, o adquirir, en el plazo que el Juez de control determine, un oficio, arte, industria o profesión, si no tiene medios propios de subsistencia;

IX. Someterse a la vigilancia que determine el Juez de control;

X. No poseer ni portar armas;

XI. No conducir vehículos;

XII. Abstenerse de viajar al extranjero;

XIII. Cumplir con los deberes de deudor alimentario, o

XIV. Cualquier otra condición que, a juicio del Juez de control, logre una efectiva tutela de los derechos de la víctima.

Para fijar las condiciones, el Juez de control podrá disponer que el imputado sea sometido a una evaluación previa. El Ministerio Público, la víctima u ofendido, podrán proponer al Juez de control condiciones a las que consideran debe someterse el imputado.

El Juez de control preguntará al imputado si se obliga a cumplir con las condiciones impuestas y, en su caso, lo prevendrá sobre las consecuencias de su inobservancia.

Artículo 196. Trámite

La víctima u ofendido serán citados a la audiencia en la fecha que señale el Juez de control. La incomparecencia de éstos no impedirá que el Juez resuelva sobre la procedencia y términos de la solicitud.

En su resolución, el Juez de control fijará las condiciones bajo las cuales se suspende el proceso o se rechaza la solicitud y aprobará el plan de reparación propuesto, mismo que podrá ser modificado por el Juez de control en la audiencia. La sola falta de recursos del imputado no podrá ser utilizada como razón suficiente para rechazar la suspensión condicional del proceso.

La información que se genere como producto de la suspensión condicional del proceso no podrá ser utilizada en caso de continuar el proceso penal.

Párrafo reformado DOF 17-06-2016

Artículo 197. Conservación de los registros de investigación y medios de prueba

En los procesos suspendidos de conformidad con las disposiciones establecidas en el presente Capítulo, el Ministerio Público tomará las medidas necesarias para evitar la pérdida, destrucción o ineficacia de los registros y medios de prueba conocidos y los que soliciten los sujetos que intervienen en el proceso.

Artículo 198. Revocación de la suspensión condicional del proceso

Si el imputado dejara de cumplir injustificadamente las condiciones impuestas, no cumpliera con el plan de reparación, o posteriormente fuera condenado por sentencia ejecutoriada por delito doloso o culposo, siempre que el proceso suspendido se refiera a delito de esta naturaleza, el Juez de control, previa petición del agente del Ministerio Público o de la víctima u ofendido, convocará a las partes a una audiencia en la que se debatirá sobre la procedencia de la revocación de la suspensión condicional del proceso, debiendo resolver de inmediato lo que proceda.

El Juez de control también podrá ampliar el plazo de la suspensión condicional del proceso hasta por dos años más. Esta extensión del término podrá imponerse por una sola vez.

Si la víctima u ofendido hubiese recibido pagos durante la suspensión condicional del proceso y ésta en forma posterior fuera revocada, el monto total a que ascendieran dichos pagos deberán ser destinados al pago de la indemnización por daños y perjuicios que en su caso corresponda a la víctima u ofendido.

La obligación de cumplir con las condiciones derivadas de la suspensión condicional del proceso, así como el plazo otorgado para tal efecto se interrumpirán mientras el imputado esté privado de su libertad por otro proceso. Una vez que el imputado obtenga su libertad, éstos se reanudarán.

Si el imputado estuviera sometido a otro proceso y goza de libertad, la obligación de cumplir con las condiciones establecidas para la suspensión condicional del proceso así como el plazo otorgado para tal efecto, continuarán vigentes; sin embargo, no podrá decretarse la extinción de la acción penal hasta en tanto quede firme la resolución que lo exime de responsabilidad dentro del otro proceso.

Artículo 199. Cesación provisional de los efectos de la suspensión condicional del proceso

La suspensión condicional del proceso interrumpirá los plazos para la prescripción de la acción penal del delito de que se trate.

Cuando las condiciones establecidas por el Juez de control para la suspensión condicional del proceso, así como el plan de reparación hayan sido cumplidas por el imputado dentro del plazo establecido para tal efecto sin que se hubiese revocado dicha suspensión condicional del proceso, se extinguirá la acción penal, para lo cual el Juez de control deberá decretar de oficio o a petición de parte el sobreseimiento.

Artículo 200. Verificación de la existencia de un acuerdo previo

Previo al comienzo de la audiencia de suspensión condicional del proceso, el Ministerio Público deberá consultar en los registros respectivos si el imputado en forma previa fue parte de algún mecanismo de solución alterna o suscribió acuerdos reparatorios, debiendo incorporar en los registros de investigación el resultado de la consulta e informar en la audiencia de los mismos.

CAPÍTULO IV
PROCEDIMIENTO ABREVIADO

Artículo 201. Requisitos de procedencia y verificación del Juez

Para autorizar el procedimiento abreviado, el Juez de control verificará en audiencia los siguientes requisitos:

I. Que el Ministerio Público solicite el procedimiento, para lo cual se deberá formular la acusación y exponer los datos de prueba que la sustentan. La acusación deberá contener la enunciación de los hechos que se atribuyen al acusado, su clasificación jurídica y grado de intervención, así como las penas y el monto de reparación del daño;

II. Que la víctima u ofendido no presente oposición. Sólo será vinculante para el juez la oposición que se encuentre fundada, y

III. Que el imputado:

a) Reconozca estar debidamente informado de su derecho a un juicio oral y de los alcances del procedimiento abreviado;

b) Expresamente renuncie al juicio oral;

c) Consienta la aplicación del procedimiento abreviado;

d) Admita su responsabilidad por el delito que se le imputa;

e) Acepte ser sentenciado con base en los medios de convicción que exponga el Ministerio Público al formular la acusación.

Artículo 202. Oportunidad

El Ministerio Público podrá solicitar la apertura del procedimiento abreviado después de que se dicte el auto de vinculación a proceso y hasta antes de la emisión del auto de apertura a juicio oral.

A la audiencia se deberá citar a todas las partes. La incomparecencia de la víctima u ofendido debidamente citados no impedirá que el Juez de control se pronuncie al respecto.

Cuando el acusado no haya sido condenado previamente por delito doloso y el delito por el cual se lleva a cabo el procedimiento abreviado es sancionado con pena de prisión cuya media aritmética no exceda de cinco años, incluidas sus calificativas atenuantes o agravantes, el Ministerio Público podrá solicitar la reducción de hasta una mitad de la pena mínima en los casos de delitos dolosos y hasta dos terceras partes de la pena mínima en el caso de delitos culposos, de la pena de prisión que le correspondiere al delito por el cual acusa.

En cualquier caso, el Ministerio Público podrá solicitar la reducción de hasta un tercio de la mínima en los casos de delitos dolosos y hasta en una mitad de la mínima en el caso de delitos culposos, de la pena de prisión. Si al momento de esta solicitud, ya existiere acusación formulada por escrito, el Ministerio Público podrá modificarla oralmente en la audiencia donde se resuelva sobre el procedimiento abreviado y en su caso solicitar la reducción de las penas, para el efecto de permitir la tramitación del caso conforme a las reglas previstas en el presente Capítulo.

El Ministerio Público al solicitar la pena en los términos previstos en el presente artículo, deberá observar el Acuerdo que al efecto emita el Procurador.

Artículo 203. Admisibilidad

En la misma audiencia, el Juez de control admitirá la solicitud del Ministerio Público cuando verifique que concurran los medios de convicción que corroboren la imputación, en términos de la fracción VII, del apartado A del artículo 20 de la Constitución. Serán medios de convicción los datos de prueba que se desprendan de los registros contenidos en la carpeta de investigación.

Si el procedimiento abreviado no fuere admitido por el Juez de control, se tendrá por no formulada la acusación oral que hubiere realizado el Ministerio Público, lo mismo que las modificaciones que, en su caso, hubiera realizado a su respectivo escrito y se continuará de acuerdo con las disposiciones previstas para el procedimiento ordinario. Asimismo, el Juez de control ordenará que todos los antecedentes relativos al planteamiento, discusión y resolución de la solicitud de procedimiento abreviado sean eliminados del registro.

Si no se admite la solicitud por inconsistencias o incongruencias en los planteamientos del Ministerio Público, éste podrá presentar nuevamente la solicitud una vez subsanados los defectos advertidos.

Artículo 204. Oposición de la víctima u ofendido

La oposición de la víctima u ofendido sólo será procedente cuando se acredite ante el Juez de control que no se encuentra debidamente garantizada la reparación del daño.

Artículo 205. Trámite del procedimiento

Una vez que el Ministerio Público ha realizado la solicitud del procedimiento abreviado y expuesto la acusación con los datos de prueba respectivos, el Juez de control resolverá la oposición que hubiere expresado la víctima u ofendido, observará el cumplimiento de los requisitos establecidos en el artículo 201, fracción III, correspondientes al imputado y verificará que los elementos de convicción que sustenten la acusación se encuentren debidamente integrados en la carpeta de investigación, previo a resolver sobre la autorización del procedimiento abreviado.

Una vez que el Juez de control haya autorizado dar trámite al procedimiento abreviado, escuchará al Ministerio Público, a la víctima u ofendido o a su Asesor jurídico, de estar presentes y después a la defensa; en todo caso, la exposición final corresponderá siempre al acusado.

Artículo 206. Sentencia

Concluido el debate, el Juez de control emitirá su fallo en la misma audiencia, para lo cual deberá dar lectura y explicación pública a la sentencia, dentro del plazo de cuarenta y ocho horas, explicando de forma concisa los fundamentos y motivos que tomó en consideración.

No podrá imponerse una pena distinta o de mayor alcance a la que fue solicitada por el Ministerio Público y aceptada por el acusado.

El juez deberá fijar el monto de la reparación del daño, para lo cual deberá expresar las razones para aceptar o rechazar las objeciones que en su caso haya formulado la víctima u ofendido.

Artículo 207. Reglas generales

La existencia de varios coimputados no impide la aplicación de estas reglas en forma individual.

CAPÍTULO V
DE LA SUPERVISIÓN DE LAS CONDICIONES IMPUESTAS EN LA SUSPENSIÓN CONDICIONAL DEL PROCESO

Artículo 208. Reglas para las obligaciones de la suspensión condicional del proceso

Para el seguimiento de las obligaciones previstas en el artículo 195, fracciones III, IV, V, VI, VIII y XIII las instituciones públicas y privadas designadas por la autoridad judicial, informarán a la autoridad de supervisión de medidas cautelares y de la suspensión condicional del proceso sobre su cumplimiento.

Artículo 209. Notificación de las obligaciones de la suspensión condicional del proceso

Concluida la audiencia y aprobada la suspensión condicional del proceso y las obligaciones que deberá cumplir el imputado, se notificará a la autoridad de supervisión de medidas cautelares y de la suspensión condicional del proceso, con el objeto de que ésta dé inicio al proceso de supervisión. Para tal efecto, se le deberá proporcionar la información de las condiciones impuestas.

Artículo 210. Notificación del incumplimiento

Cuando considere que se ha actualizado un incumplimiento injustificado, la autoridad de supervisión de medidas cautelares y de la suspensión condicional del proceso enviará el reporte de incumplimiento a las partes para que soliciten la audiencia de revocación de la suspensión ante el juez competente.

Si el juez determina la revocación de la suspensión condicional del proceso, concluirá la supervisión de la autoridad de supervisión de medidas cautelares y de la suspensión condicional del proceso.

El Ministerio Público que reciba el reporte de la autoridad de supervisión de medidas cautelares y de la suspensión condicional del proceso, deberá solicitar audiencia para pedir la revisión de las condiciones u obligaciones impuestas a la brevedad posible.

TÍTULO II
PROCEDIMIENTO ORDINARIO

CAPÍTULO ÚNICO
ETAPAS DEL PROCEDIMIENTO

Artículo 211. Etapas del procedimiento penal

El procedimiento penal comprende las siguientes etapas:

I. La de investigación, que comprende las siguientes fases:

a) Investigación inicial, que comienza con la presentación de la denuncia, querella u otro requisito equivalente y concluye cuando el imputado queda a disposición del Juez de control para que se le formule imputación, e

b) Investigación complementaria, que comprende desde la formulación de la imputación y se agota una vez que se haya cerrado la investigación;

II. La intermedia o de preparación del juicio, que comprende desde la formulación de la acusación hasta el auto de apertura del juicio, y

III. La de juicio, que comprende desde que se recibe el auto de apertura a juicio hasta la sentencia emitida por el Tribunal de enjuiciamiento.

La investigación no se interrumpe ni se suspende durante el tiempo en que se lleve a cabo la audiencia inicial hasta su conclusión o durante la víspera de la ejecución de una orden de aprehensión. El ejercicio de la acción inicia con la solicitud de citatorio a audiencia inicial, puesta a disposición del detenido ante la autoridad judicial o cuando se solicita la orden de aprehensión o comparecencia, con lo cual el Ministerio Público no perderá la dirección de la investigación.

El proceso dará inicio con la audiencia inicial, y terminará con la sentencia firme.

TÍTULO III
ETAPA DE INVESTIGACIÓN

CAPÍTULO I
DISPOSICIONES COMUNES A LA INVESTIGACIÓN

Artículo 212. Deber de investigación penal

Cuando el Ministerio Público tenga conocimiento de la existencia de un hecho que la ley señale como delito, dirigirá la investigación penal, sin que pueda suspender, interrumpir o hacer cesar su curso, salvo en los casos autorizados en la misma.

La investigación deberá realizarse de manera inmediata, eficiente, exhaustiva, profesional e imparcial, libre de estereotipos y discriminación, orientada a explorar todas las líneas de investigación posibles que permitan allegarse de datos para el esclarecimiento del hecho que la ley señala como delito, así como la identificación de quien lo cometió o participó en su comisión.

Artículo 213. Objeto de la investigación

La investigación tiene por objeto que el Ministerio Público reúna indicios para el esclarecimiento de los hechos y, en su caso, los datos de prueba para sustentar el ejercicio de la acción penal, la acusación contra el imputado y la reparación del daño.

Artículo 214. Principios que rigen a las autoridades de la investigación

Las autoridades encargadas de desarrollar la investigación de los delitos se regirán por los principios de legalidad, objetividad, eficiencia, profesionalismo, honradez, lealtad y respeto a los derechos humanos reconocidos en la Constitución y en los Tratados.

Artículo 215. Obligación de suministrar información

Toda persona o servidor público está obligado a proporcionar oportunamente la información que requieran el Ministerio Público y la Policía en el ejercicio de sus funciones de investigación de un hecho delictivo concreto. En caso de ser citados para ser entrevistados por el Ministerio Público o la Policía, tienen obligación de comparecer y sólo podrán excusarse en los casos expresamente previstos en la ley. En caso de incumplimiento, se incurrirá en responsabilidad y será sancionado de conformidad con las leyes aplicables.

Artículo 216. Proposición de actos de investigación

Durante la investigación, tanto el imputado cuando haya comparecido o haya sido entrevistado, como su Defensor, así como la víctima u ofendido, podrán solicitar al Ministerio Público todos aquellos actos de investigación que consideraren pertinentes y útiles para el esclarecimiento de los hechos. El Ministerio Público ordenará que se lleven a cabo aquellos que sean conducentes. La solicitud deberá resolverse en un plazo máximo de tres días siguientes a la fecha en que se haya formulado la petición al Ministerio Público.

Artículo 217. Registro de los actos de investigación

El Ministerio Público y la Policía deberán dejar registro de todas las actuaciones que se realicen durante la investigación de los delitos, utilizando al efecto cualquier medio que permita garantizar que la información recabada sea completa, íntegra y exacta, así como el acceso a la misma por parte de los sujetos que de acuerdo con la ley tuvieren derecho a exigirlo.

Cada acto de investigación se registrará por separado, y será firmado por quienes hayan intervenido. Si no quisieren o no pudieren firmar, se imprimirá su huella digital. En caso de que esto no sea posible o la persona se niegue a imprimir su huella, se hará constar el motivo.

El registro de cada actuación deberá contener por lo menos la indicación de la fecha, hora y lugar en que se haya efectuado, identificación de los servidores públicos y demás personas que hayan intervenido y una breve descripción de la actuación y, en su caso, de sus resultados.

Artículo 218. Reserva de los actos de investigación

Los registros de la investigación, así como todos los documentos, independientemente de su contenido o naturaleza, los objetos, los registros de voz e imágenes o cosas que le estén relacionados, son estrictamente reservados, por lo que únicamente las partes, podrán tener acceso a los mismos, con las limitaciones establecidas en este Código y demás disposiciones aplicables.

La víctima u ofendido y su Asesor Jurídico podrán tener acceso a los registros de la investigación en cualquier momento.

El imputado y su defensor podrán tener acceso a ellos cuando se encuentre detenido, sea citado para comparecer como imputado o sea sujeto de un acto de molestia y se pretenda recibir su entrevista, a partir de este momento ya no podrán mantenerse en reserva los registros para el imputado o su Defensor a fin de no afectar su derecho de defensa. Para los efectos de este párrafo, se entenderá como acto de molestia lo dispuesto en el artículo 266 de este Código.

En ningún caso la reserva de los registros podrá hacerse valer en perjuicio del imputado y su Defensor, una vez dictado el auto de vinculación a proceso, salvo lo previsto en este Código o en las leyes especiales.

Para efectos de acceso a la información pública gubernamental, el Ministerio Público únicamente deberá proporcionar una versión pública de las determinaciones de no ejercicio de la acción penal, archivo temporal o de aplicación de un criterio de oportunidad, siempre que haya transcurrido un plazo igual al de prescripción de los delitos de que se trate, de conformidad con lo dispuesto en el Código Penal Federal o estatal correspondiente, sin que pueda ser menor de tres años, ni mayor de doce años, contado a partir de que dicha determinación haya quedado firme.

Artículo reformado DOF 17-06-2016

Artículo 219. Acceso a los registros y la audiencia inicial

Una vez convocados a la audiencia inicial, el imputado y su Defensor tienen derecho a consultar los registros de la investigación y a obtener copia, con la oportunidad debida para preparar la defensa. En caso que el Ministerio Público se niegue a permitir el acceso a los registros o a la obtención de las copias, podrán acudir ante el Juez de control para que resuelva lo conducente.

Artículo 220. Excepciones para el acceso a la información

El Ministerio Público podrá solicitar excepcionalmente al Juez de control que determinada información se mantenga bajo reserva aún después de la vinculación a proceso, cuando sea necesario para evitar la destrucción, alteración u ocultamiento de pruebas, la intimidación, amenaza o influencia a los testigos del hecho, para asegurar el éxito de la investigación, o para garantizar la protección de personas o bienes jurídicos.

Si el Juez de control considera procedente la solicitud, así lo resolverá y determinará el plazo de la reserva, siempre que la información que se solicita sea reservada, sea oportunamente revelada para no afectar el derecho de defensa. La reserva podrá ser prorrogada cuando sea estrictamente necesario, pero no podrá prolongarse hasta después de la formulación de la acusación.

CAPÍTULO II
INICIO DE LA INVESTIGACIÓN

Artículo 221. Formas de inicio

La investigación de los hechos que revistan características de un delito podrá iniciarse por denuncia, por querella o por su equivalente cuando la ley lo exija. El Ministerio Público y la Policía están obligados a proceder sin mayores requisitos a la investigación de los hechos de los que tengan noticia.

Tratándose de delitos que deban perseguirse de oficio, bastará para el inicio de la investigación la comunicación que haga cualquier persona, en la que se haga del conocimiento de la autoridad investigadora los hechos que pudieran ser constitutivos de un delito.

Tratándose de informaciones anónimas, la Policía constatará la veracidad de los datos aportados mediante los actos de investigación que consideren conducentes para este efecto. De confirmarse la información, se iniciará la investigación correspondiente.

Cuando el Ministerio Público tenga conocimiento de la probable comisión de un hecho delictivo cuya persecución dependa de querella o de cualquier otro requisito equivalente que deba formular alguna autoridad, lo comunicará por escrito y de inmediato a ésta, a fin de que resuelva lo que a sus facultades o atribuciones corresponda. Las autoridades harán saber por escrito al Ministerio Público la determinación que adopten.

El Ministerio Público podrá aplicar el criterio de oportunidad en los casos previstos por las disposiciones legales aplicables o no iniciar investigación cuando resulte evidente que no hay delito que perseguir. Las decisiones del Ministerio Público serán impugnables en los términos que prevé este Código.

Artículo 222. Deber de denunciar

Toda persona a quien le conste que se ha cometido un hecho probablemente constitutivo de un delito está obligada a denunciarlo ante el Ministerio Público y en caso de urgencia ante cualquier agente de la Policía.

Quien en ejercicio de funciones públicas tenga conocimiento de la probable existencia de un hecho que la ley señale como delito, está obligado a denunciarlo inmediatamente al Ministerio Público, proporcionándole todos los datos que tuviere, poniendo a su disposición a los imputados, si hubieren sido detenidos en flagrancia. Quien tenga el deber jurídico de denunciar y no lo haga, será acreedor a las sanciones correspondientes.

Cuando el ejercicio de las funciones públicas a que se refiere el párrafo anterior, correspondan a la coadyuvancia con las autoridades responsables de la seguridad pública, además de cumplir con lo previsto en dicho párrafo, la intervención de los servidores públicos respectivos deberá limitarse a preservar el lugar de los hechos hasta el arribo de las autoridades competentes y, en su caso, adoptar las medidas a su alcance para que se brinde atención médica de urgencia a los heridos si los hubiere, así como poner a disposición de la autoridad a los detenidos por conducto o en coordinación con la policía.

Párrafo adicionado DOF 17-06-2016

No estarán obligados a denunciar quienes al momento de la comisión del delito detenten el carácter de tutor, curador, pupilo, cónyuge, concubina o concubinario, conviviente del imputado, los parientes por consanguinidad o por afinidad en la línea recta ascendente o descendente hasta el cuarto grado y en la colateral por consanguinidad o afinidad, hasta el segundo grado inclusive.

Artículo 223. Forma y contenido de la denuncia

La denuncia podrá formularse por cualquier medio y deberá contener, salvo los casos de denuncia anónima o reserva de identidad, la identificación del denunciante, su domicilio, la narración circunstanciada del hecho, la indicación de quién o quiénes lo habrían cometido y de las personas que lo hayan presenciado o que tengan noticia de él y todo cuanto le constare al denunciante.

En el caso de que la denuncia se haga en forma oral, se levantará un registro en presencia del denunciante, quien previa lectura que se haga de la misma, lo firmará junto con el servidor público que la reciba. La denuncia escrita será firmada por el denunciante.

En ambos casos, si el denunciante no pudiere firmar, estampará su huella digital, previa lectura que se le haga de la misma.

Artículo 224. Trámite de la denuncia

Cuando la denuncia sea presentada directamente ante el Ministerio Público, éste iniciará la investigación conforme a las reglas previstas en este Código.

Cuando la denuncia sea presentada ante la Policía, ésta informará de dicha circunstancia al Ministerio Público en forma inmediata y por cualquier medio, sin perjuicio de realizar las diligencias urgentes que se requieran dando cuenta de ello en forma posterior al Ministerio Público.

Artículo 225. Querella u otro requisito equivalente

La querella es la expresión de la voluntad de la víctima u ofendido o de quien legalmente se encuentre facultado para ello, mediante la cual manifiesta expresamente ante el Ministerio Público su pretensión de que se inicie la investigación de uno o varios hechos que la ley señale como delitos y que requieran de este requisito de procedibilidad para ser investigados y, en su caso, se ejerza la acción penal correspondiente.

La querella deberá contener, en lo conducente, los mismos requisitos que los previstos para la denuncia. El Ministerio Público deberá cerciorarse que éstos se encuentren debidamente satisfechos para, en su caso, proceder en los términos que prevé el presente Código. Tratándose de requisitos de procedibilidad equivalentes, el Ministerio Público deberá realizar la misma verificación.

Artículo 226. Querella de personas menores de edad o que no tienen capacidad para comprender el significado del hecho

Tratándose de personas menores de dieciocho años, o de personas que no tengan la capacidad de comprender el significado dèl hecho, la querella podrá ser presentada por quienes ejerzan la patria potestad o la tutela o sus representantes legales, sin perjuicio de que puedan hacerlo por sí mismos, por sus hermanos o un tercero, cuando se trate de delitos cometidos en su contra por quienes ejerzan la patria potestad, la tutela o sus propios representantes.

CAPÍTULO III
TÉCNICAS DE INVESTIGACIÓN

Artículo 227. Cadena de custodia

La cadena de custodia es el sistema de control y registro que se aplica al indicio, evidencia, objeto, instrumento o producto del hecho delictivo, desde su localización, descubrimiento o aportación, en el lugar de los hechos o del hallazgo, hasta que la autoridad competente ordene su conclusión.

Con el fin de corroborar los elementos materiales probatorios y la evidencia física, la cadena de custodia se aplicará teniendo en cuenta los siguientes factores: identidad, estado original, condiciones de recolección, preservación, empaque y traslado; lugares y fechas de permanencia y los cambios que en cada custodia se hayan realizado; igualmente se registrará el nombre y la identificación de todas las personas que hayan estado en contacto con esos elementos.

Artículo 228. Responsables de cadena de custodia

La aplicación de la cadena de custodia es responsabilidad de quienes en cumplimiento de las funciones propias de su encargo o actividad, en los términos de ley, tengan contacto con los indicios, vestigios, evidencias, objetos, instrumentos o productos del hecho delictivo.

Cuando durante el procedimiento de cadena de custodia los indicios, huellas o vestigios del hecho delictivo, así como los instrumentos, objetos o productos del delito se alteren, no perderán su valor probatorio, a menos que la autoridad competente verifique que han sido modificados de tal forma que hayan perdido su eficacia para acreditar el hecho o circunstancia de que se trate. Los indicios, huellas o vestigios del hecho delictivo, así como los instrumentos, objetos o productos del delito deberán concatenarse con otros medios probatorios para tal fin. Lo anterior, con independencia de la responsabilidad en que pudieran incurrir los servidores públicos por la inobservancia de este procedimiento.

Artículo 229. Aseguramiento de bienes, instrumentos, objetos o productos del delito

Los instrumentos, objetos o productos del delito, así como los bienes en que existan huellas o pudieran tener relación con éste, siempre que guarden relación directa con el lugar de los hechos o del hallazgo, serán asegurados durante el desarrollo de la investigación, a fin de que no se alteren, destruyan o desaparezcan. Para tales efectos se establecerán controles específicos para su resguardo, que atenderán como mínimo a la naturaleza del bien y a la peligrosidad de su conservación.

Artículo 230. Reglas sobre el aseguramiento de bienes

El aseguramiento de bienes se realizará conforme a lo siguiente:

I. El Ministerio Público, o la Policía en auxilio de éste, deberá elaborar un inventario de todos y cada uno de los bienes que se pretendan asegurar, firmado por el imputado o la persona con quien se atienda el acto de investigación. Ante su ausencia o negativa, la relación deberá ser firmada por dos testigos presenciales que preferentemente no sean miembros de la Policía y cuando ello suceda, que no hayan participado materialmente en la ejecución del acto;

II. La Policía deberá tomar las providencias necesarias para la debida preservación del lugar de los hechos o del hallazgo y de los indicios, huellas, o vestigios del hecho delictivo, así como de los instrumentos, objetos o productos del delito asegurados, y

III. Los bienes asegurados y el inventario correspondiente se pondrán a la brevedad a disposición de la autoridad competente, de conformidad con las disposiciones aplicables. Se deberá informar si los bienes asegurados son indicio, evidencia física, objeto, instrumento o producto del hecho delictivo.

Fracción reformada DOF 09-08-2019

Artículo 231. Notificación del aseguramiento y abandono

El Ministerio Público deberá notificar al interesado o a su representante legal el aseguramiento del objeto, instrumento o producto del delito, dentro de los sesenta días naturales siguientes a su ejecución, entregando o poniendo a su disposición, según sea el caso, una copia del registro de aseguramiento, para que manifieste lo que a su derecho convenga.

Cuando se desconozca la identidad o domicilio del interesado, la notificación se hará por dos edictos que se publicarán en el Diario Oficial de la Federación o su equivalente, en el medio de difusión oficial en la Entidad federativa que corresponda y en un periódico de circulación nacional o estatal, según corresponda, con un intervalo de diez días hábiles entre cada publicación. En la notificación se apercibirá al interesado o a su representante legal para que se abstenga de ejercer actos de dominio sobre los bienes asegurados y se le apercibirá que de no manifestar lo que a su derecho convenga, en un término de noventa días naturales siguientes al de la notificación, los bienes causarán abandono a favor del Gobierno Federal o de la Entidad federativa de que se trate, según corresponda.

Párrafo reformado DOF 09-08-2019

Transcurrido dicho plazo sin que ninguna persona se haya presentado a deducir derechos sobre los bienes asegurados, el Ministerio Público solicitará al Juez de control que declare el abandono de los bienes y éste citará al interesado, a la víctima u ofendido y al Ministerio Público a una audiencia dentro de los diez días siguientes a la solicitud a que se refiere el párrafo anterior.

La citación a la audiencia se realizará como sigue:

I. Al Ministerio Público, conforme a las reglas generales establecidas en este Código;

II. A la víctima u ofendido, de manera personal y cuando se desconozca su domicilio o identidad, por estrados y boletín judicial, y

III. Al interesado de manera personal y cuando se desconozca su domicilio o identidad, de conformidad con las reglas de la notificación previstas en el presente Código.

El Juez de control, al resolver sobre el abandono, verificará que la notificación realizada al interesado haya cumplido con las formalidades que prevé este Código; que haya transcurrido el plazo correspondiente y que no se haya presentado persona alguna ante el Ministerio Público a deducir derechos sobre los bienes asegurados o que éstos no hayan sido reconocidos o que no se hubieren cubierto los requerimientos legales.

La declaratoria de abandono será notificada, en su caso, a la autoridad competente que tenga los bienes bajo su administración para efecto de que sean destinados al Gobierno Federal o de la Entidad federativa que corresponda, en términos de las disposiciones aplicables.

Párrafo reformado DOF 09-08-2019

Artículo 232. Custodia y disposición de los bienes asegurados

Cuando los bienes que se aseguren hayan sido previamente embargados, intervenidos, secuestrados o asegurados, se notificará el nuevo aseguramiento a las autoridades que hayan ordenado dichos actos. Los bienes continuarán en custodia de quien se haya designado para ese fin, y a disposición de la autoridad judicial o del Ministerio Público para los efectos del procedimiento penal. De levantarse el embargo, intervención, secuestro o aseguramiento previos, quien los tenga bajo su custodia, los entregará a la autoridad competente para efectos de su administración.

Sobre los bienes asegurados no podrán ejercerse actos de dominio por sus propietarios, depositarios, interventores o administradores, durante el tiempo que dure el aseguramiento en el procedimiento penal, salvo los casos expresamente señalados por las disposiciones aplicables.

El aseguramiento no implica modificación alguna a los gravámenes o limitaciones de dominio existentes con anterioridad sobre los bienes.

Artículo 233. Registro de los bienes asegurados

Se hará constar en los registros públicos que correspondan, de conformidad con las disposiciones aplicables:

I. El aseguramiento de bienes inmuebles, derechos reales, aeronaves, embarcaciones, empresas, negociaciones, establecimientos, acciones, partes sociales, títulos bursátiles y cualquier otro bien o derecho susceptible de registro o constancia, y

II. El nombramiento del depositario, interventor o administrador, de los bienes a que se refiere la fracción anterior.

El registro o su cancelación se realizarán sin más requisito que el oficio que para tal efecto emita la autoridad judicial o el Ministerio Público.

Artículo 234. Frutos de los bienes asegurados

A los frutos o rendimientos de los bienes durante el tiempo del aseguramiento, se les dará el mismo tratamiento que a los bienes asegurados que los generen.

Ni el aseguramiento de bienes ni su conversión a numerario implican que éstos entren al erario público.

Artículo 235. Aseguramiento de narcóticos y productos relacionados con delitos de propiedad intelectual, derechos de autor e hidrocarburos.

Encabezado del artículo reformado DOF 12-01-2016

Cuando se aseguren narcóticos previstos en cualquier disposición, productos relacionados con delitos de propiedad intelectual y derechos de autor o bienes que impliquen un alto costo o peligrosidad por su conservación, si esta medida es procedente, el Ministerio Público ordenará su destrucción, previa autorización o intervención de las autoridades correspondientes, debiendo previamente fotografiarlos o videograbarlos, así como levantar un acta en la que se haga constar la naturaleza, peso, cantidad o volumen y demás características de éstos, debiéndose recabar muestras del mismo para que obren en los registros de la investigación que al efecto se inicie.

Cuando se aseguren hidrocarburos, petrolíferos o petroquímicos y demás activos, se pondrán a disposición del Ministerio Público de la Federación, quien sin dilación alguna procederá a su entrega a los asignatarios, contratistas o permisionarios, o a quien resulte procedente, quienes estarán obligados a recibirlos en los mismos términos, para su destino final, previa inspección en la que se determinará la naturaleza, volumen y demás características de éstos; conservando muestras representativas para la elaboración de los dictámenes periciales que hayan de producirse en la carpeta de investigación y en proceso, según sea el caso.

Párrafo adicionado DOF 12-01-2016

Artículo 236. Objetos de gran tamaño

Los objetos de gran tamaño, como naves, aeronaves, vehículos automotores, máquinas, grúas y otros similares, después de ser examinados por peritos para recoger indicios que se hallen en ellos, podrán ser videograbados o fotografiados en su totalidad y se registrarán del mismo modo los sitios en donde se hallaron huellas, rastros, narcóticos, armas, explosivos o similares que puedan ser objeto o producto de delito.

Artículo 237. Aseguramiento de objetos de gran tamaño

Los objetos mencionados en el artículo precedente, después de que sean examinados, fotografiados, o videograbados podrán ser devueltos, con o sin reservas, al propietario, poseedor o al tenedor legítimo según el caso, previa demostración de la calidad invocada, siempre y cuando no hayan sido medios eficaces para la comisión del delito.

Artículo 238. Aseguramiento de flora y fauna

Las especies de flora y fauna de reserva ecológica que se aseguren, serán provistas de los cuidados necesarios y depositados en zoológicos, viveros o en instituciones análogas, considerando la opinión de la dependencia competente o institución de educación superior o de investigación científica.

Artículo 239. Requisitos para el aseguramiento de vehículos

Tratándose de delitos culposos ocasionados con motivo del tránsito de vehículos, estos se entregarán en depósito a quien se legitime como su propietario o poseedor.

Previo a la entrega del vehículo, el Ministerio Público debe cerciorarse:

I. Que el vehículo no tenga reporte de robo;

II. Que el vehículo no se encuentre relacionado con otro hecho delictivo;

III. Que se haya dado oportunidad a la otra parte de solicitar y practicar los peritajes necesarios, y

IV. Que no exista oposición fundada para la devolución por parte de terceros, o de la aseguradora.

Artículo 240. Aseguramiento de vehículos

En caso de que se presente alguno de los supuestos anteriores, el Ministerio Público podrá ordenar el aseguramiento y resguardo del vehículo hasta en tanto se esclarecen los hechos, sujeto a la aprobación judicial en términos de lo previsto por este Código.

En la aprobación judicial se determinará si los bienes asegurados son indicio, evidencia física, objeto, instrumento o producto del hecho delictivo, determinando su conservación o su administración, en términos de las disposiciones aplicables.

Párrafo adicionado DOF 09-08-2019

Artículo 241. Aseguramiento de armas de fuego o explosivos

Cuando se aseguren armas de fuego o explosivos se hará del conocimiento de la Secretaría de la Defensa Nacional, así como de las demás autoridades que establezcan las disposiciones legales aplicables.

Artículo 242. Aseguramiento de bienes o derechos relacionados con operaciones financieras

[El Ministerio Público o a solicitud de la Policía podrá ordenar la suspensión, o el aseguramiento de cuentas, títulos de crédito y en general cualquier bien o derecho relativos a operaciones que las instituciones financieras establecidas en el país celebren con sus clientes y dará aviso inmediato a la autoridad encargada de la administración de los bienes asegurados y a las autoridades competentes, quienes tomarán las medidas necesarias para evitar que los titulares respectivos realicen cualquier acto contrario al aseguramiento.]

Artículo declarado inválido por sentencia de la SCJN a Acción de Inconstitucionalidad DOF 25-06-2018

Artículo 243. Efectos del aseguramiento en actividades lícitas

El aseguramiento no será causa para el cierre o suspensión de actividades de empresas, negociaciones o establecimientos con actividades lícitas.

Tratándose de los delitos que refiere la Ley Federal para Prevenir y Sancionar los Delitos Cometidos en Materia de Hidrocarburos, el Ministerio Público de la Federación, asegurará el establecimiento mercantil o empresa prestadora del servicio e inmediatamente notificará al Servicio de Administración y Enajenación de Bienes con la finalidad de que el establecimiento mercantil o empresa asegurada le sea transferida.

Párrafo adicionado DOF 12-01-2016

Previo a que la empresa sea transferida al Servicio de Administración y Enajenación de Bienes, se retirará el producto ilícito de los contenedores del establecimiento o empresa y se suministrarán los hidrocarburos lícitos con el objeto de continuar las actividades, siempre y cuando la empresa cuente con los recursos para la compra del producto; suministro que se llevará a cabo una vez que la empresa haya sido transferida al Servicio de Administración y Enajenación de Bienes para su administración.

Párrafo adicionado DOF 12-01-2016

En caso de que el establecimiento o empresa prestadora del servicio corresponda a un franquiciatario o permisionario, el aseguramiento constituirá causa justa para que el franquiciante pueda dar por terminados los contratos respectivos en términos de la Ley de la Propiedad Industrial, y tratándose del permisionario, el otorgante del permiso pueda revocarlo. Para lo anterior, previamente la autoridad ministerial o judicial deberá determinar su destino.

Párrafo adicionado DOF 12-01-2016

Artículo 244. Cosas no asegurables

No estarán sujetas al aseguramiento las comunicaciones y cualquier información que se genere o intercambie entre el imputado y las personas que no están obligadas a declarar como testigos por razón de parentesco, secreto profesional o cualquiera otra establecida en la ley. En todo caso, serán inadmisibles como fuente de información o medio de prueba.

No habrá lugar a estas excepciones cuando existan indicios de que las personas mencionadas en este artículo, distintas al imputado, estén involucradas como autoras o partícipes del hecho punible o existan indicios fundados de que están encubriéndolo ilegalmente.

Artículo 245. Causales de procedencia para la devolución de bienes asegurados

La devolución de bienes asegurados procede en los casos siguientes:

I. Cuando el Ministerio Público resuelva el no ejercicio de la acción penal, la aplicación de un criterio de oportunidad, la reserva o archivo temporal, se abstenga de acusar, o levante el aseguramiento de conformidad con las disposiciones aplicables, o

II. Cuando la autoridad judicial levante el aseguramiento o no decrete el decomiso, de conformidad con las disposiciones aplicables.

La devolución se realizará en el estado físico de conservación que conforme a su naturaleza adquiera el bien, o el valor del mismo.

Párrafo adicionado DOF 09-08-2019

Artículo 246. Entrega de bienes

Las autoridades deberán devolver a la persona que acredite o demuestre derechos sobre los bienes que no estén sometidos a decomiso, aseguramiento, restitución o embargo, inmediatamente después de realizar las diligencias conducentes. En todo caso, se dejará constancia mediante fotografías u otros medios que resulten idóneos de estos bienes.

Esta devolución podrá ordenarse en depósito provisional y al poseedor se le podrá imponer la obligación de exhibirlos cuando se le requiera.

Dentro de los treinta días siguientes a la notificación del acuerdo de devolución, la autoridad judicial o el Ministerio Público notificarán su resolución al interesado o al representante legal, para que dentro de los diez días siguientes a dicha notificación se presente a recogerlos, bajo el apercibimiento que de no hacerlo, los bienes causarán abandono a favor del Gobierno Federal o de la Entidad federativa de que se trate, según corresponda y se procederá en los términos previstos en este Código.

Párrafo reformado DOF 09-08-2019

Cuando se haya hecho constar el aseguramiento de los bienes en los registros públicos, la autoridad que haya ordenado su devolución ordenará su cancelación.

Artículo 247. Devolución de bienes asegurados

La devolución de los bienes asegurados incluirá la entrega de los frutos que, en su caso, hubieren generado.

Previo a la instrucción de devolución, el Ministerio Público deberá revisar que los bienes no hayan causado abandono en los términos establecidos por este Código.

Párrafo adicionado DOF 09-08-2019

La devolución de numerario comprenderá la entrega del principal y, en su caso, de sus rendimientos durante el tiempo en que haya sido administrado, a la tasa que cubra la Tesorería de la Federación o la instancia correspondiente en las Entidades federativas por los depósitos a la vista que reciba.

La autoridad que haya administrado empresas, negociaciones o establecimientos, al devolverlas rendirá cuentas de la administración que hubiere realizado a la persona que tenga derecho a ello, y le entregará los documentos, objetos, numerario y, en general, todo aquello que haya comprendido la administración.

Previo a la recepción de los bienes por parte del interesado, se dará oportunidad a éste para que revise e inspeccione las condiciones en que se encuentren los mismos, a efecto de que verifique el inventario correspondiente.

Artículo 248. Bienes que hubieren sido convertidos a numerario o sobre los que exista imposibilidad de devolver

Cuando se determine por la autoridad competente la devolución de los bienes que hubieren sido convertidos a numerario o haya imposibilidad para devolverlos, deberá cubrirse a la persona que tenga la titularidad del derecho de devolución el valor de los mismos, de conformidad con la legislación aplicable.

Artículo reformado DOF 09-08-2019

Artículo 249. Aseguramiento por valor equivalente

En caso de que el producto, los instrumentos u objetos del hecho delictivo hayan desaparecido o no se localicen por causa atribuible al imputado, el Ministerio Público [decretará o] solicitará al Órgano jurisdiccional correspondiente el embargo precautorio, el aseguramiento y, en su caso, el decomiso de bienes propiedad del o de los imputados, así como de aquellos respecto de los cuales se conduzcan como dueños, cuyo valor equivalga a dicho producto, sin menoscabo de las disposiciones aplicables en materia de extinción de dominio.

Artículo declarado inválido por sentencia de la SCJN a Acción de Inconstitucionalidad DOF 25-06-2018 (En la porción normativa que indica "decretará o")

Artículo 250. Decomiso

La autoridad judicial mediante sentencia en el proceso penal correspondiente, podrá decretar el decomiso de bienes, con excepción de los que hayan causado abandono en los términos de este Código o respecto de aquellos sobre los cuales haya resuelto la declaratoria de extinción de dominio.

Cuando se haya hecho constar el aseguramiento de los bienes en los registros públicos, la autoridad que haya ordenado su decomiso solicitará la inscripción de la sentencia.

Párrafo adicionado DOF 09-08-2019

El numerario decomisado y los recursos que se obtengan por la enajenación de los bienes decomisados, una vez satisfecha la reparación a la víctima, y descontado el porcentaje por concepto de gastos indirectos de operación a que refiere la Ley de Ingresos de la Federación, del ejercicio fiscal que corresponda, a favor del Instituto de Administración de Bienes y Activos, serán entregados en partes iguales al Poder Judicial de la Federación, a la Fiscalía General de la República, al fondo previsto en la Ley General de Víctimas y al financiamiento de programas sociales conforme a los objetivos establecidos en el Plan Nacional de Desarrollo, u otras políticas públicas prioritarias, conforme lo determine el Gabinete Social de la Presidencia de la República a que se refiere la Ley Orgánica de la Administración Pública Federal a través de la instancia designada para tal efecto. Para el caso del reparto del producto de la extinción de dominio en el fuero común, serán entregados en las mismas proporciones a las instancias equivalentes existentes en cada Entidad federativa.

Párrafo reformado DOF 09-08-2019

Artículo 251. Actuaciones en la investigación que no requieren autorización previa del Juez de control

No requieren autorización del Juez de control los siguientes actos de investigación:

I. La inspección del lugar del hecho o del hallazgo;

II. La inspección de lugar distinto al de los hechos o del hallazgo;

III. La inspección de personas;

IV. La revisión corporal;

V. La inspección de vehículos;

VI. El levantamiento e identificación de cadáver;

VII. La aportación de comunicaciones entre particulares;

VIII. El reconocimiento de personas;

IX. La entrega vigilada y las operaciones encubiertas, en el marco de una investigación y en los términos que establezcan los protocolos emitidos para tal efecto por el Procurador;

X. La entrevista de testigos;

Fracción reformada DOF 17-06-2016

XI. Recompensas, en términos de los acuerdos que para tal efecto emite el Procurador, y

Fracción adicionada DOF 17-06-2016

XII. Las demás en las que expresamente no se prevea control judicial.

Fracción recorrida DOF 17-06-2016

En los casos de la fracción IX, dichas actuaciones deberán ser autorizadas por el Procurador o por el servidor público en quien éste delegue dicha facultad.

Para los efectos de la fracción X de este artículo, cuando un testigo se niegue a ser entrevistado, será citado por el Ministerio Público o en su caso por el Juez de control en los términos que prevé el presente Código.

Artículo 252. Actos de investigación que requieren autorización previa del Juez de control

Con excepción de los actos de investigación previstos en el artículo anterior, requieren de autorización previa del Juez de control todos los actos de investigación que impliquen afectación a derechos establecidos en la Constitución, así como los siguientes:

I. La exhumación de cadáveres;

II. Las órdenes de cateo;

III. La intervención de comunicaciones privadas y correspondencia;

IV. La toma de muestras de fluido corporal, vello o cabello, extracciones de sangre u otros análogos, cuando la persona requerida, excepto la víctima u ofendido, se niegue a proporcionar la misma;

V. El reconocimiento o examen físico de una persona cuando aquélla se niegue a ser examinada, y

VI. Las demás que señalen las leyes aplicables.

CAPÍTULO IV
FORMAS DE TERMINACIÓN DE LA INVESTIGACIÓN

Artículo 253. Facultad de abstenerse de investigar

El Ministerio Público podrá abstenerse de investigar, cuando los hechos relatados en la denuncia, querella o acto equivalente, no fueren constitutivos de delito o cuando los antecedentes y datos suministrados permitan establecer que se encuentra extinguida la acción penal o la responsabilidad penal del imputado. Esta decisión será siempre fundada y motivada.

Artículo 254. Archivo temporal

El Ministerio Público podrá archivar temporalmente aquellas investigaciones en fase inicial en las que no se encuentren antecedentes, datos suficientes o elementos de los que se puedan establecer líneas de investigación que permitan realizar diligencias tendentes a esclarecer los hechos que dieron origen a la investigación. El archivo subsistirá en tanto se obtengan datos que permitan continuarla a fin de ejercitar la acción penal.

Artículo 255. No ejercicio de la acción

Antes de la audiencia inicial, el Ministerio Público previa autorización del Procurador o del servidor público en quien se delegue la facultad, podrá decretar el no ejercicio de la acción penal cuando de los antecedentes del caso le permitan concluir que en el caso concreto se actualiza alguna de las causales de sobreseimiento previstas en este Código.

La determinación de no ejercicio de la acción penal, para los casos del artículo 327 del presente Código, inhibe una nueva persecución penal por los mismos hechos respecto del indiciado, salvo que sea por diversos hechos o en contra de diferente persona.

Artículo reformado DOF 17-06-2016

Artículo 256. Casos en que operan los criterios de oportunidad

Iniciada la investigación y previo análisis objetivo de los datos que consten en la misma, conforme a las disposiciones normativas de cada Procuraduría, el Ministerio Público, podrá abstenerse de ejercer la acción penal con base en la aplicación de criterios de oportunidad, siempre que, en su caso, se hayan reparado o garantizado los daños causados a la víctima u ofendido.

Párrafo reformado DOF 17-06-2016

La aplicación de los criterios de oportunidad será procedente en cualquiera de los siguientes supuestos:

I. Se trate de un delito que no tenga pena privativa de libertad, tenga pena alternativa o tenga pena privativa de libertad cuya punibilidad máxima sea de cinco años de prisión, siempre que el delito no se haya cometido con violencia;

II. Se trate de delitos de contenido patrimonial cometidos sin violencia sobre las personas o de delitos culposos, siempre que el imputado no hubiere actuado en estado de ebriedad, bajo el influjo de narcóticos o de cualquier otra sustancia que produzca efectos similares;

III. Cuando el imputado haya sufrido como consecuencia directa del hecho delictivo un daño físico o psicoemocional grave, o cuando el imputado haya contraído una enfermedad terminal que torne notoriamente innecesaria o desproporcional la aplicación de una pena;

IV. La pena o medida de seguridad que pudiera imponerse por el hecho delictivo que carezca de importancia en consideración a la pena o medida de seguridad ya impuesta o a la que podría imponerse por otro delito por el que esté siendo procesado con independencia del fuero;

Fracción reformada DOF 17-06-2016

V. Cuando el imputado aporte información esencial y eficaz para la persecución de un delito más grave del que se le imputa, y se comprometa a comparecer en juicio;

Fracción reformada DOF 17-06-2016

VI. Cuando, a razón de las causas o circunstancias que rodean la comisión de la conducta punible, resulte desproporcionada o irrazonable la persecución penal.

Fracción reformada DOF 17-06-2016

VII. Se deroga.

Fracción derogada DOF 17-06-2016

No podrá aplicarse el criterio de oportunidad en los casos de delitos contra el libre desarrollo de la personalidad, de violencia familiar ni en los casos de delitos fiscales o aquellos que afecten gravemente el interés público. Para el caso de delitos fiscales y financieros, previa autorización de la Secretaría de Hacienda y Crédito Público, a través de la Procuraduría Fiscal de la Federación, únicamente podrá ser aplicado el supuesto de la fracción V, en el caso de que el imputado aporte información fidedigna que coadyuve para la investigación y persecución del beneficiario final del mismo delito, tomando en consideración que será este último quien estará obligado a reparar el daño.

Párrafo reformado DOF 08-11-2019

El Ministerio Público aplicará los criterios de oportunidad sobre la base de razones objetivas y sin discriminación, valorando las circunstancias especiales en cada caso, de conformidad con lo dispuesto en el presente Código así como en los criterios generales que al efecto emita el Procurador o equivalente.

La aplicación de los criterios de oportunidad podrán ordenarse en cualquier momento y hasta antes de que se dicte el auto de apertura a juicio.

La aplicación de los criterios de oportunidad deberá ser autorizada por el Procurador o por el servidor público en quien se delegue esta facultad, en términos de la normatividad aplicable.

Artículo 257. Efectos del criterio de oportunidad

La aplicación de los criterios de oportunidad extinguirá la acción penal con respecto al autor o partícipe en cuyo beneficio se dispuso la aplicación de dicho criterio. Si la decisión del Ministerio Público se sustentara en alguno de los supuestos de procedibilidad establecidos en las fracciones I y II del artículo anterior, sus efectos se extenderán a todos los imputados que reúnan las mismas condiciones.

En el caso de la fracción V del artículo anterior, se suspenderá el ejercicio de la acción penal, así como el plazo de la prescripción de la acción penal, hasta en tanto el imputado comparezca a rendir su testimonio en el procedimiento respecto del que aportó información, momento a partir del cual, el agente del Ministerio Público contará con quince días para resolver definitivamente sobre la procedencia de la extinción de la acción penal.

Párrafo reformado DOF 17-06-2016

En el supuesto a que se refiere la fracción V del artículo anterior, se suspenderá el plazo de la prescripción de la acción penal.

Párrafo reformado DOF 17-06-2016

Artículo 258. Notificaciones y control judicial

Las determinaciones del Ministerio Público sobre la abstención de investigar, el archivo temporal, la aplicación de un criterio de oportunidad y el no ejercicio de la acción penal deberán ser notificadas a la víctima u ofendido quienes las podrán impugnar ante el Juez de control dentro de los diez días posteriores a que sean notificadas de dicha resolución. En estos casos, el Juez de control convocará a una audiencia para decidir en definitiva, citando al efecto a la víctima u ofendido, al Ministerio Público y, en su caso, al imputado y a su Defensor. En caso de que la víctima, el ofendido o sus representantes legales no comparezcan a la audiencia a pesar de haber sido debidamente citados, el Juez de control declarará sin materia la impugnación.

La resolución que el Juez de control dicte en estos casos no admitirá recurso alguno, con excepción de aquella en que el órgano jurisdiccional se pronuncie sobre el no ejercicio de la acción penal, en cuyo caso, se suspenderán los efectos de la determinación ministerial hasta en tanto cause ejecutoria la decisión definitiva emitida.

Párrafo reformado DOF 26-01-2024

TÍTULO IV
DE LOS DATOS DE PRUEBA, MEDIOS DE PRUEBA Y PRUEBAS

CAPÍTULO ÚNICO
DISPOSICIONES COMUNES

Artículo 259. Generalidades

Cualquier hecho puede ser probado por cualquier medio, siempre y cuando sea lícito.

Las pruebas serán valoradas por el Órgano jurisdiccional de manera libre y lógica.

Los antecedentes de la investigación recabados con anterioridad al juicio carecen de valor probatorio para fundar la sentencia definitiva, salvo las excepciones expresas previstas por este Código y en la legislación aplicable.

Para efectos del dictado de la sentencia definitiva, sólo serán valoradas aquellas pruebas que hayan sido desahogadas en la audiencia de juicio, salvo las excepciones previstas en este Código.

Artículo 260. Antecedente de investigación

El antecedente de investigación es todo registro incorporado en la carpeta de investigación que sirve de sustento para aportar datos de prueba.

Artículo 261. Datos de prueba, medios de prueba y pruebas

El dato de prueba es la referencia al contenido de un determinado medio de convicción aún no desahogado ante el Órgano jurisdiccional, que se advierta idóneo y pertinente para establecer razonablemente la existencia de un hecho delictivo y la probable participación del imputado.

Los medios o elementos de prueba son toda fuente de información que permite reconstruir los hechos, respetando las formalidades procedimentales previstas para cada uno de ellos.

Se denomina prueba a todo conocimiento cierto o probable sobre un hecho, que ingresando al proceso como medio de prueba en una audiencia y desahogada bajo los principios de inmediación y contradicción, sirve al Tribunal de enjuiciamiento como elemento de juicio para llegar a una conclusión cierta sobre los hechos materia de la acusación.

Artículo 262. Derecho a ofrecer medios de prueba

Las partes tendrán el derecho de ofrecer medios de prueba para sostener sus planteamientos en los términos previstos en este Código.

Artículo 263. Licitud probatoria

Los datos y las pruebas deberán ser obtenidos, producidos y reproducidos lícitamente y deberán ser admitidos y desahogados en el proceso en los términos que establece este Código.

Artículo 264. Nulidad de la prueba

Se considera prueba ilícita cualquier dato o prueba obtenidos con violación de los derechos fundamentales, lo que será motivo de exclusión o nulidad.

Las partes harán valer la nulidad del medio de prueba en cualquier etapa del proceso y el juez o Tribunal deberá pronunciarse al respecto.

Artículo 265. Valoración de los datos y prueba

El Órgano jurisdiccional asignará libremente el valor correspondiente a cada uno de los datos y pruebas, de manera libre y lógica, debiendo justificar adecuadamente el valor otorgado a las pruebas y explicará y justificará su valoración con base en la apreciación conjunta, integral y armónica de todos los elementos probatorios.

TÍTULO V
ACTOS DE INVESTIGACIÓN

CAPÍTULO I
DISPOSICIONES GENERALES SOBRE ACTOS DE MOLESTIA

Artículo 266. Actos de molestia

Todo acto de molestia deberá llevarse a cabo con respeto a la dignidad de la persona en cuestión. Antes de que el procedimiento se lleve a cabo, la autoridad deberá informarle sobre los derechos que le asisten y solicitar su cooperación. Se realizará un registro forzoso sólo si la persona no está dispuesta a cooperar o se resiste. Si la persona sujeta al procedimiento no habla español, la autoridad deberá tomar medidas razonables para brindar a la persona información sobre sus derechos y para solicitar su cooperación.

CAPÍTULO II
ACTOS DE INVESTIGACIÓN

Artículo 267. Inspección

La inspección es un acto de investigación sobre el estado que guardan lugares, objetos, instrumentos o productos del delito.

Será materia de la inspección todo aquello que pueda ser directamente apreciado por los sentidos. Si se considera necesario, la Policía se hará asistir de peritos.

Al practicarse una inspección podrá entrevistarse a las personas que se encuentren presentes en el lugar de la inspección que puedan proporcionar algún dato útil para el esclarecimiento de los hechos. Toda inspección deberá constar en un registro.

Artículo 268. Inspección de personas

En la investigación de los delitos, la Policía podrá realizar la inspección sobre una persona y sus posesiones en caso de flagrancia, o cuando existan indicios de que oculta entre sus ropas o que lleva adheridos a su cuerpo instrumentos, objetos o productos relacionados con el hecho considerado como delito que se investiga. La revisión consistirá en una exploración externa de la persona y sus posesiones. Cualquier inspección que implique una exposición de partes íntimas del cuerpo requerirá autorización judicial. Antes de cualquier inspección, la Policía deberá informar a la persona del motivo de dicha revisión, respetando en todo momento su dignidad.

Artículo 269. Revisión corporal

Durante la investigación, la Policía o, en su caso el Ministerio Público, podrá solicitar a cualquier persona la aportación voluntaria de muestras de fluido corporal, vello o cabello, exámenes corporales de carácter biológico, extracciones de sangre u otros análogos, así como que se le permita obtener imágenes internas o externas de alguna parte del cuerpo, siempre que no implique riesgos para la salud y la dignidad de la persona.

Se deberá informar previamente a la persona el motivo de la aportación y del derecho que tiene a negarse a proporcionar dichas muestras. En los casos de delitos que impliquen violencia contra las mujeres, en los términos de la Ley General de Acceso de las Mujeres a una Vida Libre de Violencia, la inspección corporal deberá ser llevada a cabo en pleno cumplimiento del consentimiento informado de la víctima y con respeto de sus derechos.

Las muestras o imágenes deberán ser obtenidas por personal especializado, mismo que en todo caso deberá de ser del mismo sexo, o del sexo que la persona elija, con estricto apego al respeto a la dignidad y a los derechos humanos y de conformidad con los protocolos que al efecto expida la Procuraduría. Las muestras o imágenes obtenidas serán analizadas y dictaminadas por los peritos en la materia.

Artículo 270. Toma de muestras cuando la persona requerida se niegue a proporcionarlas

Si la persona a la que se le hubiere solicitado la aportación voluntaria de las muestras referidas en el artículo anterior se negara a hacerlo, el Ministerio Público por sí o a solicitud de la Policía podrá solicitar al Órgano jurisdiccional, por cualquier medio, la inmediata autorización de la práctica de dicho acto de investigación, justificando la necesidad de la medida y expresando la persona o personas en quienes haya de practicarse, el tipo y extensión de muestra o imagen a obtener. De concederse la autorización requerida, el Órgano jurisdiccional deberá facultar al Ministerio Público para que, en el caso de que la persona a inspeccionar ya no se encuentre ante él, ordene su localización y comparecencia a efecto de que tenga verificativo el acto correspondiente.

El Órgano jurisdiccional al resolver respecto de la solicitud del Ministerio Público, deberá tomar en consideración el principio de proporcionalidad y motivar la necesidad de la aplicación de dicha medida, en el sentido de que no existe otra menos gravosa para la persona que habrá de ser examinada o para el imputado, que resulte igualmente eficaz e idónea para el fin que se persigue, justificando la misma en atención a la gravedad del hecho que se investiga.

En la toma de muestras podrá estar presente una persona de confianza del examinado o el abogado Defensor en caso de que se trate del imputado, quien será advertido previamente de tal derecho. Tratándose de menores de edad estará presente quien ejerza la patria potestad, la tutela o curatela del sujeto. A falta de alguno de éstos deberá estar presente el Ministerio Público en su calidad de representante social.

En caso de personas inimputables que tengan alguna discapacidad se proveerá de los apoyos necesarios para que puedan tomar la decisión correspondiente.

Cuando exista peligro de desvanecimiento del medio de la prueba, la solicitud se hará por cualquier medio expedito y el Órgano jurisdiccional deberá autorizar inmediatamente la práctica del acto de investigación, siempre que se cumpla con las condiciones señaladas en este artículo.

Artículo 271. Levantamiento e identificación de cadáveres

En los casos en que se presuma muerte por causas no naturales, además de otras diligencias que sean procedentes, se practicará:

I. La inspección del cadáver, la ubicación del mismo y el lugar de los hechos;

II. El levantamiento del cadáver;

III. El traslado del cadáver;

IV. La descripción y peritajes correspondientes, o

V. La exhumación en los términos previstos en este Código y demás disposiciones aplicables.

Cuando de la investigación no resulten datos relacionados con la existencia de algún delito, el Ministerio Público podrá autorizar la dispensa de la necropsia.

Si el cadáver hubiere sido inhumado, se procederá a exhumarlo en los términos previstos en este Código y demás disposiciones aplicables. En todo caso, practicada la inspección o la necropsia correspondiente, se procederá a la sepultura inmediata, pero no podrá incinerarse el cadáver.

Cuando se desconozca la identidad del cadáver, se efectuarán los peritajes idóneos para proceder a su identificación. Una vez identificado, se entregará a los parientes o a quienes invoquen título o motivo suficiente, previa autorización del Ministerio Público, tan pronto la necropsia se hubiere practicado o, en su caso, dispensado.

Artículo 272. Peritajes

Durante la investigación, el Ministerio Público o la Policía con conocimiento de éste, podrá disponer la práctica de los peritajes que sean necesarios para la investigación del hecho. El dictamen escrito no exime al perito del deber de concurrir a declarar en la audiencia de juicio.

Artículo 273. Acceso a los indicios

Los peritos que elaboren los dictámenes tendrán en todo momento acceso a los indicios sobre los que versarán los mismos, o a los que se hará referencia en el interrogatorio.

Artículo 274. Peritaje irreproducible

Cuando se realice un peritaje sobre objetos que se consuman al ser analizados, no se permitirá que se verifique el primer análisis sino sobre la cantidad estrictamente necesaria para ello, a no ser que su existencia sea escasa y los peritos no puedan emitir su opinión sin consumirla por completo. Éste último supuesto o cualquier otro semejante que impida que con posterioridad se practique un peritaje independiente, deberá ser notificado por el Ministerio Público al Defensor del imputado, si éste ya se hubiere designado o al Defensor público, para que si lo estima necesario, los peritos de ambas partes, y de manera conjunta practiquen el examen, o bien, para que el perito de la defensa acuda a presenciar la realización de peritaje.

La pericial deberá ser admitida como medio de prueba, no obstante que el perito designado por el Defensor del imputado no compareciere a la realización del peritaje, o éste omita designar uno para tal efecto.

Artículo 275. Peritajes especiales

Cuando deban realizarse diferentes peritajes a personas agredidas sexualmente o cuando la naturaleza del hecho delictivo lo amerite, deberá integrarse un equipo interdisciplinario con profesionales capacitados en atención a víctimas, con el fin de concentrar en una misma sesión las entrevistas que ésta requiera, para la elaboración del dictamen respectivo.

Artículo 276. Aportación de comunicaciones entre particulares

Las comunicaciones entre particulares podrán ser aportadas voluntariamente a la investigación o al proceso penal, cuando hayan sido obtenidas directamente por alguno de los participantes en la misma.

Las comunicaciones aportadas por los particulares deberán estar estrechamente vinculadas con el delito que se investiga, por lo que en ningún caso el juez admitirá comunicaciones que violen el deber de confidencialidad respecto de los sujetos a que se refiere este Código, ni la autoridad prestará el apoyo a que se refiere el párrafo anterior cuando se viole dicho deber.

No se viola el deber de confidencialidad cuando se cuente con el consentimiento expreso de la persona con quien se guarda dicho deber.

Artículo 277. Procedimiento para reconocer personas

El reconocimiento de personas deberá practicarse con la mayor reserva posible.

El reconocimiento procederá aún sin consentimiento del imputado, pero siempre en presencia de su Defensor. Quien sea citado para efectuar un reconocimiento deberá ser ubicado en un lugar desde el cual no sea visto por las personas susceptibles de ser reconocidas. Se adoptarán las previsiones necesarias para que el imputado no altere u oculte su apariencia.

El reconocimiento deberá presentar al imputado en conjunto con otras personas con características físicas similares salvo que las condiciones de la investigación no lo permitan, lo que deberá quedar asentado en el registro correspondiente de la diligencia. En todos los procedimientos de reconocimiento, el acto deberá realizarse por una autoridad ministerial distinta a la que dirige la investigación. La práctica de filas de identificación se deberá realizar de manera secuencial.

Tratándose de personas menores de edad o tratándose de víctimas o personas ofendidas por los delitos de extorsión, secuestro, trata de personas o violación que deban participar en el reconocimiento de personas, el Ministerio Público dispondrá medidas especiales para su participación, con el propósito de salvaguardar su identidad e integridad emocional. En la práctica de tales actos, el Ministerio Público deberá contar, en su caso, con el auxilio de personas peritas y con la asistencia del representante del menor de edad.

Todos los procedimientos de identificación deberán registrarse y en dicho registro deberá constar el nombre de la autoridad que estuvo a cargo, del testigo ocular, de las personas que participaron en la fila de identificación y, en su caso, del Defensor.

Artículo 278. Pluralidad de reconocimientos

Cuando varias personas deban reconocer a una sola, cada reconocimiento se practicará por separado sin que se comuniquen entre ellas. Si una persona debe reconocer a varias, el reconocimiento de todas podrá efectuarse en un solo acto, siempre que no perjudique la investigación o la defensa.

Artículo 279. Identificación por fotografía

Cuando sea necesario reconocer a una persona que no esté presente, podrá exhibirse su fotografía legalmente obtenida a quien deba efectuar el reconocimiento junto con la de otras personas con características semejantes, observando en lo conducente las reglas de reconocimiento de personas, con excepción de la presencia del Defensor. Se deberá guardar registro de las fotografías exhibidas.

En ningún caso se deberán mostrar al testigo fotografías, retratos computarizados o hechos a mano, o imágenes de identificación facial electrónica si la identidad del imputado es conocida por la Policía y está disponible para participar en una identificación en video, fila de identificación o identificación fotográfica.

Artículo 280. Reconocimiento de objeto

Antes del reconocimiento de un objeto, quien realice la diligencia deberá proceder a su descripción. Acto seguido se presentará el objeto o el registro del mismo para llevar a cabo el reconocimiento.

Artículo 281. Otros reconocimientos

Cuando se deban reconocer voces, sonidos y cuanto pueda ser objeto de percepción sensorial, se observarán, en lo aplicable, las disposiciones previstas para el reconocimiento de personas.

Artículo 282. Solicitud de orden de cateo

Cuando en la investigación el Ministerio Público estime necesaria la práctica de un cateo, en razón de que el lugar a inspeccionar es un domicilio o una propiedad privada, solicitará por cualquier medio la autorización judicial para practicar el acto de investigación correspondiente. En la solicitud, que contará con un registro, se expresará el lugar que ha de inspeccionarse, la persona o personas que han de aprehenderse y los objetos que se buscan, señalando los motivos e indicios que sustentan la necesidad de la orden, así como los servidores públicos que podrán practicar o intervenir en dicho acto de investigación.

Si el lugar a inspeccionar es de acceso público y forma parte del domicilio particular, este último no será sujeto de cateo, a menos que así se haya ordenado.

Artículo 283. Resolución que ordena el cateo

La resolución judicial que ordena el cateo deberá contener cuando menos:

I. El nombre y cargo del Juez de control que lo autoriza y la identificación del proceso en el cual se ordena;

II. La determinación concreta del lugar o los lugares que habrán de ser cateados y lo que se espera encontrar en éstos;

III. El motivo del cateo, debiéndose indicar o expresar los indicios de los que se desprenda la posibilidad de encontrar en el lugar la persona o personas que hayan de aprehenderse o los objetos que se buscan;

IV. El día y la hora en que deba practicarse el cateo o la determinación que de no ejecutarse dentro de los tres días siguientes a su autorización, quedará sin efecto cuando no se precise fecha exacta de realización, y

V. Los servidores públicos autorizados para practicar e intervenir en el cateo.

La petición de orden de cateo deberá ser resuelta por la autoridad judicial de manera inmediata por cualquier medio que garantice su autenticidad, o en audiencia privada con la sola comparecencia del Ministerio Público, en un plazo que no exceda de las seis horas siguientes a que se haya recibido.

Si la resolución se emite o registra por medios diversos al escrito, los puntos resolutivos de la orden de cateo deberán transcribirse y entregarse al Ministerio Público.

Artículo 284. Negativa del cateo

En caso de que el Juez de control niegue la orden, el Ministerio Público podrá subsanar las deficiencias y solicitar nuevamente la orden o podrá apelar la decisión. En este caso la apelación debe ser resuelta en un plazo no mayor de doce horas a partir de que se interponga.

Artículo 285. Medidas de vigilancia

Aún antes de que el Juez de control competente dicte la orden de cateo, el Ministerio Público podrá disponer las medidas de vigilancia o cualquiera otra que no requiera control judicial, que estime conveniente para evitar la fuga del imputado o la sustracción, alteración, ocultamiento o destrucción de documentos o cosas que constituyen el objeto del cateo.

Artículo 286. Cateo en residencia u oficinas públicas

Para la práctica de un cateo en la residencia u oficina de cualquiera de los Poderes Ejecutivo, Legislativo o Judicial de los tres órdenes de gobierno o en su caso organismos constitucionales autónomos, la Policía o el Ministerio Público recabarán la autorización correspondiente en los términos previstos en este Código.

Artículo 287. Cateo en buques, embarcaciones, aeronaves o cualquier medio de transporte extranjero en territorio mexicano

Cuando tenga que practicarse un cateo en buques, embarcaciones, aeronaves o cualquier medio de transporte extranjero en territorio mexicano se observarán además las disposiciones previstas en los Tratados, las leyes y reglamentos aplicables.

Artículo 288. Formalidades del cateo

Será entregada una copia de los puntos resolutivos de la orden de cateo a quien habite o esté en posesión del lugar donde se efectúe, o cuando esté ausente, a su encargado y, a falta de éste, a cualquier persona mayor de edad que se halle en el lugar.

Cuando no se encuentre persona alguna, se fijará la copia de los puntos resolutivos que autorizan el cateo a la entrada del inmueble, debiendo hacerse constar en el acta y se hará uso de la fuerza pública para ingresar.

Al concluir el cateo se levantará acta circunstanciada en presencia de dos testigos propuestos por el ocupante del lugar cateado, o en su ausencia o negativa, por la autoridad que practique el cateo, pero la designación no podrá recaer sobre los elementos que pertenezcan a la autoridad que lo practicó, salvo que no hayan participado en el mismo. Cuando no se cumplan estos requisitos, los elementos encontrados en el cateo carecerán de todo valor probatorio, sin que sirva de excusa el consentimiento de los ocupantes del lugar.

Al terminar el cateo se cuidará que los lugares queden cerrados, y de no ser posible inmediatamente, se asegurará que otras personas no ingresen en el lugar hasta lograr el cierre.

Si para la práctica del cateo es necesaria la presencia de alguna persona diferente a los servidores públicos propuestos para ello, el Ministerio Público, deberá incluir los datos de aquellos así como la motivación correspondiente en la solicitud del acto de investigación.

En caso de autorizarse la presencia de particulares en el cateo, éstos deberán omitir cualquier intervención material en la misma y sólo podrán tener comunicación con el servidor público que dirija la práctica del cateo.

Artículo 289. Descubrimiento de un delito diverso

Si al practicarse un cateo resultare el descubrimiento de un delito distinto del que lo haya motivado, se formará un inventario de aquello que se recoja relacionado con el nuevo delito, observándose en este caso lo relativo a la cadena de custodia y se hará constar esta circunstancia en el registro para dar inicio a una nueva investigación.

Artículo 290. Ingreso de una autoridad a lugar sin autorización judicial

Estará justificado el ingreso a un lugar cerrado sin orden judicial cuando:

I. Sea necesario para repeler una agresión real, actual o inminente y sin derecho que ponga en riesgo la vida, la integridad o la libertad personal de una o más personas, o

II. Se realiza con consentimiento de quien se encuentre facultado para otorgarlo.

En los casos de la fracción II, la autoridad que practique el ingreso deberá informarlo dentro de los cinco días siguientes, ante el Órgano jurisdiccional. A dicha audiencia deberá asistir la persona que otorgó su consentimiento a efectos de ratificarla.

Los motivos que determinaron la inspección sin orden judicial constarán detalladamente en el acta que al efecto se levante.

Artículo 291. Intervención de las comunicaciones privadas

Cuando en la investigación el Ministerio Público considere necesaria la intervención de comunicaciones privadas, el Titular de la Procuraduría General de la República, o en quienes éste delegue esta facultad, así como los Procuradores de las entidades federativas, podrán solicitar al Juez federal de control competente, por cualquier medio, la autorización para practicar la intervención, expresando el objeto y necesidad de la misma.

Párrafo reformado DOF 17-06-2016

La intervención de comunicaciones privadas, abarca todo sistema de comunicación, o programas que sean resultado de la evolución tecnológica, que permitan el intercambio de datos, informaciones, audio, video, mensajes, así como archivos electrónicos que graben, conserven el contenido de las conversaciones o registren datos que identifiquen la comunicación, los cuales se pueden presentar en tiempo real.

Párrafo reformado DOF 17-06-2016

La solicitud deberá ser resuelta por la autoridad judicial de manera inmediata, por cualquier medio que garantice su autenticidad, o en audiencia privada con la sola comparecencia del Ministerio Público, en un plazo que no exceda de las seis horas siguientes a que la haya recibido.

También se requerirá autorización judicial en los casos de extracción de información, la cual consiste en la obtención de comunicaciones privadas, datos de identificación de las comunicaciones; así como la información, documentos, archivos de texto, audio, imagen o video contenidos en cualquier dispositivo, accesorio, aparato electrónico, equipo informático, aparato de almacenamiento y todo aquello que pueda contener información, incluyendo la almacenada en las plataformas o centros de datos remotos vinculados con éstos.

Párrafo adicionado DOF 17-06-2016

Si la resolución se registra por medios diversos al escrito, los puntos resolutivos de la autorización deberán transcribirse y entregarse al Ministerio Público.

Los servidores públicos autorizados para la ejecución de la medida serán responsables de que se realice en los términos de la resolución judicial.

Artículo 292. Requisitos de la solicitud

La solicitud de intervención deberá estar fundada y motivada, precisar la persona o personas que serán sujetas a la medida; la identificación del lugar o lugares donde se realizará, si fuere posible; el tipo de comunicación a ser intervenida; su duración; el proceso que se llevará a cabo y las líneas, números o aparatos que serán intervenidos, y en su caso, la denominación de la empresa concesionada del servicio de telecomunicaciones a través del cual se realiza la comunicación objeto de la intervención.

El plazo de la intervención, incluyendo sus prórrogas, no podrá exceder de seis meses. Después de dicho plazo, sólo podrán autorizarse nuevas intervenciones cuando el Ministerio Público acredite nuevos elementos que así lo justifiquen.

Artículo 293. Contenido de la resolución judicial que autoriza la intervención de las comunicaciones privadas

En la autorización, el Juez de control determinará las características de la intervención, sus modalidades, límites y en su caso, ordenará a instituciones públicas o privadas modos específicos de colaboración.

Artículo 294. Objeto de la intervención

Podrán ser objeto de intervención las comunicaciones privadas que se realicen de forma oral, escrita, por signos, señales o mediante el empleo de aparatos eléctricos, electrónicos, mecánicos, alámbricos o inalámbricos, sistemas o equipos informáticos, así como por cualquier otro medio o forma que permita la comunicación entre uno o varios emisores y uno o varios receptores.

En ningún caso se podrán autorizar intervenciones cuando se trate de materias de carácter electoral, fiscal, mercantil, civil, laboral o administrativo, ni en el caso de las comunicaciones del detenido con su Defensor.

El Juez podrá en cualquier momento verificar que las intervenciones sean realizadas en los términos autorizados y, en caso de incumplimiento, decretar su revocación parcial o total.

Artículo 295. Conocimiento de delito diverso

Si en la práctica de una intervención de comunicaciones privadas se tuviera conocimiento de la comisión de un delito diverso de aquellos que motivan la medida, se hará constar esta circunstancia en el registro para dar inicio a una nueva investigación.

Artículo 296. Ampliación de la intervención a otros sujetos

Cuando de la intervención de comunicaciones privadas se advierta la necesidad de ampliar a otros sujetos o lugares la intervención, el Ministerio Público competente presentará al propio Juez de control la solicitud respectiva.

Artículo 297. Registro de las intervenciones

Las intervenciones de comunicación deberán ser registradas por cualquier medio que no altere la fidelidad, autenticidad y contenido de las mismas, por la Policía o por el perito que intervenga, a efecto de que aquélla pueda ser ofrecida como medio de prueba en los términos que señala este Código.

Artículo 298. Registro

El registro a que se refiere el artículo anterior contendrá las fechas de inicio y término de la intervención, un inventario pormenorizado de los documentos, objetos y los medios para la reproducción de sonidos o imágenes captadas durante la misma, cuando no se ponga en riesgo a la investigación o a la persona, la identificación de quienes hayan participado en los actos de investigación, así como los demás datos que se consideren relevantes para la investigación. El registro original y el duplicado, así como los documentos que los integran, se numerarán progresivamente y contendrán los datos necesarios para su identificación.

Artículo 299. Conclusión de la intervención

Al concluir la intervención, la Policía o el perito, de manera inmediata, informará al Ministerio Público sobre su desarrollo, así como de sus resultados y levantará el acta respectiva. A su vez, con la misma prontitud el Ministerio Público que haya solicitado la intervención o su prórroga lo informará al Juez de control.

Las intervenciones realizadas sin las autorizaciones antes citadas o fuera de los términos en ellas ordenados, carecerán de valor probatorio, sin perjuicio de la responsabilidad administrativa o penal a que haya lugar.

Artículo 300. Destrucción de los registros

El Órgano jurisdiccional ordenará la destrucción de aquellos registros de intervención de comunicaciones privadas que no se relacionen con los delitos investigados o con otros delitos que hayan ameritado la apertura de una investigación diversa, salvo que la defensa solicite que sean preservados por considerarlos útiles para su labor.

Asimismo, ordenará la destrucción de los registros de intervenciones no autorizadas o cuando éstos rebasen los términos de la autorización judicial respectiva.

Los registros serán destruidos cuando se decrete el archivo definitivo, el sobreseimiento o la absolución del imputado. Cuando el Ministerio Público decida archivar temporalmente la investigación, los registros podrán ser conservados hasta que el delito prescriba.

Artículo 301. Colaboración con la autoridad

Los concesionarios, permisionarios y demás titulares de los medios o sistemas susceptibles de intervención, deberán colaborar eficientemente con la autoridad competente para el desahogo de dichos actos de investigación, de conformidad con las disposiciones aplicables. Asimismo, deberán contar con la capacidad técnica indispensable que atienda las exigencias requeridas por la autoridad judicial para operar una orden de intervención de comunicaciones privadas.

El incumplimiento a este mandato será sancionado conforme a las disposiciones penales aplicables.

Artículo 302. Deber de secrecía

Quienes participen en alguna intervención de comunicaciones privadas deberán observar el deber de secrecía sobre el contenido de las mismas.

Artículo 303. Localización geográfica en tiempo real y solicitud de entrega de datos conservados

Cuando el Ministerio Público considere necesaria la localización geográfica en tiempo real o entrega de datos conservados por los concesionarios de telecomunicaciones, los autorizados o proveedores de servicios de aplicaciones y contenidos de los equipos de comunicación móvil asociados a una línea que se encuentra relacionada con los hechos que se investigan, el Procurador, o el servidor público en quien se delegue la facultad, podrá solicitar al Juez de control del fuero correspondiente en su caso, por cualquier medio, requiera a los concesionarios de telecomunicaciones, los autorizados o proveedores de servicios de aplicaciones y contenidos, para que proporcionen con la oportunidad y suficiencia necesaria a la autoridad investigadora, la información solicitada para el inmediato desahogo de dichos actos de investigación. Los datos conservados a que refiere este párrafo se destruirán en caso de que no constituyan medio de prueba idóneo o pertinente.

En la solicitud se expresarán los equipos de comunicación móvil relacionados con los hechos que se investigan, señalando los motivos e indicios que sustentan la necesidad de la localización geográfica en tiempo real o la entrega de los datos conservados, su duración y, en su caso, la denominación de la empresa autorizada o proveedora del servicio de telecomunicaciones a través del cual se operan las líneas, números o aparatos que serán objeto de la medida.

La petición deberá ser resuelta por la autoridad judicial de manera inmediata por cualquier medio que garantice su autenticidad, o en audiencia privada con la sola comparecencia del Ministerio Público.

Si la resolución se emite o registra por medios diversos al escrito, los puntos resolutivos de la orden deberán transcribirse y entregarse al Ministerio Público.

En caso de que el Juez de control niegue la orden de localización geográfica en tiempo real o la entrega de los datos conservados, el Ministerio Público podrá subsanar las deficiencias y solicitar nuevamente la orden o podrá apelar la decisión. En este caso la apelación debe ser resuelta en un plazo no mayor de doce horas a partir de que se interponga.

Excepcionalmente, cuando esté en peligro la integridad física o la vida de una persona o se encuentre en riesgo el objeto del delito, así como en hechos relacionados con la privación ilegal de la libertad, secuestro, extorsión o delincuencia organizada, el Procurador, o el servidor público en quien se delegue la facultad, bajo su más estricta responsabilidad, ordenará directamente la localización geográfica en tiempo real o la entrega de los datos conservados a los concesionarios de telecomunicaciones, los autorizados o proveedores de servicios de aplicaciones y contenidos, quienes deberán atenderla de inmediato y con la suficiencia necesaria. A partir de que se haya cumplimentado el requerimiento, el Ministerio Público deberá informar al Juez de control competente por cualquier medio que garantice su autenticidad, dentro del plazo de cuarenta y ocho horas, a efecto de que ratifique parcial o totalmente de manera inmediata la subsistencia de la medida, sin perjuicio de que el Ministerio Público continúe con su actuación.

Cuando el Juez de control no ratifique la medida a que hace referencia el párrafo anterior, la información obtenida no podrá ser incorporada al procedimiento penal.

Asimismo el Procurador, o el servidor público en quien se delegue la facultad podrá requerir a los sujetos obligados que establece la Ley Federal de Telecomunicaciones y Radiodifusión, la conservación inmediata de datos contenidos en redes, sistemas o equipos de informática, hasta por un tiempo máximo de noventa días, lo cual deberá realizarse de forma inmediata. La solicitud y entrega de los datos contenidos en redes, sistemas o equipos de informática se llevará a cabo de conformidad por lo previsto por este artículo. Lo anterior sin menoscabo de las obligaciones previstas en materia de conservación de información para las concesionarias y autorizados de telecomunicaciones en términos del artículo 190, fracción II de la Ley Federal de Telecomunicaciones y Radiodifusión.

Artículo reformado DOF 17-06-2016

CAPÍTULO III
PRUEBA ANTICIPADA

Artículo 304. Prueba anticipada

Hasta antes de la celebración de la audiencia de juicio se podrá desahogar anticipadamente cualquier medio de prueba pertinente, siempre que se satisfagan los siguientes requisitos:

I. Que sea practicada ante el Juez de control;

II. Que sea solicitada por alguna de las partes, quienes deberán expresar las razones por las cuales el acto se debe realizar con anticipación a la audiencia de juicio a la que se pretende desahogar y se torna indispensable en virtud de que se estime probable que algún testigo no podrá concurrir a la audiencia de juicio, por vivir en el extranjero, por existir motivo que hiciere temer su muerte, o por su estado de salud o incapacidad física o mental que le impidiese declarar;

III. Que sea por motivos fundados y de extrema necesidad y para evitar la pérdida o alteración del medio probatorio, y

IV. Que se practique en audiencia y en cumplimiento de las reglas previstas para la práctica de pruebas en el juicio.

Artículo 305. Procedimiento para prueba anticipada

La solicitud de desahogo de prueba anticipada podrá plantearse desde que se presenta la denuncia, querella o equivalente y hasta antes de que dé inicio la audiencia de juicio oral.

Cuando se solicite el desahogo de una prueba en forma anticipada, el Órgano jurisdiccional citará a audiencia a todos aquellos que tuvieren derecho a asistir a la audiencia de juicio oral y luego de escucharlos valorará la posibilidad de que la prueba por anticipar no pueda ser desahogada en la audiencia de juicio oral, sin grave riesgo de pérdida por la demora y, en su caso, admitirá y desahogará la prueba en el mismo acto otorgando a las partes todas las facultades previstas para su participación en la audiencia de juicio oral.

El imputado que estuviere detenido será trasladado a la sala de audiencias para que se imponga en forma personal, por teleconferencia o cualquier otro medio de comunicación, de la práctica de la diligencia.

En caso de que todavía no exista imputado identificado se designará un Defensor público para que intervenga en la audiencia.

Artículo 306. Registro y conservación de la prueba anticipada

La audiencia en la que se desahogue la prueba anticipada deberá registrarse en su totalidad. Concluido el desahogo de la prueba anticipada, se entregará el registro correspondiente a las partes.

Si el obstáculo que dio lugar a la práctica del anticipo de prueba no existiera para la fecha de la audiencia de juicio, se desahogará de nueva cuenta el medio de prueba correspondiente en la misma.

Toda prueba anticipada deberá conservarse de acuerdo con las medidas dispuestas por el Juez de control.

TÍTULO VI
AUDIENCIA INICIAL

Artículo 307. Audiencia inicial

En la audiencia inicial se informarán al imputado sus derechos constitucionales y legales, si no se le hubiese informado de los mismos con anterioridad, se realizará el control de legalidad de la detención si correspondiere, se formulará la imputación, se dará la oportunidad de declarar al imputado, se resolverá sobre las solicitudes de vinculación a proceso y medidas cautelares y se definirá el plazo para el cierre de la investigación.

En caso de que el Ministerio Público o la víctima u ofendido solicite la procedencia de una medida cautelar, dicha cuestión deberá ser resuelta antes de que se dicte la suspensión de la audiencia inicial.

Párrafo reformado DOF 17-06-2016

A esta audiencia deberá concurrir el Ministerio Público, el imputado y su Defensor. La víctima u ofendido o su Asesor jurídico, podrán asistir si así lo desean, pero su presencia no será requisito de validez de la audiencia.

Artículo 308. Control de legalidad de la detención

Inmediatamente después de que el imputado detenido en flagrancia o caso urgente sea puesto a disposición del Juez de control, se citará a la audiencia inicial en la que se realizará el control de la detención antes de que se proceda a la formulación de la imputación. El Juez le preguntará al detenido si cuenta con Defensor y en caso negativo, ordenará que se le nombre un Defensor público y le hará saber que tiene derecho a ofrecer datos de prueba, así como acceso a los registros.

El Ministerio Público deberá justificar las razones de la detención y el Juez de control procederá a calificarla, examinará el cumplimiento del plazo constitucional de retención y los requisitos de procedibilidad, ratificándola en caso de encontrarse ajustada a derecho o decretando la libertad en los términos previstos en este Código.

Ratificada la detención en flagrancia, caso urgente, y cuando se hubiere ejecutado una orden de aprehensión, el imputado permanecerá detenido durante el desarrollo de la audiencia inicial, hasta en tanto no se resuelva si será o no sometido a una medida cautelar.

Párrafo reformado DOF 17-06-2016

En caso de que al inicio de la audiencia el agente del Ministerio Público no esté presente, el Juez de control declarará en receso la audiencia hasta por una hora y ordenará a la administración del Poder Judicial para que se comunique con el superior jerárquico de aquél, con el propósito de que lo haga comparecer o lo sustituya. Concluido el receso sin obtener respuesta, se procederá a la inmediata liberación del detenido.

La omisión del Ministerio Público o de su superior jerárquico, al párrafo precedente los hará incurrir en las responsabilidades de conformidad con las disposiciones aplicables.

Párrafo adicionado DOF 17-06-2016

Artículo 309. Oportunidad para formular la imputación a personas detenidas

La formulación de la imputación es la comunicación que el Ministerio Público efectúa al imputado, en presencia del Juez de control, de que desarrolla una investigación en su contra respecto de uno o más hechos que la ley señala como delito.

En el caso de detenidos en flagrancia o caso urgente, después que el Juez de control califique de legal la detención, el Ministerio Público deberá formular la imputación, acto seguido solicitará la vinculación del imputado a proceso sin perjuicio del plazo constitucional que pueda invocar el imputado o su Defensor.

En el caso de que el Ministerio Público o la víctima u ofendido o el Asesor jurídico solicite una medida cautelar y el imputado se haya acogido al plazo constitucional, el debate sobre medidas cautelares sucederá previo a la suspensión de la audiencia.

Párrafo reformado DOF 17-06-2016

El imputado no podrá negarse a proporcionar su completa identidad, debiendo responder las preguntas que se le dirijan con respecto a ésta y se le exhortará para que se conduzca con verdad.

Se le preguntará al imputado si es su deseo proporcionar sus datos en voz alta o si prefiere que éstos sean anotados por separado y preservados en reserva.

Si el imputado decidiera declarar en relación a los hechos que se le imputan, se le informarán sus derechos procesales relacionados con este acto y que lo que declare puede ser utilizado en su contra, se le cuestionará si ha sido asesorado por su Defensor y si su decisión es libre.

Si el imputado decide libremente declarar, el Ministerio Público, el Asesor jurídico de la víctima u ofendido, el acusador privado en su caso y la defensa podrán dirigirle preguntas sobre lo que declaró, pero no estará obligado a responder las que puedan ser en su contra.

En lo conducente se observarán las reglas previstas en este Código para el desahogo de los medios de prueba.

Artículo 310. Oportunidad para formular la imputación a personas en libertad

El agente del Ministerio Público podrá formular la imputación cuando considere oportuna la intervención judicial con el propósito de resolver la situación jurídica del imputado.

Si el Ministerio Público manifestare interés en formular imputación a una persona que no se encontrare detenida, solicitará al Juez de control que lo cite en libertad y señale fecha y hora para que tenga verificativo la audiencia inicial, la que se llevará a cabo dentro de los quince días siguientes a la presentación de la solicitud.

Cuando lo considere necesario, para lograr la presencia del imputado en la audiencia inicial, el agente del Ministerio Público podrá solicitar orden de aprehensión o de comparecencia, según sea el caso y el Juez de control resolverá lo que corresponda. Las solicitudes y resoluciones deberán realizarse en los términos del presente Código.

Artículo 311. Procedimiento para formular la imputación

Una vez que el imputado esté presente en la audiencia inicial, por haberse ordenado su comparecencia, por haberse ejecutado en su contra una orden de aprehensión o ratificado de legal la detención y después de haber verificado el Juez de control que el imputado conoce sus derechos fundamentales dentro del procedimiento penal o, en su caso, después de habérselos dado a conocer, se ofrecerá la palabra al agente del Ministerio Público para que éste exponga al imputado el hecho que se le atribuye, la calificación jurídica preliminar, la fecha, lugar y modo de su comisión, la forma de intervención que haya tenido en el mismo, así como el nombre de su acusador, salvo que, a consideración del Juez de control sea necesario reservar su identidad en los supuestos autorizados por la Constitución y por la ley.

El Juez de control a petición del imputado o de su Defensor, podrá solicitar las aclaraciones o precisiones que considere necesarias respecto a la imputación formulada por el Ministerio Público.

Artículo 312. Oportunidad para declarar

Formulada la imputación, el Juez de control le preguntará al imputado si la entiende y si es su deseo contestar al cargo. En caso de que decida guardar silencio, éste no podrá ser utilizado en su contra. Si el imputado manifiesta su deseo de declarar, su declaración se rendirá conforme a lo dispuesto en este Código. Cuando se trate de varios imputados, sus declaraciones serán recibidas sucesivamente, evitando que se comuniquen entre sí antes de la recepción de todas ellas.

Artículo 313. Oportunidad para resolver la solicitud de vinculación a proceso

Después de que el imputado haya emitido su declaración, o manifestado su deseo de no hacerlo, el agente del Ministerio Público solicitará al Juez de control la oportunidad para discutir medidas cautelares, en su caso, y posteriormente solicitar la vinculación a proceso. Antes de escuchar al agente del Ministerio Público, el Juez de control se dirigirá al imputado y le explicará los momentos en los cuales puede resolverse la solicitud que desea plantear el Ministerio Público.

El Juez de control cuestionará al imputado si desea que se resuelva sobre su vinculación a proceso en esa audiencia dentro del plazo de setenta y dos horas o si solicita la ampliación de dicho plazo. En caso de que el imputado no se acoja al plazo constitucional ni solicite la duplicidad del mismo, el Ministerio Público deberá solicitar y motivar la vinculación del imputado a proceso, exponiendo en la misma audiencia los datos de prueba con los que considera que se establece un hecho que la ley señale como delito y la probabilidad de que el imputado lo cometió o participó en su comisión. El Juez de control otorgará la oportunidad a la defensa para que conteste la solicitud y si considera necesario permitirá la réplica y contrarréplica. Hecho lo anterior, resolverá la situación jurídica del imputado.

Si el imputado manifestó su deseo de que se resuelva sobre su vinculación a proceso dentro del plazo de setenta y dos horas o solicita la ampliación de dicho plazo, el Juez deberá señalar fecha para la celebración de la audiencia de vinculación a proceso dentro de dicho plazo o su prórroga.

La audiencia de vinculación a proceso deberá celebrarse, según sea el caso, dentro de las setenta y dos o ciento cuarenta y cuatro horas siguientes a que el imputado detenido fue puesto a su disposición o que el imputado compareció a la audiencia de formulación de la imputación.

Párrafo reformado DOF 17-06-2016

El Juez de control deberá informar a la autoridad responsable del establecimiento en el que se encuentre internado el imputado si al resolverse su situación jurídica además se le impuso como medida cautelar la prisión preventiva o si se solicita la duplicidad del plazo constitucional. Si transcurrido el plazo constitucional el Juez de control no informa a la autoridad responsable, ésta deberá llamar su atención sobre dicho particular en el acto mismo de concluir el plazo y, si no recibe la constancia mencionada dentro de las tres horas siguientes, deberá poner al imputado en libertad.

Artículo 314. Incorporación de datos y medios de prueba en el plazo constitucional o su ampliación

El imputado o su Defensor podrán, durante el plazo constitucional o su ampliación, presentar los datos de prueba que consideren necesarios ante el Juez de control.

Exclusivamente en el caso de delitos que ameriten la imposición de la medida cautelar de prisión preventiva oficiosa u otra personal, de conformidad con lo previsto en este Código, el Juez de control podrá admitir el desahogo de medios de prueba ofrecidos por el imputado o su Defensor, cuando, al inicio de la audiencia o su continuación, justifiquen que ello resulta pertinente.

Artículo reformado DOF 17-06-2016

Artículo 315. Continuación de la audiencia inicial

La continuación de la audiencia inicial comenzará con la presentación de los datos de prueba aportados por las partes o, en su caso, con el desahogo de los medios de prueba que hubiese ofrecido y justificado el imputado o su defensor en términos del artículo 314 de este Código. Para tal efecto, se seguirán en lo conducente las reglas previstas para el desahogo de pruebas en la audiencia de debate de juicio oral. Desahogada la prueba, si la hubo, se le concederá la palabra en primer término al Ministerio Público, al asesor jurídico de la víctima y luego al imputado. Agotado el debate, el Juez resolverá sobre la vinculación o no del imputado a proceso.

Párrafo reformado DOF 17-06-2016

En casos de extrema complejidad, el Juez de control podrá decretar un receso que no podrá exceder de dos horas, antes de resolver sobre la situación jurídica del imputado.

Artículo 316. Requisitos para dictar el auto de vinculación a proceso

El Juez de control, a petición del agente del Ministerio Público, dictará el auto de vinculación del imputado a proceso, siempre que:

I. Se haya formulado la imputación;

II. Se haya otorgado al imputado la oportunidad para declarar;

III. De los antecedentes de la investigación expuestos por el Ministerio Público, se desprendan datos de prueba que establezcan que se ha cometido un hecho que la ley señala como delito y que exista la probabilidad de que el imputado lo cometió o participó en su comisión. Se entenderá que obran datos que establecen que se ha cometido un hecho que la ley señale como delito cuando existan indicios razonables que así permitan suponerlo, y

IV. Que no se actualice una causa de extinción de la acción penal o excluyente del delito.

El auto de vinculación a proceso deberá dictarse por el hecho o hechos que fueron motivo de la imputación, el Juez de control podrá otorgarles una clasificación jurídica distinta a la asignada por el Ministerio Público misma que deberá hacerse saber al imputado para los efectos de su defensa.

El proceso se seguirá forzosamente por el hecho o hechos delictivos señalados en el auto de vinculación a proceso. Si en la secuela de un proceso apareciere que se ha cometido un hecho delictivo distinto del que se persigue, deberá ser objeto de investigación separada, sin perjuicio de que después pueda decretarse la acumulación si fuere conducente.

Artículo 317. Contenido del auto de vinculación a proceso

El auto de vinculación a proceso deberá contener:

I. Los datos personales del imputado;

II. Los fundamentos y motivos por los cuales se estiman satisfechos los requisitos mencionados en el artículo anterior, y

III. El lugar, tiempo y circunstancias de ejecución del hecho que se imputa.

Artículo 318. Efectos del auto de vinculación a proceso

El auto de vinculación a proceso establecerá el hecho o los hechos delictivos sobre los que se continuará el proceso o se determinarán las formas anticipadas de terminación del proceso, la apertura a juicio o el sobreseimiento.

Artículo 319. Auto de no vinculación a proceso

En caso de que no se reúna alguno de los requisitos previstos en este Código, el Juez de control dictará un auto de no vinculación del imputado a proceso y, en su caso, ordenará la libertad inmediata del imputado, para lo cual revocará las providencias precautorias y las medidas cautelares anticipadas que se hubiesen decretado.

El auto de no vinculación a proceso no impide que el Ministerio Público continúe con la investigación y posteriormente formule nueva imputación, salvo que en el mismo se decrete el sobreseimiento.

Artículo 320. Valor de las actuaciones

Los antecedentes de la investigación y elementos de convicción aportados y desahogados, en su caso, en la audiencia de vinculación a proceso, que sirvan como base para el dictado del auto de vinculación a proceso y de las medidas cautelares, carecen de valor probatorio para fundar la sentencia, salvo las excepciones expresas previstas por este Código.

Artículo reformado DOF 17-06-2016

Artículo 321. Plazo para la investigación complementaria

El Juez de control, antes de finalizar la audiencia inicial determinará previa propuesta de las partes el plazo para el cierre de la investigación complementaria.

El Ministerio Público deberá concluir la investigación complementaria dentro del plazo señalado por el Juez de control, mismo que no podrá ser mayor a dos meses si se tratare de delitos cuya pena máxima no exceda los dos años de prisión, ni de seis meses si la pena máxima excediera ese tiempo o podrá agotar dicha investigación antes de su vencimiento. Transcurrido el plazo para el cierre de la investigación, ésta se dará por cerrada, salvo que el Ministerio Público, la víctima u ofendido o el imputado hayan solicitado justificadamente prórroga del mismo antes de finalizar el plazo, observándose los límites máximos que establece el presente artículo.

En caso de que el Ministerio Público considere cerrar anticipadamente la investigación, informará a la víctima u ofendido o al imputado para que, en su caso, manifiesten lo conducente.

Artículo 322. Prórroga del plazo de la investigación complementaria

De manera excepcional, el Ministerio Público podrá solicitar una prórroga del plazo de investigación complementaria para formular acusación, con la finalidad de lograr una mejor preparación del caso, fundando y motivando su petición. El Juez podrá otorgar la prórroga siempre y cuando el plazo solicitado, sumado al otorgado originalmente, no exceda los plazos señalados en el artículo anterior.

Artículo 323. Plazo para declarar el cierre de la investigación

Transcurrido el plazo para el cierre de la investigación, el Ministerio Público deberá cerrarla o solicitar justificadamente su prórroga al Juez de control, observándose los límites máximos previstos en el artículo 321.

Si el Ministerio Público no declarara cerrada la investigación en el plazo fijado, o no solicita su prórroga, el imputado o la víctima u ofendido podrán solicitar al Juez de control que lo aperciba para que proceda a tal cierre.

Transcurrido el plazo para el cierre de la investigación, ésta se tendrá por cerrada salvo que el Ministerio Público o el imputado hayan solicitado justificadamente prórroga del mismo al Juez.

Artículo 324. Consecuencias de la conclusión del plazo de la investigación complementaria

Una vez cerrada la investigación complementaria, el Ministerio Público dentro de los quince días siguientes deberá:

I. Solicitar el sobreseimiento parcial o total;

II. Solicitar la suspensión del proceso, o

III. Formular acusación.

Artículo 325. Extinción de la acción penal por incumplimiento del plazo

Cuando el Ministerio Público no cumpla con la obligación establecida en el artículo anterior, el Juez de control pondrá el hecho en conocimiento del Procurador o del servidor público en quien haya delegado esta facultad, para que se pronuncie en el plazo de quince días.

Transcurrido este plazo sin que se haya pronunciado, el Juez de control ordenará el sobreseimiento.

Artículo 326. Peticiones diversas a la acusación

Cuando únicamente se formulen peticiones diversas a la acusación del Ministerio Público, el Juez de control resolverá sin sustanciación lo que corresponda, salvo disposición en contrario o que estime indispensable realizar audiencia, en cuyo caso convocará a las partes.

Artículo 327. Sobreseimiento

El Ministerio Público, el imputado o su Defensor podrán solicitar al Órgano jurisdiccional el sobreseimiento de una causa; recibida la solicitud, el Órgano jurisdiccional la notificará a las partes y citará, dentro de las veinticuatro horas siguientes, a una audiencia donde se resolverá lo conducente. La incomparecencia de la víctima u ofendido debidamente citados no impedirá que el Órgano jurisdiccional se pronuncie al respecto.

El sobreseimiento procederá cuando:

I. El hecho no se cometió;

II. El hecho cometido no constituye delito;

III. Apareciere claramente establecida la inocencia del imputado;

IV. El imputado esté exento de responsabilidad penal;

V. Agotada la investigación, el Ministerio Público estime que no cuenta con los elementos suficientes para fundar una acusación;

VI. Se hubiere extinguido la acción penal por alguno de los motivos establecidos en la ley;

VII. Una ley o reforma posterior derogue el delito por el que se sigue el proceso;

VIII. El hecho de que se trata haya sido materia de un proceso penal en el que se hubiera dictado sentencia firme respecto del imputado;

IX. Muerte del imputado, o

X. En los demás casos en que lo disponga la ley.

Artículo 328. Efectos del sobreseimiento

El sobreseimiento firme tiene efectos de sentencia absolutoria, pone fin al procedimiento en relación con el imputado en cuyo favor se dicta, inhibe una nueva persecución penal por el mismo hecho y hace cesar todas las medidas cautelares que se hubieran dictado.

Artículo 329. Sobreseimiento total o parcial

El sobreseimiento será total cuando se refiera a todos los delitos y a todos los imputados, y parcial cuando se refiera a algún delito o a algún imputado, de los varios a que se hubiere extendido la investigación y que hubieren sido objeto de vinculación a proceso.

Si el sobreseimiento fuere parcial, se continuará el proceso respecto de aquellos delitos o de aquellos imputados a los que no se extendiere aquél.

Artículo 330. Facultades del Juez respecto del sobreseimiento

El Juez de control, al pronunciarse sobre la solicitud de sobreseimiento planteada por cualquiera de las partes, podrá rechazarlo o bien decretar el sobreseimiento incluso por motivo distinto del planteado conforme a lo previsto en este Código.

Si la víctima u ofendido se opone a la solicitud de sobreseimiento formulada por el Ministerio Público, el imputado o su Defensor, el Juez de control se pronunciará con base en los argumentos expuestos por las partes y el mérito de la causa.

Si el Juez de control admite las objeciones de la víctima u ofendido, denegará la solicitud de sobreseimiento.

De no mediar oposición, la solicitud de sobreseimiento se declarará procedente sin perjuicio del derecho de las partes a recurrir.

Artículo 331. Suspensión del proceso

El Juez de control competente decretará la suspensión del proceso cuando:

I. Se decrete la sustracción del imputado a la acción de la justicia;

II. Se descubra que el delito es de aquellos respecto de los cuales no se puede proceder sin que sean satisfechos determinados requisitos y éstos no se hubieren cumplido;

III. El imputado adquiera algún trastorno mental temporal durante el proceso, o

IV. En los demás casos que la ley señale.

Artículo 332. Reapertura del proceso al cesar la causal de suspensión

A solicitud del Ministerio Público o de cualquiera de los que intervienen en el proceso, el Juez de control podrá decretar la reapertura del mismo cuando cese la causa que haya motivado la suspensión.

Artículo 333. Reapertura de la investigación

Hasta antes de presentada la acusación, las partes podrán reiterar la solicitud de diligencias de investigación específicas que hubieren formulado al Ministerio Público después de dictado el auto de vinculación a proceso y que éste hubiere rechazado.

Si el Juez de control aceptara la solicitud de las partes, ordenará al Ministerio Público reabrir la investigación y proceder al cumplimiento de las actuaciones en el plazo que le fijará. En dicha audiencia, el Ministerio Público podrá solicitar la ampliación del plazo por una sola vez.

No procederá la solicitud de llevar a cabo actos de investigación que en su oportunidad se hubieren ordenado a petición de las partes y no se hubieren cumplido por negligencia o hecho imputable a ellas, ni tampoco las que fueren impertinentes, las que tuvieren por objeto acreditar hechos públicos y notorios, ni todas aquellas que hubieren sido solicitadas con fines puramente dilatorios.

Vencido el plazo o su ampliación, la investigación sujeta a reapertura se considerará cerrada, o aún antes de ello si se hubieren cumplido las actuaciones que la motivaron, y se procederá de conformidad con lo dispuesto en este Código.

TÍTULO VII
ETAPA INTERMEDIA

CAPÍTULO I
OBJETO

Artículo 334. Objeto de la etapa intermedia

La etapa intermedia tiene por objeto el ofrecimiento y admisión de los medios de prueba, así como la depuración de los hechos controvertidos que serán materia del juicio.

Esta etapa se compondrá de dos fases, una escrita y otra oral. La fase escrita iniciará con el escrito de acusación que formule el Ministerio Público y comprenderá todos los actos previos a la celebración de la audiencia intermedia. La segunda fase dará inicio con la celebración de la audiencia intermedia y culminará con el dictado del auto de apertura a juicio.

Artículo 335. Contenido de la acusación

Una vez concluida la fase de investigación complementaria, si el Ministerio Público estima que la investigación aporta elementos para ejercer la acción penal contra el imputado, presentará la acusación.

La acusación del Ministerio Público, deberá contener en forma clara y precisa:

I. La individualización del o los acusados y de su Defensor;

II. La identificación de la víctima u ofendido y su Asesor jurídico;

III. La relación clara, precisa, circunstanciada y específica de los hechos atribuidos en modo, tiempo y lugar, así como su clasificación jurídica;

IV. La relación de las modalidades del delito que concurrieren;

V. La autoría o participación concreta que se atribuye al acusado;

VI. La expresión de los preceptos legales aplicables;

VII. El señalamiento de los medios de prueba que pretenda ofrecer, así como la prueba anticipada que se hubiere desahogado en la etapa de investigación;

VIII. El monto de la reparación del daño y los medios de prueba que ofrece para probarlo;

IX. La pena o medida de seguridad cuya aplicación se solicita incluyendo en su caso la correspondiente al concurso de delitos;

X. Los medios de prueba que el Ministerio Público pretenda presentar para la individualización de la pena y en su caso, para la procedencia de sustitutivos de la pena de prisión o suspensión de la misma;

XI. La solicitud de decomiso de los bienes asegurados;

XII. La propuesta de acuerdos probatorios, en su caso, y

XIII. La solicitud de que se aplique alguna forma de terminación anticipada del proceso cuando ésta proceda.

La acusación sólo podrá formularse por los hechos y personas señaladas en el auto de vinculación a proceso, aunque se efectúe una distinta clasificación, la cual deberá hacer del conocimiento de las partes.

Si el Ministerio Público o, en su caso, la víctima u ofendido ofrecieran como medios de prueba la declaración de testigos o peritos, deberán presentar una lista identificándolos con nombre, apellidos, domicilio y modo de localizarlos, señalando además los puntos sobre los que versarán los interrogatorios.

Artículo 336. Notificación de la Acusación

Una vez presentada la acusación, el Juez de control ordenará su notificación a las partes al día siguiente. Con dicha notificación se les entregará copia de la acusación.

Artículo reformado DOF 17-06-2016

Artículo 337. Descubrimiento probatorio

El descubrimiento probatorio consiste en la obligación de las partes de darse a conocer entre ellas en el proceso, los medios de prueba que pretendan ofrecer en la audiencia de juicio. En el caso del Ministerio Público, el descubrimiento comprende el acceso y copia a todos los registros de la investigación, así como a los lugares y objetos relacionados con ella, incluso de aquellos elementos que no pretenda ofrecer como medio de prueba en el juicio. En el caso del imputado o su defensor, consiste en entregar materialmente copia de los registros al Ministerio Público a su costa, y acceso a las evidencias materiales que ofrecerá en la audiencia intermedia, lo cual deberá realizarse en los términos de este Código.

El Ministerio Público deberá cumplir con esta obligación de manera continua a partir de los momentos establecidos en el párrafo tercero del artículo 218 de este Código, así como permitir el acceso del imputado o su Defensor a los nuevos elementos que surjan en el curso de la investigación, salvo las excepciones previstas en este Código.

La víctima u ofendido, el asesor jurídico y el acusado o su Defensor, deberán descubrir los medios de prueba que pretendan ofrecer en la audiencia del juicio, en los plazos establecidos en los artículos 338 y 340, respectivamente, para lo cual, deberán entregar materialmente copia de los registros y acceso a los medios de prueba, con costo a cargo del Ministerio Público. Tratándose de la prueba pericial, se deberá entregar el informe respectivo al momento de descubrir los medios de prueba a cargo de cada una de las partes, salvo que se justifique que aún no cuenta con ellos, caso en el cual, deberá descubrirlos a más tardar tres días antes del inicio de la audiencia intermedia.

En caso que el acusado o su defensor, requiera más tiempo para preparar el descubrimiento o su caso, podrá solicitar al Juez de control, antes de celebrarse la audiencia intermedia o en la misma audiencia, le conceda un plazo razonable y justificado para tales efectos.

Artículo reformado DOF 17-06-2016

Artículo 338. Coadyuvancia en la acusación

Dentro de los tres días siguientes de la notificación de la acusación formulada por el Ministerio Público, la víctima u ofendido podrán mediante escrito:

I. Constituirse como coadyuvantes en el proceso;

II. Señalar los vicios formales de la acusación y requerir su corrección;

III. Ofrecer los medios de prueba que estime necesarios para complementar la acusación del Ministerio Público, de lo cual se deberá notificar al acusado;

Fracción reformada DOF 17-06-2016

IV. Solicitar el pago de la reparación del daño y cuantificar su monto.

Artículo 339. Reglas generales de la coadyuvancia

Si la víctima u ofendido se constituyera en coadyuvante del Ministerio Público, le serán aplicables en lo conducente las formalidades previstas para la acusación de aquél. El Juez de control deberá correr traslado de dicha solicitud a las partes.

La coadyuvancia en la acusación por parte de la víctima u ofendido no alterará las facultades concedidas por este Código y demás legislación aplicable al Ministerio Público, ni lo eximirá de sus responsabilidades.

Si se trata de varias víctimas u ofendidos podrán nombrar un representante común, siempre que no exista conflicto de intereses.

Artículo 340. Actuación del imputado en la fase escrita de la etapa intermedia

Dentro de los diez días siguientes a que fenezca el plazo para la solicitud de coadyuvancia de la víctima u ofendido, el acusado o su Defensor, mediante escrito dirigido al Juez de control, podrán:

Párrafo reformado DOF 17-06-2016

I. Señalar vicios formales del escrito de acusación y pronunciarse sobre las observaciones del coadyuvante y si lo consideran pertinente, requerir su corrección. No obstante, el acusado o su Defensor podrán señalarlo en la audiencia intermedia;

Fracción reformada DOF 17-06-2016

II. Ofrecer los medios de prueba que pretenda se desahoguen en el juicio;

Fracción adicionada DOF 17-06-2016

III. Solicitar la acumulación o separación de acusaciones, y

Fracción reformada y recorrida DOF 17-06-2016

IV. Manifestarse sobre los acuerdos probatorios.

Fracción reformada y recorrida DOF 17-06-2016

El escrito del acusado o su Defensor se notificará al Ministerio Público y al coadyuvante dentro de las veinticuatro horas siguientes a su presentación.

Párrafo reformado DOF 17-06-2016

Reforma DOF 17-06-2016: Derogó del artículo el entonces párrafo segundo

Artículo 341. Citación a la audiencia

El Juez de control, en el mismo auto en que tenga por presentada la acusación del Ministerio Público, señalará fecha para que se lleve a cabo la audiencia intermedia, la cual deberá tener lugar en un plazo que no podrá ser menor a treinta ni exceder de cuarenta días naturales a partir de presentada la acusación.

Párrafo reformado DOF 17-06-2016

Previa celebración de la audiencia intermedia, el Juez de control podrá, por una sola ocasión y a solicitud de la defensa, diferir, hasta por diez días, la celebración de la audiencia intermedia. Para tal efecto, la defensa deberá exponer las razones por las cuales ha requerido dicho diferimiento.

Artículo 342. Inmediación en la audiencia intermedia

La audiencia intermedia será conducida por el Juez de control, quien la presidirá en su integridad y se desarrollará oralmente. Es indispensable la presencia permanente del Juez de control, el Ministerio Público, y el Defensor durante la audiencia.

La víctima u ofendido o su Asesor jurídico deberán concurrir, pero su inasistencia no suspende el acto, aunque si ésta fue injustificada, se tendrá por desistida su pretensión en el caso de que se hubiera constituido como coadyuvante del Ministerio Público.

Artículo 343. Unión y separación de acusación

Cuando el Ministerio Público formule diversas acusaciones que el Juez de control considere conveniente someter a una misma audiencia del debate, y siempre que ello no perjudique el derecho de defensa, podrá unirlas y decretar la apertura de un solo juicio, si ellas están vinculadas por referirse a un mismo hecho, a un mismo acusado o porque deben ser examinadas los mismos medios de prueba.

El Juez de control podrá dictar autos de apertura del juicio separados, para distintos hechos o diferentes acusados que estén comprendidos en una misma acusación, cuando, de ser conocida en una sola audiencia del debate, pudiera provocar graves dificultades en la organización o el desarrollo de la audiencia del debate o afectación del derecho de defensa, y siempre que ello no implique el riesgo de provocar decisiones contradictorias.

Artículo 344. Desarrollo de la audiencia

Al inicio de la audiencia el Ministerio Público realizará una exposición resumida de su acusación, seguida de las exposiciones de la víctima u ofendido y el acusado por sí o por conducto de su Defensor; acto seguido las partes podrán deducir cualquier incidencia que consideren relevante presentar. Asimismo, la Defensa promoverá las excepciones que procedan conforme a lo que se establece en este Código.

Desahogados los puntos anteriores y posterior al establecimiento en su caso de acuerdos probatorios, el Juez se cerciorará de que se ha cumplido con el descubrimiento probatorio a cargo de las partes y, en caso de controversia abrirá debate entre las mismas y resolverá lo procedente.

Si es el caso que el Ministerio Público o la víctima u ofendido ocultaron una prueba favorable a la defensa, el Juez en el caso del Ministerio Público procederá a dar vista a su superior para los efectos conducentes. De igual forma impondrá una corrección disciplinaria a la víctima u ofendido.

Artículo 345. Acuerdos probatorios

Los acuerdos probatorios son aquellos celebrados entre el Ministerio Público y el acusado, sin oposición fundada de la víctima u ofendido, para aceptar como probados alguno o algunos de los hechos o sus circunstancias.

Si la víctima u ofendido se opusieren, el Juez de control determinará si es fundada y motivada la oposición, de lo contrario el Ministerio Público podrá realizar el acuerdo probatorio.

El Juez de control autorizará el acuerdo probatorio, siempre que lo considere justificado por existir antecedentes de la investigación con los que se acredite el hecho.

En estos casos, el Juez de control indicará en el auto de apertura del juicio los hechos que tendrán por acreditados, a los cuales deberá estarse durante la audiencia del juicio oral.

Artículo 346. Exclusión de medios de prueba para la audiencia del debate

Una vez examinados los medios de prueba ofrecidos y de haber escuchado a las partes, el Juez de control ordenará fundadamente que se excluyan de ser rendidos en la audiencia de juicio, aquellos medios de prueba que no se refieran directa o indirectamente al objeto de la investigación y sean útiles para el esclarecimiento de los hechos, así como aquellos en los que se actualice alguno de los siguientes supuestos:

I. Cuando el medio de prueba se ofrezca para generar efectos dilatorios, en virtud de ser:

a) Sobreabundante: por referirse a diversos medios de prueba del mismo tipo, testimonial o documental, que acrediten lo mismo, ya superado, en reiteradas ocasiones;

b) Impertinentes: por no referirse a los hechos controvertidos, o

c) Innecesarias: por referirse a hechos públicos, notorios o incontrovertidos;

II. Por haberse obtenido con violación a derechos fundamentales;

III. Por haber sido declaradas nulas, o

IV. Por ser aquellas que contravengan las disposiciones señaladas en este Código para su desahogo.

En el caso de que el Juez estime que el medio de prueba sea sobreabundante, dispondrá que la parte que la ofrezca reduzca el número de testigos o de documentos, cuando mediante ellos desee acreditar los mismos hechos o circunstancias con la materia que se someterá a juicio.

Asimismo, en los casos de delitos contra la libertad y seguridad sexuales y el normal desarrollo psicosexual, el Juez excluirá la prueba que pretenda rendirse sobre la conducta sexual anterior o posterior de la víctima.

La decisión del Juez de control de exclusión de medios de prueba es apelable.

Artículo 347. Auto de apertura a juicio

Antes de finalizar la audiencia, el Juez de control dictará el auto de apertura de juicio que deberá indicar:

I. El Tribunal de enjuiciamiento competente para celebrar la audiencia de juicio;

Fracción reformada DOF 17-06-2016

II. La individualización de los acusados;

III. Las acusaciones que deberán ser objeto del juicio y las correcciones formales que se hubieren realizado en ellas, así como los hechos materia de la acusación;

IV. Los acuerdos probatorios a los que hubieren llegado las partes;

V. Los medios de prueba admitidos que deberán ser desahogados en la audiencia de juicio, así como la prueba anticipada;

VI. Los medios de pruebas que, en su caso, deban de desahogarse en la audiencia de individualización de las sanciones y de reparación del daño;

VII. Las medidas de resguardo de identidad y datos personales que procedan en términos de este Código;

VIII. Las personas que deban ser citadas a la audiencia de debate, y

IX. Las medidas cautelares que hayan sido impuestas al acusado.

El Juez de control hará llegar el mismo al Tribunal de enjuiciamiento competente dentro de los cinco días siguientes de haberse dictado y pondrá a su disposición los registros, así como al acusado.

TÍTULO VIII
ETAPA DE JUICIO

CAPÍTULO I
DISPOSICIONES PREVIAS

Artículo 348. Juicio

El juicio es la etapa de decisión de las cuestiones esenciales del proceso. Se realizará sobre la base de la acusación en el que se deberá asegurar la efectiva vigencia de los principios de inmediación, publicidad, concentración, igualdad, contradicción y continuidad.

Artículo 349. Fecha, lugar, integración y citaciones

El Tribunal de enjuiciamiento una vez que reciba el auto de apertura a juicio oral deberá establecer la fecha para la celebración de la audiencia de debate, la que deberá tener lugar no antes de veinte ni después de sesenta días naturales contados a partir de la emisión del auto de apertura a juicio. Se citará oportunamente a todas las partes para asistir al debate. El acusado deberá ser citado, por lo menos con siete días de anticipación al comienzo de la audiencia.

Artículo reformado DOF 17-06-2016

Artículo 350. Prohibición de intervención

Los jueces que hayan intervenido en alguna etapa del procedimiento anterior a la audiencia de juicio no podrán fungir como Tribunal de enjuiciamiento.

CAPÍTULO II
PRINCIPIOS

Artículo 351. Suspensión

La audiencia de juicio podrá suspenderse en forma excepcional por un plazo máximo de diez días naturales cuando:

I. Se deba resolver una cuestión incidental que no pueda, por su naturaleza, resolverse en forma inmediata;

II. Tenga que practicarse algún acto fuera de la sala de audiencias, incluso porque se tenga la noticia de un hecho inesperado que torne indispensable una investigación complementaria y no sea posible cumplir los actos en el intervalo de dos sesiones;

III. No comparezcan testigos, peritos o intérpretes, deba practicarse una nueva citación y sea imposible o inconveniente continuar el debate hasta que ellos comparezcan, incluso coactivamente por medio de la fuerza pública;

IV. El o los integrantes del Tribunal de enjuiciamiento, el acusado o cualquiera de las partes se enfermen a tal extremo que no puedan continuar interviniendo en el debate;

V. El Defensor, el Ministerio Público o el acusador particular no pueda ser reemplazado inmediatamente en el supuesto de la fracción anterior, o en caso de muerte o incapacidad permanente, o

VI. Alguna catástrofe o algún hecho extraordinario torne imposible su continuación.

El Tribunal de enjuiciamiento verificará la autenticidad de la causal de suspensión invocada, pudiendo para el efecto allegarse de los medios de prueba correspondientes para decidir sobre la suspensión, para lo cual deberá anunciar el día y la hora en que continuará la audiencia, lo que tendrá el efecto de citación para audiencia para todas las partes. Previo a reanudar la audiencia, quien la presida resumirá brevemente los actos cumplidos con anterioridad.

El Tribunal de enjuiciamiento ordenará los aplazamientos que se requieran, indicando la hora en que continuará el debate. No será considerado aplazamiento ni suspensión el descanso de fin de semana y los días inhábiles de acuerdo con la legislación aplicable.

Artículo 352. Interrupción

Si la audiencia de debate de juicio no se reanuda a más tardar al undécimo día después de ordenada la suspensión, se considerará interrumpido y deberá ser reiniciado ante un Tribunal de enjuiciamiento distinto y lo actuado será nulo.

Artículo 353. Motivación

Las decisiones del Tribunal de enjuiciamiento, así como las de su Presidente serán verbales, con expresión de sus fundamentos y motivos cuando el caso lo requiera o las partes así lo soliciten, quedando todos notificados por su emisión.

CAPÍTULO III
DIRECCIÓN Y DISCIPLINA

Artículo 354. Dirección del debate de juicio

El juzgador que preside la audiencia de juicio ordenará y autorizará las lecturas pertinentes, hará las advertencias que correspondan, tomará las protestas legales y moderará la discusión; impedirá intervenciones impertinentes o que no resulten admisibles, sin coartar por ello el ejercicio de la persecución penal o la libertad de defensa. Asimismo, resolverá las objeciones que se formulen durante el desahogo de la prueba.

Si alguna de las partes en el debate se inconformara por la vía de revocación de una decisión del Presidente, lo resolverá el Tribunal.

Artículo 355. Disciplina en la audiencia

El juzgador que preside la audiencia de juicio velará por que se respete la disciplina en la audiencia cuidando que se mantenga el orden, para lo cual solicitará al Tribunal de enjuiciamiento o a los asistentes, el respeto y las consideraciones debidas, corrigiendo en el acto las faltas que se cometan, para lo cual podrá aplicar cualquiera de las siguientes medidas:

I. Apercibimiento;

II. Multa de veinte a cinco mil salarios mínimos;

III. Expulsión de la sala de audiencia;

IV. Arresto hasta por treinta y seis horas, o

V. Desalojo público de la sala de audiencia.

Si el infractor fuere el Ministerio Público, el acusado, su Defensor, la víctima u ofendido, y fuere necesario expulsarlos de la sala de audiencia, se aplicarán las reglas conducentes para el caso de su ausencia.

En caso de que a pesar de las medidas adoptadas no se pudiera reestablecer el orden, quien preside la audiencia la suspenderá hasta en tanto se encuentren reunidas las condiciones que permitan continuar con su curso normal.

El Tribunal de enjuiciamiento podrá ordenar el arresto hasta por treinta y seis horas ante la contumacia de las obligaciones procesales de las personas que intervienen en un proceso penal que atenten contra el principio de continuidad, derivado de sus incomparecencias injustificadas a audiencia o aquellos actos que impidan que las pruebas puedan desahogarse en tiempo y forma.

Párrafo reformado DOF 17-06-2016

CAPÍTULO IV
DISPOSICIONES GENERALES SOBRE LA PRUEBA

Artículo 356. Libertad probatoria

Todos los hechos y circunstancias aportados para la adecuada solución del caso sometido a juicio, podrán ser probados por cualquier medio pertinente producido e incorporado de conformidad con este Código.

Artículo 357. Legalidad de la prueba

La prueba no tendrá valor si ha sido obtenida por medio de actos violatorios de derechos fundamentales, o si no fue incorporada al proceso conforme a las disposiciones de este Código.

Artículo 358. Oportunidad para la recepción de la prueba

La prueba que hubiere de servir de base a la sentencia deberá desahogarse durante la audiencia de debate de juicio, salvo las excepciones expresamente previstas en este Código.

Artículo 359. Valoración de la prueba

El Tribunal de enjuiciamiento valorará la prueba de manera libre y lógica, deberá hacer referencia en la motivación que realice, de todas las pruebas desahogadas, incluso de aquellas que se hayan desestimado, indicando las razones que se tuvieron para hacerlo. La motivación permitirá la expresión del razonamiento utilizado para alcanzar las conclusiones contenidas en la resolución jurisdiccional. Sólo se podrá condenar al acusado si se llega a la convicción de su culpabilidad más allá de toda duda razonable. En caso de duda razonable, el Tribunal de enjuiciamiento absolverá al imputado.

Artículo reformado DOF 17-06-2016

SECCIÓN I
PRUEBA TESTIMONIAL

Artículo 360. Deber de testificar

Toda persona tendrá la obligación de concurrir al proceso cuando sea citado y de declarar la verdad de cuanto conozca y le sea preguntado; asimismo, no deberá ocultar hechos, circunstancias o cualquier otra información que sea relevante para la solución de la controversia, salvo disposición en contrario.

El testigo no estará en la obligación de declarar sobre hechos por los que se le pueda fincar responsabilidad penal.

Artículo 361. Facultad de abstención

Podrán abstenerse de declarar el tutor, curador, pupilo, cónyuge, concubina o concubinario, conviviente del imputado, la persona que hubiere vivido de forma permanente con el imputado durante por lo menos dos años anteriores al hecho, sus parientes por consanguinidad en la línea recta ascendente o descendente hasta el cuarto grado y en la colateral por consanguinidad hasta el segundo grado inclusive, salvo que fueran denunciantes.

Deberá informarse a las personas mencionadas de la facultad de abstención antes de declarar, pero si aceptan rendir testimonio no podrán negarse a contestar las preguntas formuladas.

Artículo 362. Deber de guardar secreto

Es inadmisible el testimonio de personas que respecto del objeto de su declaración, tengan el deber de guardar secreto con motivo del conocimiento que tengan de los hechos en razón del oficio o profesión, tales como ministros religiosos, abogados, visitadores de derechos humanos, médicos, psicólogos, farmacéuticos y enfermeros, así como los funcionarios públicos sobre información que no es susceptible de divulgación según las leyes de la materia. No obstante, estas personas no podrán negar su testimonio cuando sean liberadas por el interesado del deber de guardar secreto.

En caso de ser citadas, deberán comparecer y explicar el motivo del cual surge la obligación de guardar secreto y de abstenerse de declarar.

Artículo 363. Citación de testigos

Los testigos serán citados para su examinación. En los casos de urgencia, podrán ser citados por cualquier medio que garantice la recepción de la citación, de lo cual se deberá dejar constancia. El testigo podrá presentarse a declarar sin previa cita.

Si el testigo reside en un lugar lejano al asiento del órgano judicial y carece de medios económicos para trasladarse, se dispondrá lo necesario para asegurar su comparecencia.

Tratándose de testigos que sean servidores públicos, la dependencia en la que se desempeñen adoptará las medidas correspondientes para garantizar su comparecencia, en cuyo caso absorberá además los gastos que se generen.

Artículo 364. Comparecencia obligatoria de testigos

Si el testigo debidamente citado no se presentara a la citación o haya temor fundado de que se ausente o se oculte, se le hará comparecer en ese acto por medio de la fuerza pública sin necesidad de agotar ningún otro medio de apremio.

Las autoridades están obligadas a auxiliar oportuna y diligentemente al Tribunal para garantizar la comparecencia obligatoria de los testigos. El Órgano jurisdiccional podrá emplear contra las autoridades los medios de apremio que establece este Código en caso de incumplimiento o retardo a sus determinaciones.

Artículo 365. Excepciones a la obligación de comparecencia

No estarán obligados a comparecer en los términos previstos en los artículos anteriores y podrán declarar en la forma señalada para los testimonios especiales los siguientes:

I. Respecto de los servidores públicos federales, el Presidente de la República; los Secretarios de Estado de la Federación; el Procurador General de la República; los Ministros de la Suprema Corte de Justicia de la Nación, y los Diputados y Senadores del Congreso de la Unión; los Magistrados del Tribunal Electoral del Poder Judicial de la Federación y los Consejeros del Instituto Federal Electoral;

II. Respecto de los servidores públicos estatales, el Gobernador; los Secretarios de Estado; el Procurador General de Justicia o su equivalente; los Diputados de los Congresos locales e integrantes de la Asamblea Legislativa del Distrito Federal; los Magistrados del Tribunal Superior de Justicia y del Tribunal Estatal Electoral y los Consejeros del Instituto Electoral estatal;

III. Los extranjeros que gozaren en el país de inmunidad diplomática, de conformidad con los Tratados sobre la materia, y

IV. Los que, por enfermedad grave u otro impedimento calificado por el Órgano jurisdiccional estén imposibilitados de hacerlo.

Si las personas enumeradas en las fracciones anteriores renunciaren a su derecho a no comparecer, deberán prestar declaración conforme a las reglas generales previstas en este Código.

Artículo 366. Testimonios especiales

Cuando deba recibirse testimonio de menores de edad víctimas del delito y se tema por su afectación psicológica o emocional, así como en caso de víctimas de los delitos de violación o secuestro, el Órgano jurisdiccional a petición de las partes, podrá ordenar su recepción con el auxilio de familiares o peritos especializados. Para ello deberán utilizarse las técnicas audiovisuales adecuadas que favorezcan evitar la confrontación con el imputado.

Las personas que no puedan concurrir a la sede judicial, por estar físicamente impedidas, serán examinadas en el lugar donde se encuentren y su testimonio será transmitido por sistemas de reproducción a distancia.

Estos procedimientos especiales deberán llevarse a cabo sin afectar el derecho a la confrontación y a la defensa.

Artículo 367. Protección a los testigos

El Órgano jurisdiccional, por un tiempo razonable, podrá ordenar medidas especiales destinadas a proteger la integridad física y psicológica del testigo y sus familiares, mismas que podrán ser renovadas cuantas veces fuere necesario, sin menoscabo de lo dispuesto en la legislación aplicable.

De igual forma, el Ministerio Público o la autoridad que corresponda adoptarán las medidas que fueren procedentes para conferir la debida protección a víctimas, ofendidos, testigos, antes o después de prestadas sus declaraciones, y a sus familiares y en general a todos los sujetos que intervengan en el procedimiento, sin menoscabo de lo dispuesto en la legislación aplicable.

SECCIÓN II
PRUEBA PERICIAL

Artículo 368. Prueba pericial

Podrá ofrecerse la prueba pericial cuando, para el examen de personas, hechos, objetos o circunstancias relevantes para el proceso, fuere necesario o conveniente poseer conocimientos especiales en alguna ciencia, arte, técnica u oficio.

Artículo 369. Título oficial

Los peritos deberán poseer título oficial en la materia relativa al punto sobre el cual dictaminarán y no tener impedimentos para el ejercicio profesional, siempre que la ciencia, el arte, la técnica o el oficio sobre la que verse la pericia en cuestión esté reglamentada; en caso contrario, deberá designarse a una persona de idoneidad manifiesta y que preferentemente pertenezca a un gremio o agrupación relativa a la actividad sobre la que verse la pericia.

No se exigirán estos requisitos para quien declare como testigo sobre hechos o circunstancias que conoció espontáneamente, aunque para informar sobre ellos utilice las aptitudes especiales que posee en una ciencia, arte, técnica u oficio.

Artículo 370. Medidas de protección

En caso necesario, los peritos y otros terceros que deban intervenir en el procedimiento para efectos probatorios, podrán pedir a la autoridad correspondiente que adopte medidas tendentes a que se les brinde la protección prevista para los testigos, en los términos de la legislación aplicable.

SECCIÓN III
DISPOSICIONES GENERALES DEL INTERROGATORIO Y CONTRAINTERROGATORIO

Artículo 371. Declarantes en la audiencia de juicio

Antes de declarar, los testigos no podrán comunicarse entre sí, ni ver, oír o ser informados de lo que ocurra en la audiencia, por lo que permanecerán en una sala distinta a aquella en donde se desarrolle, advertidos de lo anterior por el juzgador que preside la audiencia. Serán llamados en el orden establecido. Esta disposición no aplica al acusado ni a la víctima, salvo cuando ésta deba declarar en juicio como testigo.

El juzgador que presida la audiencia de juicio identificará al perito o testigo, le tomará protesta de conducirse con verdad y le advertirá de las penas que se imponen si se incurre en falsedad de declaraciones.

Durante la audiencia, los peritos y testigos deberán ser interrogados personalmente. Su declaración personal no podrá ser sustituida por la lectura de los registros en que consten anteriores declaraciones, o de otros documentos que las contengan, y sólo deberá referirse a ésta y a las preguntas realizadas por las partes.

Artículo 372. Desarrollo de interrogatorio

Otorgada la protesta y realizada su identificación, el juzgador que presida la audiencia de juicio concederá la palabra a la parte que propuso el testigo, perito o al acusado para que lo interrogue, y con posterioridad a los demás sujetos que intervienen en el proceso, respetándose siempre el orden asignado. La parte contraria podrá inmediatamente después contrainterrogar al testigo, perito o al acusado.

Los testigos, peritos o el acusado responderán directamente a las preguntas que les formulen el Ministerio Público, el Defensor o el Asesor jurídico de la víctima, en su caso. El Órgano jurisdiccional deberá abstenerse de interrumpir dicho interrogatorio salvo que medie objeción fundada de parte, o bien, resulte necesario para mantener el orden y decoro necesarios para la debida diligenciación de la audiencia. Sin perjuicio de lo anterior, el Órgano Jurisdiccional podrá formular preguntas para aclarar lo manifestado por quien deponga, en los términos previstos en este Código.

A solicitud de algunas de las partes, el Tribunal podrá autorizar un nuevo interrogatorio a los testigos que ya hayan declarado en la audiencia, siempre y cuando no hayan sido liberados; al perito se le podrán formular preguntas con el fin de proponerle hipótesis sobre la materia del dictamen pericial, a las que el perito deberá responder atendiéndose a la ciencia, la profesión y los hechos hipotéticos propuestos.

Después del contrainterrogatorio el oferente podrá repreguntar al testigo en relación a lo manifestado. En la materia del contrainterrogatorio la parte contraria podrá recontrainterrogar al testigo respecto de la materia de las preguntas.

Artículo 373. Reglas para formular preguntas en juicio

Toda pregunta deberá formularse de manera oral y versará sobre un hecho específico. En ningún caso se permitirán preguntas ambiguas o poco claras, conclusivas, impertinentes o irrelevantes o argumentativas, que tiendan a ofender al testigo o peritos o que pretendan coaccionarlos.

Las preguntas sugestivas sólo se permitirán a la contraparte de quien ofreció al testigo, en contrainterrogatorio.

Reforma DOF 17-06-2016: Derogó del artículo el entonces párrafo tercero

Artículo 374. Objeciones

La objeción de preguntas deberá realizarse antes de que el testigo emita respuesta. El Juez analizará la pregunta y su objeción y en caso de considerar obvia la procedencia de la pregunta resolverá de plano. Contra esta determinación no se admite recurso alguno.

Artículo 375. Testigo hostil

El Tribunal de enjuiciamiento permitirá al oferente de la prueba realizar preguntas sugestivas cuando advierta que el testigo se está conduciendo de manera hostil.

Artículo 376. Lectura para apoyo de memoria o para demostrar o superar contradicciones en audiencia

Durante el interrogatorio y contrainterrogatorio del acusado, del testigo o del perito, podrán leer parte de sus entrevistas, manifestaciones anteriores, documentos por ellos elaborados o cualquier otro registro de actos en los que hubiera participado, realizando cualquier tipo de manifestación, cuando fuera necesario para apoyar la memoria del respectivo declarante, superar o evidenciar contradicciones, o solicitar las aclaraciones pertinentes.

Con el mismo propósito se podrá leer durante la declaración de un perito parte del informe que él hubiere elaborado.

SECCIÓN IV
DECLARACIÓN DEL ACUSADO

Artículo 377. Declaración del acusado en juicio

El acusado podrá rendir su declaración en cualquier momento durante la audiencia. En tal caso, el juzgador que preside la audiencia le permitirá que lo haga libremente o conteste las preguntas de las partes. En este caso se podrán utilizar las declaraciones previas rendidas por el acusado, para apoyo de memoria, evidenciar o superar contradicciones. El Órgano jurisdiccional podrá formularle preguntas destinadas a aclarar su dicho.

El acusado podrá solicitar ser oído, con el fin de aclarar o complementar sus manifestaciones, siempre que preserve la disciplina en la audiencia.

En la declaración del acusado se seguirán, en lo conducente, las mismas reglas para el desarrollo del interrogatorio. El imputado deberá declarar con libertad de movimiento, sin el uso de instrumentos de seguridad, salvo cuando sea absolutamente indispensable para evitar su fuga o daños a otras personas.

Artículo 378. Ausencia del acusado en juicio

Si el acusado decide no declarar en el juicio, ninguna declaración previa que haya rendido puede ser incorporada a éste como prueba, ni se podrán utilizar en el juicio bajo ningún concepto.

Artículo 379. Derechos del acusado en juicio

En el curso del debate, el acusado tendrá derecho a solicitar la palabra para efectuar todas las declaraciones que considere pertinentes, incluso si antes se hubiere abstenido de declarar, siempre que se refieran al objeto del debate.

El juzgador que presida la audiencia de juicio impedirá cualquier divagación y si el acusado persistiera en ese comportamiento, podrá ordenar que sea alejado de la audiencia. El acusado podrá, durante el transcurso del debate, hablar libremente con su Defensor, sin que por ello la audiencia se suspenda; sin embargo, no lo podrá hacer durante su declaración o antes de responder a preguntas que le sean formuladas y tampoco podrá admitir sugerencia alguna.

SECCIÓN V
PRUEBA DOCUMENTAL Y MATERIAL

Artículo 380. Concepto de documento

Se considerará documento a todo soporte material que contenga información sobre algún hecho. Quien cuestione la autenticidad del documento tendrá la carga de demostrar sus afirmaciones. El Órgano jurisdiccional, a solicitud de los interesados, podrá prescindir de la lectura íntegra de documentos o informes escritos, o de la reproducción total de una videograbación o grabación, para leer o reproducir parcialmente el documento o la grabación en la parte conducente.

Artículo 381. Reproducción en medios tecnológicos

En caso de que los datos de prueba o la prueba se encuentren contenidos en medios digitales, electrónicos, ópticos o de cualquier otra tecnología y el Órgano jurisdiccional no cuente con los medios necesarios para su reproducción, la parte que los ofrezca los deberá proporcionar o facilitar. Cuando la parte oferente, previo apercibimiento no provea del medio idóneo para su reproducción, no se podrá llevar a cabo el desahogo de la misma.

Artículo 382. Prevalencia de mejor documento

Cualquier documento que garantice mejorar la fidelidad en la reproducción de los contenidos de las pruebas deberá prevalecer sobre cualquiera otro.

Artículo 383. Incorporación de prueba

Los documentos, objetos y otros elementos de convicción, previa su incorporación a juicio, deberán ser exhibidos al imputado, a los testigos o intérpretes y a los peritos, para que los reconozcan o informen sobre ellos.

Sólo se podrá incorporar a juicio como prueba material o documental aquella que haya sido previamente acreditada.

Artículo 384. Prohibición de incorporación de antecedentes procesales

No se podrá invocar, dar lectura ni admitir o desahogar como medio de prueba al debate ningún antecedente que tenga relación con la proposición, discusión, aceptación, procedencia, rechazo o revocación de una suspensión condicional del proceso, de un acuerdo reparatorio o la tramitación de un procedimiento abreviado.

Artículo 385. Prohibición de lectura e incorporación al juicio de registros de la investigación y documentos

No se podrán incorporar o invocar como medios de prueba ni dar lectura durante el debate, a los registros y demás documentos que den cuenta de actuaciones realizadas por la Policía o el Ministerio Público en la investigación, con excepción de los supuestos expresamente previstos en este Código.

No se podrán incorporar como medio de prueba o dar lectura a actas o documentos que den cuenta de actuaciones declaradas nulas o en cuya obtención se hayan vulnerado derechos fundamentales.

Artículo 386. Excepción para la incorporación por lectura de declaraciones anteriores

Podrán incorporarse al juicio, previa lectura o reproducción, los registros en que consten anteriores declaraciones o informes de testigos, peritos o acusados, únicamente en los siguientes casos:

I. El testigo o coimputado haya fallecido, presente un trastorno mental transitorio o permanente o haya perdido la capacidad para declarar en juicio y, por esa razón, no hubiese sido posible solicitar su desahogo anticipado, o

II. Cuando la incomparecencia de los testigos, peritos o coimputados, fuere atribuible al acusado.

Cualquiera de estas circunstancias deberá ser debidamente acreditada.

Artículo 387. Incorporación de prueba material o documental previamente admitida

De conformidad con el artículo anterior, sólo se podrán incorporar la prueba material y la documental previamente admitidas, salvo las excepciones previstas en este Código.

SECCIÓN VI
OTRAS PRUEBAS

Artículo 388. Otras pruebas

Además de las previstas en este Código, podrán utilizarse otras pruebas cuando no se afecten los derechos fundamentales.

Artículo 389. Constitución del Tribunal en lugar distinto

Cuando así se hubiere solicitado por las partes para la adecuada apreciación de determinadas circunstancias relevantes del caso, el Tribunal de enjuiciamiento podrá constituirse en un lugar distinto a la sala de audiencias.

Artículo 390. Medios de prueba nueva y de refutación

El Tribunal de enjuiciamiento podrá ordenar la recepción de medios de prueba nueva, ya sea sobre hechos supervenientes o de los que no fueron ofrecidos oportunamente por alguna de las partes, siempre que se justifique no haber conocido previamente de su existencia.

Si con ocasión de la rendición de un medio de prueba surgiere una controversia relacionada exclusivamente con su veracidad, autenticidad o integridad, el Tribunal de enjuiciamiento podrá admitir y desahogar nuevos medios de prueba, aunque ellos no hubieren sido ofrecidos oportunamente, siempre que no hubiere sido posible prever su necesidad.

El medio de prueba debe ser ofrecido antes de que se cierre el debate, para lo que el Tribunal de enjuiciamiento deberá salvaguardar la oportunidad de la contraparte del oferente de los medios de prueba supervenientes o de refutación, para preparar los contrainterrogatorios de testigos o peritos, según sea el caso, y para ofrecer la práctica de diversos medios de prueba, encaminados a controvertirlos.

CAPÍTULO V
DESARROLLO DE LA AUDIENCIA DE JUICIO

Artículo 391. Apertura de la audiencia de juicio

En el día y la hora fijados, el Tribunal de enjuiciamiento se constituirá en el lugar señalado para la audiencia. Quien la presida, verificará la presencia de los demás jueces, de las partes, de los testigos, peritos o intérpretes que deban participar en el debate y de la existencia de las cosas que deban exhibirse en él, y la declarará abierta. Advertirá al acusado y al público sobre la importancia y el significado de lo que acontecerá en la audiencia e indicará al acusado que esté atento a ella.

Cuando un testigo o perito no se encuentre presente al iniciar la audiencia, pero haya sido debidamente notificado para asistir en una hora posterior y se tenga la certeza de que comparecerá, el debate podrá iniciarse.

El juzgador que presida la audiencia de juicio señalará las acusaciones que deberán ser objeto del juicio contenidas en el auto de su apertura y los acuerdos probatorios a que hubiesen llegado las partes.

Artículo 392. Incidentes en la audiencia de juicio

Los incidentes promovidos en el transcurso de la audiencia de debate de juicio se resolverán inmediatamente por el Tribunal de enjuiciamiento, salvo que por su naturaleza sea necesario suspender la audiencia.

Las decisiones que recayeren sobre estos incidentes no serán susceptibles de recurso alguno.

Artículo 393. División del debate único

Si la acusación tuviere por objeto varios hechos punibles atribuidos a uno o más imputados, el Tribunal de enjuiciamiento podrá disponer, incluso a solicitud de parte, que los debates se lleven a cabo separadamente, pero en forma continua.

El Tribunal de enjuiciamiento podrá disponer la división de un debate en ese momento y de la misma manera, cuando resulte conveniente para resolver adecuadamente sobre la pena y para una mejor defensa de los acusados.

Artículo 394. Alegatos de apertura

Una vez abierto el debate, el juzgador que presida la audiencia de juicio concederá la palabra al Ministerio Público para que exponga de manera concreta y oral la acusación y una descripción sumaria de las pruebas que utilizará para demostrarla. Acto seguido se concederá la palabra al Asesor jurídico de la víctima u ofendido, si lo hubiere, para los mismos efectos. Posteriormente se ofrecerá la palabra al Defensor, quien podrá expresar lo que al interés del imputado convenga en forma concreta y oral.

Artículo 395. Orden de recepción de las pruebas en la audiencia de juicio

Cada parte determinará el orden en que desahogará sus medios de prueba. Corresponde recibir primero los medios de prueba admitidos al Ministerio Público, posteriormente los de la víctima u ofendido del delito y finalmente los de la defensa.

Artículo 396. Oralidad en la audiencia de juicio

La audiencia de juicio será oral en todo momento.

Artículo 397. Decisiones en la audiencia

Las determinaciones del Tribunal de enjuiciamiento serán emitidas oralmente. En las audiencias se presume la actuación legal de las partes y del Órgano jurisdiccional, por lo que no es necesario invocar los preceptos legales en que se fundamenten, salvo los casos en que durante las audiencias alguna de las partes solicite la fundamentación expresa de la parte contraria o de la autoridad judicial porque exista duda sobre ello. En las resoluciones escritas se deberán invocar los preceptos en que se fundamentan.

Artículo 398. Reclasificación jurídica

Tanto en el alegato de apertura como en el de clausura, el Ministerio Público podrá plantear una reclasificación respecto del delito invocado en su escrito de acusación. En este supuesto, el juzgador que preside la audiencia dará al imputado y a su Defensor la oportunidad de expresarse al respecto, y les informará sobre su derecho a pedir la suspensión del debate para ofrecer nuevas pruebas o preparar su intervención. Cuando este derecho sea ejercido, el Tribunal de enjuiciamiento suspenderá el debate por un plazo que, en ningún caso, podrá exceder del establecido para la suspensión del debate previsto por este Código.

Artículo 399. Alegatos de clausura y cierre del debate

Concluido el desahogo de las pruebas, el juzgador que preside la audiencia de juicio otorgará sucesivamente la palabra al Ministerio Público, al Asesor jurídico de la víctima u ofendido del delito y al Defensor, para que expongan sus alegatos de clausura. Acto seguido, se otorgará al Ministerio Público y al

Defensor la posibilidad de replicar y duplicar. La réplica sólo podrá referirse a lo expresado por el Defensor en su alegato de clausura y la dúplica a lo expresado por el Ministerio Público o a la víctima u ofendido del delito en la réplica. Se otorgará la palabra por último al acusado y al final se declarará cerrado el debate.

CAPÍTULO VI
DELIBERACIÓN, FALLO Y SENTENCIA

Artículo 400. Deliberación

Inmediatamente después de concluido el debate, el Tribunal de enjuiciamiento ordenará un receso para deliberar en forma privada, continua y aislada, hasta emitir el fallo correspondiente. La deliberación no podrá exceder de veinticuatro horas ni suspenderse, salvo en caso de enfermedad grave del Juez o miembro del Tribunal. En este caso, la suspensión de la deliberación no podrá ampliarse por más de diez días hábiles, luego de los cuales se deberá reemplazar al Juez o integrantes del Tribunal y realizar el juicio nuevamente.

Artículo 401. Emisión de fallo

Una vez concluida la deliberación, el Tribunal de enjuiciamiento se constituirá nuevamente en la sala de audiencias, después de ser convocadas oralmente o por cualquier medio todas las partes, con el propósito de que el Juez relator comunique el fallo respectivo.

El fallo deberá señalar:

I. La decisión de absolución o de condena;

II. Si la decisión se tomó por unanimidad o por mayoría de miembros del Tribunal, y

III. La relación sucinta de los fundamentos y motivos que lo sustentan.

En caso de condena, en la misma audiencia de comunicación del fallo se señalará la fecha en que se celebrará la audiencia de individualización de las sanciones y reparación del daño, dentro de un plazo que no podrá exceder de cinco días.

En caso de absolución, el Tribunal de enjuiciamiento podrá aplazar la redacción de la sentencia hasta por un plazo de cinco días, la que será comunicada a las partes.

Comunicada a las partes la decisión absolutoria, el Tribunal de enjuiciamiento dispondrá en forma inmediata el levantamiento de las medidas cautelares que se hubieren decretado en contra del imputado y ordenará se tome nota de ese levantamiento en todo índice o registro público y policial en el que figuren, así como su inmediata libertad sin que puedan mantenerse dichas medidas para la realización de trámites administrativos. También se ordenará la cancelación de las garantías de comparecencia y reparación del daño que se hayan otorgado.

El Tribunal de enjuiciamiento dará lectura y explicará la sentencia en audiencia pública. En caso de que en la fecha y hora fijadas para la celebración de dicha audiencia no asistiere persona alguna, se dispensará de la lectura y la explicación y se tendrá por notificadas a todas las partes.

Artículo 402. Convicción del Tribunal de enjuiciamiento

El Tribunal de enjuiciamiento apreciará la prueba según su libre convicción extraída de la totalidad del debate, de manera libre y lógica; sólo serán valorables y sometidos a la crítica racional, los medios de prueba obtenidos lícitamente e incorporados al debate conforme a las disposiciones de este Código.

En la sentencia, el Tribunal de enjuiciamiento deberá hacerse cargo en su motivación de toda la prueba producida, incluso de aquella que hubiere desestimado, indicando en tal caso las razones que hubiere tenido en cuenta para hacerlo. Esta motivación deberá permitir la reproducción del razonamiento utilizado para alcanzar las conclusiones a que llegare la sentencia.

Nadie podrá ser condenado, sino cuando el Tribunal que lo juzgue adquiera la convicción más allá de toda duda razonable, de que el acusado es responsable de la comisión del hecho por el que siguió el juicio. La duda siempre favorece al acusado.

No se podrá condenar a una persona con el sólo mérito de su propia declaración.

Artículo 403. Requisitos de la sentencia

La sentencia contendrá:

I. La mención del Tribunal de enjuiciamiento y el nombre del Juez o los Jueces que lo integran;

II. La fecha en que se dicta;

III. Identificación del acusado y la víctima u ofendido;

IV. La enunciación de los hechos y de las circunstancias o elementos que hayan sido objeto de la acusación y, en su caso, los daños y perjuicios reclamados, la pretensión reparatoria y las defensas del imputado;

V. Una breve y sucinta descripción del contenido de la prueba;

VI. La valoración de los medios de prueba que fundamenten las conclusiones alcanzadas por el Tribunal de enjuiciamiento;

VII. Las razones que sirvieren para fundar la resolución;

VIII. La determinación y exposición clara, lógica y completa de cada uno de los hechos y circunstancias que se consideren probados y de la valoración de las pruebas que fundamenten dichas conclusiones;

IX. Los resolutivos de absolución o condena en los que, en su caso, el Tribunal de enjuiciamiento se pronuncie sobre la reparación del daño y fije el monto de las indemnizaciones correspondientes, y

X. La firma del Juez o de los integrantes del Tribunal de enjuiciamiento.

Artículo 404. Redacción de la sentencia

Si el Órgano jurisdiccional es colegiado, una vez emitida y expuesta, la sentencia será redactada por uno de sus integrantes. Los jueces resolverán por unanimidad o por mayoría de votos, pudiendo fundar separadamente sus conclusiones o en forma conjunta si estuvieren de acuerdo. El voto disidente será redactado por su autor. La sentencia señalará el nombre de su redactor.

La sentencia producirá sus efectos desde el momento de su explicación y no desde su formulación escrita.

Artículo 405. Sentencia absolutoria

En la sentencia absolutoria, el Tribunal de enjuiciamiento ordenará que se tome nota del levantamiento de las medidas cautelares, en todo índice o registro público y policial en el que figuren, y será ejecutable inmediatamente.

En su sentencia absolutoria el Tribunal de enjuiciamiento determinará la causa de exclusión del delito, para lo cual podrá tomar como referencia, en su caso, las causas de atipicidad, de justificación o inculpabilidad, bajo los rubros siguientes:

I. Son causas de atipicidad: la ausencia de voluntad o de conducta, la falta de alguno de los elementos del tipo penal, el consentimiento de la víctima que recaiga sobre algún bien jurídico disponible, el error de tipo vencible que recaiga sobre algún elemento del tipo penal que no admita, de acuerdo con el catálogo de delitos susceptibles de configurarse de forma culposa previsto en la legislación penal aplicable, así como el error de tipo invencible;

II. Son causas de justificación: el consentimiento presunto, la legítima defensa, el estado de necesidad justificante, el ejercicio de un derecho y el cumplimiento de un deber, o

III. Son causas de inculpabilidad: el error de prohibición invencible, el estado de necesidad disculpante, la inimputabilidad, y la inexigibilidad de otra conducta.

De ser el caso, el Tribunal de enjuiciamiento también podrá tomar como referencia que el error de prohibición vencible solamente atenúa la culpabilidad y con ello atenúa también la pena, dejando subsistente la presencia del dolo, igual como ocurre en los casos de exceso de legítima defensa e imputabilidad disminuida.

Artículo 406. Sentencia condenatoria

La sentencia condenatoria fijará las penas, o en su caso la medida de seguridad, y se pronunciará sobre la suspensión de las mismas y la eventual aplicación de alguna de las medidas alternativas a la privación o restricción de libertad previstas en la ley.

La sentencia que condenare a una pena privativa de la libertad, deberá expresar con toda precisión el día desde el cual empezará a contarse y fijará el tiempo de detención o prisión preventiva que deberá servir de base para su cumplimiento.

La sentencia condenatoria dispondrá también el decomiso de los instrumentos o efectos del delito o su restitución, cuando fuere procedente.

El Tribunal de enjuiciamiento condenará a la reparación del daño.

Cuando la prueba producida no permita establecer con certeza el monto de los daños y perjuicios, o de las indemnizaciones correspondientes, el Tribunal de enjuiciamiento podrá condenar genéricamente a reparar los daños y los perjuicios y ordenar que se liquiden en ejecución de sentencia por vía incidental, siempre que éstos se hayan demostrado, así como su deber de repararlos.

El Tribunal de enjuiciamiento solamente dictará sentencia condenatoria cuando exista convicción de la culpabilidad del sentenciado, bajo el principio general de que la carga de la prueba para demostrar la culpabilidad corresponde a la parte acusadora, conforme lo establezca el tipo penal de que se trate.

Al dictar sentencia condenatoria se indicarán los márgenes de la punibilidad del delito y quedarán plenamente acreditados los elementos de la clasificación jurídica; es decir, el tipo penal que se atribuye, el grado de la ejecución del hecho, la forma de intervención y la naturaleza dolosa o culposa de la conducta, así como el grado de lesión o puesta en riesgo del bien jurídico.

La sentencia condenatoria hará referencia a los elementos objetivos, subjetivos y normativos del tipo penal correspondiente, precisando si el tipo penal se consumó o se realizó en grado de tentativa, así como la forma en que el sujeto activo haya intervenido para la realización del tipo, según se trate de alguna forma de autoría o de participación, y la naturaleza dolosa o culposa de la conducta típica.

En toda sentencia condenatoria se argumentará por qué el sentenciado no está favorecido por ninguna de las causas de la atipicidad, justificación o inculpabilidad; igualmente, se hará referencia a las agravantes o atenuantes que hayan concurrido y a la clase de concurso de delitos si fuera el caso.

Artículo 407. Congruencia de la sentencia

La sentencia de condena no podrá sobrepasar los hechos probados en juicio.

Artículo 408. Medios de prueba en la individualización de sanciones y reparación del daño

El desahogo de los medios de prueba para la individualización de sanciones y reparación del daño procederá después de haber resuelto sobre la responsabilidad del sentenciado.

El debate comenzará con el desahogo de los medios de prueba que se hubieren admitido en la etapa intermedia. En el desahogo de los medios de prueba serán aplicables las normas relativas al juicio oral.

Artículo 409. Audiencia de individualización de sanciones y reparación del daño

Después de la apertura de la audiencia de individualización de los intervinientes, el Tribunal de enjuiciamiento señalará la materia de la audiencia, y dará la palabra a las partes para que expongan, en su caso, sus alegatos de apertura. Acto seguido, les solicitará a las partes que determinen el orden en que desean el desahogo de los medios de prueba y declarará abierto el debate. Éste iniciará con el desahogo de los medios de prueba y continuará con los alegatos de clausura de las partes.

Cerrado el debate, el Tribunal de enjuiciamiento deliberará brevemente y procederá a manifestarse con respecto a la sanción a imponer al sentenciado y sobre la reparación del daño causado a la víctima u ofendido. Asimismo, fijará las penas y se pronunciará sobre la eventual aplicación de alguna de las medidas alternativas a la pena de prisión o sobre su suspensión, e indicará en qué forma deberá, en su caso, repararse el daño. Dentro de los cinco días siguientes a esta audiencia, el Tribunal redactará la sentencia.

La ausencia de la víctima que haya sido debidamente notificada no será impedimento para la celebración de la audiencia.

Artículo 410. Criterios para la individualización de la sanción penal o medida de seguridad

El Tribunal de enjuiciamiento al individualizar las penas o medidas de seguridad aplicables deberá tomar en consideración lo siguiente:

Dentro de los márgenes de punibilidad establecidos en las leyes penales, el Tribunal de enjuiciamiento individualizará la sanción tomando como referencia la gravedad de la conducta típica y antijurídica, así como el grado de culpabilidad del sentenciado. Las medidas de seguridad no accesorias a la pena y las consecuencias jurídicas aplicables a las personas morales, serán individualizadas tomando solamente en consideración la gravedad de la conducta típica y antijurídica.

La gravedad de la conducta típica y antijurídica estará determinada por el valor del bien jurídico, su grado de afectación, la naturaleza dolosa o culposa de la conducta, los medios empleados, las circunstancias de tiempo, modo, lugar u ocasión del hecho, así como por la forma de intervención del sentenciado.

El grado de culpabilidad estará determinado por el juicio de reproche, según el sentenciado haya tenido, bajo las circunstancias y características del hecho, la posibilidad concreta de comportarse de distinta manera y de respetar la norma jurídica quebrantada. Si en un mismo hecho intervinieron varias personas, cada una de ellas será sancionada de acuerdo con el grado de su propia culpabilidad.

Para determinar el grado de culpabilidad también se tomarán en cuenta los motivos que impulsaron la conducta del sentenciado, las condiciones fisiológicas y psicológicas específicas en que se encontraba en el momento de la comisión del hecho, la edad, el nivel educativo, las costumbres, las condiciones sociales y culturales, así como los vínculos de parentesco, amistad o relación que guarde con la víctima u ofendido. Igualmente se tomarán en cuenta las demás circunstancias especiales del sentenciado, víctima u ofendido, siempre que resulten relevantes para la individualización de la sanción.

Se podrán tomar en consideración los dictámenes periciales y otros medios de prueba para los fines señalados en el presente artículo.

Cuando el sentenciado pertenezca a un grupo étnico o pueblo indígena se tomarán en cuenta, además de los aspectos anteriores, sus usos y costumbres.

En caso de concurso real se impondrá la sanción del delito más grave, la cual podrá aumentarse con las penas que la ley contempla para cada uno de los delitos restantes, sin que exceda de los máximos señalados en la ley penal aplicable. En caso de concurso ideal, se impondrán las sanciones correspondientes al delito que merezca la mayor penalidad, las cuales podrán aumentarse sin rebasar la mitad del máximo de la duración de las penas correspondientes de los delitos restantes, siempre que las sanciones aplicables sean de la misma naturaleza; cuando sean de diversa naturaleza, podrán imponerse las consecuencias jurídicas señaladas para los restantes delitos. No habrá concurso cuando las conductas constituyan un delito continuado; sin embargo, en estos casos se aumentará la sanción penal hasta en una mitad de la correspondiente al máximo del delito cometido.

El aumento o la disminución de la pena, fundados en las relaciones personales o en las circunstancias subjetivas del autor de un delito, no serán aplicables a los demás sujetos que intervinieron en aquél. Sí serán aplicables las que se fundamenten en circunstancias objetivas, siempre que los demás sujetos tengan conocimiento de ellas.

Artículo 411. Emisión y exposición de las sentencias

El Tribunal de enjuiciamiento deberá explicar toda sentencia de absolución o condena.

Artículo 412. Sentencia firme

En cuanto no sean oportunamente recurridas, las resoluciones judiciales quedarán firmes y serán ejecutables sin necesidad de declaración alguna.

Artículo 413. Remisión de la sentencia

El Tribunal de enjuiciamiento dentro de los tres días siguientes a aquél en que la sentencia condenatoria quede firme, deberá remitir copia autorizada de la misma al Juez que le corresponda la ejecución correspondiente y a las autoridades penitenciarias que intervienen en el procedimiento de ejecución para su debido cumplimiento.

Dicha disposición también será aplicable en los casos de las sentencias condenatorias dictadas en el procedimiento abreviado.

TÍTULO IX
PERSONAS INIMPUTABLES

CAPÍTULO ÚNICO
PROCEDIMIENTO PARA PERSONAS INIMPUTABLES

Artículo 414. Procedimiento para la aplicación de ajustes razonables en la audiencia inicial

Si en el curso de la audiencia inicial, aparecen indicios de que el imputado está en alguno de los supuestos de inimputabilidad previstos en la Parte General del Código Penal aplicable, cualquiera de las partes podrá solicitar al Juez de control que ordene la práctica de peritajes que determinen si efectivamente es inimputable y en caso de serlo, si la inimputabilidad es permanente o transitoria y, en su caso, si ésta fue provocada por el imputado. La audiencia continuará con las mismas reglas generales pero se proveerán los ajustes razonables que determine el Juez de control para garantizar el acceso a la justicia de la persona.

En los casos en que la persona se encuentre retenida, el Ministerio Público deberá aplicar ajustes razonables para evitar un mayor grado de vulnerabilidad y el respeto a su integridad personal. Para tales efectos, estará en posibilidad de solicitar la práctica de aquellos peritajes que permitan determinar el tipo de inimputabilidad que tuviere, así como si ésta es permanente o transitoria y, si es posible definir si fue provocada por el propio retenido.

Artículo 415. Identificación de los supuestos de inimputabilidad

Si el imputado ha sido vinculado a proceso y se estima que está en una situación de inimputabilidad, las partes podrán solicitar al Juez de control que se lleven a cabo los peritajes necesarios para determinar si se acredita tal extremo, así como si la inimputabilidad que presente pudo ser propiciada o no por la persona.

Artículo 416. Ajustes al procedimiento

Si se determina el estado de inimputabilidad del sujeto, el procedimiento ordinario se aplicará observando las reglas generales del debido proceso con los ajustes del procedimiento que en el caso concreto acuerde el Juez de control, escuchando al Ministerio Público y al Defensor, con el objeto de acreditar la participación de la persona inimputable en el hecho atribuido y, en su caso, determinar la aplicación de las medidas de seguridad que se estimen pertinentes.

En caso de que el estado de inimputabilidad cese, se continuará con el procedimiento ordinario sin los ajustes respectivos.

Artículo 417. Medidas cautelares aplicables a inimputables

Se podrán imponer medidas cautelares a personas inimputables, de conformidad con las reglas del proceso ordinario, con los ajustes del procedimiento que disponga el Juez de control para el caso en que resulte procedente.

El solo hecho de ser imputable no será razón suficiente para imponer medidas cautelares.

Artículo 418. Prohibición de procedimiento abreviado

El procedimiento abreviado no será aplicable a personas inimputables.

Artículo 419. Resolución del caso

Comprobada la existencia del hecho que la ley señala como delito y que el inimputable intervino en su comisión, ya sea como autor o como partícipe, sin que a su favor opere alguna causa de justificación prevista en los códigos sustantivos, el Tribunal de enjuiciamiento resolverá el caso indicando que hay base suficiente para la imposición de la medida de seguridad que resulte aplicable; asimismo, le corresponderá al Órgano jurisdiccional determinar la individualización de la medida, en atención a las necesidades de prevención especial positiva, respetando los criterios de proporcionalidad y de mínima intervención. Si no se acreditan estos requisitos, el Tribunal de enjuiciamiento absolverá al inimputable.

La medida de seguridad en ningún caso podrá tener mayor duración a la pena que le pudiera corresponder en caso de que sea imputable.

TÍTULO X
PROCEDIMIENTOS ESPECIALES

CAPÍTULO I
PUEBLOS Y COMUNIDADES INDÍGENAS

Artículo 420. Pueblos y comunidades indígenas

Cuando se trate de delitos que afecten bienes jurídicos propios de un pueblo o comunidad indígena o bienes personales de alguno de sus miembros, y tanto el imputado como la víctima, o en su caso sus familiares, acepten el modo en el que la comunidad, conforme a sus propios sistemas normativos en la regulación y solución de sus conflictos internos proponga resolver el conflicto, se declarará la extinción de la acción penal, salvo en los casos en que la solución no considere la perspectiva de género, afecte la dignidad de las personas, el interés superior de los niños y las niñas o del derecho a una vida libre de violencia hacia la mujer.

En estos casos, cualquier miembro de la comunidad indígena podrá solicitar que así se declare ante el Juez competente.

Se excluyen de lo anterior, los delitos previstos para prisión preventiva oficiosa en este Código y en la legislación aplicable.

CAPÍTULO II
PROCEDIMIENTO PARA PERSONAS JURÍDICAS

Artículo 421. Ejercicio de la acción penal y responsabilidad penal autónoma

Las personas jurídicas serán penalmente responsables, de los delitos cometidos a su nombre, por su cuenta, en su beneficio o a través de los medios que ellas proporcionen, cuando se haya determinado que además existió inobservancia del debido control en su organización. Lo anterior con independencia de la responsabilidad penal en que puedan incurrir sus representantes o administradores de hecho o de derecho.

El Ministerio Público podrá ejercer la acción penal en contra de las personas jurídicas con excepción de las instituciones estatales, independientemente de la acción penal que pudiera ejercer contra las personas físicas involucradas en el delito cometido.

No se extinguirá la responsabilidad penal de las personas jurídicas cuando se transformen, fusionen, absorban o escindan. En estos casos, el traslado de la pena podrá graduarse atendiendo a la relación que se guarde con la persona jurídica originariamente responsable del delito.

La responsabilidad penal de la persona jurídica tampoco se extinguirá mediante su disolución aparente, cuando continúe su actividad económica y se mantenga la identidad sustancial de sus clientes, proveedores, empleados, o de la parte más relevante de todos ellos.

Las causas de exclusión del delito o de extinción de la acción penal, que pudieran concurrir en alguna de las personas físicas involucradas, no afectará el procedimiento contra las personas jurídicas, salvo en los casos en que la persona física y la persona jurídica hayan cometido o participado en los mismos hechos y estos no hayan sido considerados como aquellos que la ley señala como delito, por una resolución judicial previa. Tampoco podrá afectar el procedimiento el hecho de que alguna persona física involucrada se sustraiga de la acción de la justicia.

Las personas jurídicas serán penalmente responsables únicamente por la comisión de los delitos previstos en el catálogo dispuesto en la legislación penal de la federación y de las entidades federativas.

Artículo reformado DOF 17-06-2016

Artículo 422. Consecuencias jurídicas

A las personas jurídicas, con personalidad jurídica propia, se les podrá aplicar una o varias de las siguientes sanciones:

I. Sanción pecuniaria o multa;

II. Decomiso de instrumentos, objetos o productos del delito;

III. Publicación de la sentencia;

IV. Disolución, o

V. Las demás que expresamente determinen las leyes penales conforme a los principios establecidos en el presente artículo.

Para los efectos de la individualización de las sanciones anteriores, el Órgano jurisdiccional deberá tomar en consideración lo establecido en el artículo 410 de este ordenamiento y el grado de culpabilidad correspondiente de conformidad con los aspectos siguientes:

a) La magnitud de la inobservancia del debido control en su organización y la exigibilidad de conducirse conforme a la norma;

b) El monto de dinero involucrado en la comisión del hecho delictivo, en su caso;

c) La naturaleza jurídica y el volumen de negocios anual de la persona moral;

d) El puesto que ocupaban, en la estructura de la persona jurídica, la persona o las personas físicas involucradas en la comisión del delito;

e) El grado de sujeción y cumplimiento de las disposiciones legales y reglamentarias, y

f) El interés público de las consecuencias sociales y económicas o, en su caso, los daños que pudiera causar a la sociedad, la imposición de la pena.

Para la imposición de la sanción relativa a la disolución, el órgano jurisdiccional deberá ponderar además de lo previsto en este artículo, que la imposición de dicha sanción sea necesaria para garantizar la seguridad pública o nacional, evitar que se ponga en riesgo la economía nacional o la salud pública o que con ella se haga cesar la comisión de delitos.

Las personas jurídicas, con o sin personalidad jurídica propia, que hayan cometido o participado en la comisión de un hecho típico y antijurídico, podrá imponérseles una o varias de las siguientes consecuencias jurídicas:

I. Suspensión de sus actividades;

II. Clausura de sus locales o establecimientos;

III. Prohibición de realizar en el futuro las actividades en cuyo ejercicio se haya cometido o participado en su comisión;

IV. Inhabilitación temporal consistente en la suspensión de derechos para participar de manera directa o por interpósita persona en procedimientos de contratación del sector público;

V. Intervención judicial para salvaguardar los derechos de los trabajadores o de los acreedores, o

VI. Amonestación pública.

En este caso el Órgano jurisdiccional deberá individualizar las consecuencias jurídicas establecidas en este apartado, conforme a lo dispuesto en el presente artículo y a lo previsto en el artículo 410 de este Código.

Artículo reformado DOF 17-06-2016

Artículo 423. Formulación de la imputación y vinculación a proceso

Cuando el Ministerio Público tenga conocimiento de la posible comisión de un delito en los que se encuentre involucrada alguna persona jurídica, en los términos previstos en este Código, iniciará la investigación correspondiente.

En caso de que durante la investigación se ejecute el aseguramiento de bienes el Ministerio Público, dará vista al representante de la persona jurídica a efecto de hacerle saber sus derechos y manifieste lo que a su derecho convenga.

Para los efectos de este Capítulo, el Órgano jurisdiccional podrá dictar como medidas cautelares la suspensión de las actividades, la clausura temporal de los locales o establecimientos, así como la intervención judicial.

En la audiencia inicial llevada a cabo para formular imputación a la persona física, se darán a conocer, en su caso, al representante de la persona jurídica, asistido por el Defensor, los cargos que se formulen en contra de su representado, para que dicho representante o su Defensor manifiesten lo que a su derecho convenga.

El representante de la persona jurídica, asistido por el Defensor designado, podrá participar en todos los actos del procedimiento. En tal virtud se les notificarán todos los actos que tengan derecho a conocer, se les citarán a las audiencias, podrán ofrecer medios de prueba, desahogar pruebas, promover incidentes, formular alegatos e interponer los recursos procedentes en contra de las resoluciones que a la persona jurídica perjudiquen.

En ningún caso el representante de la persona jurídica que tenga el carácter de imputado podrá representarla.

En su caso el Órgano jurisdiccional podrá vincular a proceso a la persona jurídica.

Artículo reformado DOF 17-06-2016

Artículo 424. Formas de terminación anticipada

Durante el proceso, para determinar la responsabilidad penal de las personas jurídicas a que se refiere este Capítulo, se podrán aplicar las soluciones alternas y las formas anticipadas de terminación del proceso y, en lo conducente los procedimientos especiales previstos en este Código.

Artículo reformado DOF 17-06-2016

Artículo 425. Sentencias

En la sentencia que se dicte el Órgano jurisdiccional resolverá lo pertinente a la persona física imputada, con independencia a la responsabilidad penal de la persona jurídica, imponiendo la sanción procedente.

Párrafo reformado DOF 17-06-2016

En lo no previsto por este Capítulo, se aplicarán en lo que sea compatible, las reglas del procedimiento ordinario previstas en este Código.

CAPÍTULO III
ACCIÓN PENAL POR PARTICULAR

Artículo 426. Acción penal por particulares

El ejercicio de la acción penal corresponde al Ministerio Público, pero podrá ser ejercida por los particulares que tengan la calidad de víctima u ofendido en los casos y conforme a lo dispuesto en este Código.

Artículo 427. Acumulación de causas

Sólo procederá la acumulación de procedimientos de acción penal por particulares con procedimientos de acción penal pública cuando se trate de los mismos hechos y exista identidad de partes.

Artículo 428. Supuestos y condiciones en los que procede la acción penal por particulares

La víctima u ofendido podrá ejercer la acción penal únicamente en los delitos perseguibles por querella, cuya penalidad sea alternativa, distinta a la privativa de la libertad o cuya punibilidad máxima no exceda de tres años de prisión.

La víctima u ofendido podrá acudir directamente ante el Juez de control, ejerciendo acción penal por particulares en caso que cuente con datos que permitan establecer que se ha cometido un hecho que la ley señala como delito y exista probabilidad de que el imputado lo cometió o participó en su comisión. En tal caso deberá aportar para ello los datos de prueba que sustenten su acción, sin necesidad de acudir al Ministerio Público.

Cuando en razón de la investigación del delito sea necesaria la realización de actos de molestia que requieran control judicial, la víctima u ofendido deberá acudir ante el Juez de control. Cuando el acto de molestia no requiera control judicial, la víctima u ofendido deberá acudir ante el Ministerio Público para que éste los realice. En ambos supuestos, el Ministerio Público continuará con la investigación y, en su caso, decidirá sobre el ejercicio de la acción penal.

Artículo 429. Requisitos formales y materiales

El ejercicio de la acción penal por particular hará las veces de presentación de la querella y deberá sustentarse en audiencia ante el Juez de control con los requisitos siguientes:

I. El nombre y el domicilio de la víctima u ofendido;

II. Si la víctima o el ofendido son una persona jurídica, se indicará su razón social y su domicilio, así como el de su representante legal;

III. El nombre del imputado y, en su caso, cualquier dato que permita su localización;

IV. El señalamiento de los hechos que se consideran delictivos, los datos de prueba que los establezcan y determinen la probabilidad de que el imputado los cometió o participó en su comisión, los que acrediten los daños causados y su monto aproximado, así como aquellos que establezcan la calidad de víctima u ofendido;

V. Los fundamentos de derecho en que se sustenta la acción, y

VI. La petición que se formula, expresada con claridad y precisión.

Artículo 430. Contenido de la petición

El particular al ejercer la acción penal ante el Juez de control podrá solicitar lo siguiente:

I. La orden de comparecencia en contra del imputado o su citación a la audiencia inicial, y

II. El reclamo de la reparación del daño.

Artículo 431. Admisión

En la audiencia, el Juez de control constatará que se cumplen los requisitos formales y materiales para el ejercicio de la acción penal particular.

De no cumplirse con alguno de los requisitos formales exigidos, el Juez de control prevendrá al particular para su cumplimiento dentro de la misma audiencia y de no ser posible, dentro de los tres días siguientes. De no subsanarse o de ser improcedente su pretensión, se tendrá por no interpuesta la acción penal y no podrá volver a ejercerse por parte del particular por esos mismos hechos.

Admitida la acción penal promovida por el particular, el Juez de control ordenará la citación del imputado a la audiencia inicial, apercibido que en caso de no asistir se ordenará su comparecencia o aprehensión, según proceda.

El imputado deberá ser citado a la audiencia inicial a más tardar dentro de las cuarenta y ocho horas siguientes a aquella en la que se fije la fecha de celebración de la misma.

La audiencia inicial deberá celebrarse dentro de los cinco a diez días siguientes a aquel en que se tenga admitida la acción penal, informándole al imputado en el momento de la citación el derecho que tiene de designar y asistir acompañado de un Defensor de su elección y que de no hacerlo se le nombrará un Defensor público.

Artículo 432. Reglas generales

Si la víctima u ofendido decide ejercer la acción penal, por ninguna causa podrá acudir al Ministerio Público a solicitar su intervención para que investigue los mismos hechos.

La carga de la prueba para acreditar la existencia del delito y la responsabilidad del imputado corresponde al particular que ejerza la acción penal. Las partes, en igualdad procesal, podrán aportar todo elemento de prueba con que cuenten e interponer los medios de impugnación que legalmente procedan.

A la acusación de la víctima u ofendido, le serán aplicables las reglas previstas para la acusación presentada por el Ministerio Público.

De igual forma, salvo disposición legal en contrario, en la substanciación de la acción penal promovida por particulares, se observarán en todo lo que resulte aplicable las disposiciones relativas al procedimiento, previstas en este Código y los mecanismos alternativos de solución de controversias.

TÍTULO XI
ASISTENCIA JURÍDICA INTERNACIONAL EN MATERIA PENAL

CAPÍTULO I
DISPOSICIONES GENERALES

Artículo 433. Disposiciones generales

Los Estados Unidos Mexicanos prestarán a cualquier Estado extranjero que lo requiera o autoridad ministerial o judicial, tanto en el ámbito federal como del fuero común, la más amplia ayuda relacionada con la investigación, el procesamiento y la sanción de delitos que correspondan a la jurisdicción de éste.

La ejecución de las solicitudes se realizará según la legislación de los Estados Unidos Mexicanos, y la misma será desahogada a la mayor brevedad posible. Las autoridades que intervengan actuarán con la mayor diligencia con la finalidad de cumplir con lo solicitado en la asistencia jurídica.

Artículo 434. Ámbito de aplicación

La asistencia jurídica internacional tiene como finalidad brindar apoyo entre las autoridades competentes en relación con asuntos de naturaleza penal.

De conformidad con los compromisos internacionales suscritos por el Estado mexicano en materia de asistencia jurídica, así como de los respectivos ordenamientos internos, se deberá prestar la mayor colaboración para la investigación y persecución de los delitos, y en cualquiera de las actuaciones comprendidas en el marco de procedimientos del orden penal que sean competencia de las autoridades de la parte requirente en el momento en que la asistencia sea solicitada.

La asistencia jurídica sólo podrá ser invocada para la obtención de medios de prueba ordenados por la autoridad investigadora, o bien la judicial para mejor proveer, pero jamás para las ofrecidas por los imputados o sus defensas, aún cuando sean aceptadas o acordadas favorablemente por las autoridades judiciales.

Artículo 435. Trámite y resolución

Los procedimientos establecidos en este Capítulo se deberán aplicar para el trámite y resolución de cualquier solicitud de asistencia jurídica que se reciba del extranjero, cuando no exista Tratado internacional. Si existiera Tratado entre el Estado requirente y los Estados Unidos Mexicanos, las disposiciones de éste, regirán el trámite y desahogo de la solicitud de asistencia jurídica.

Todo aquello que no esté contemplado de manera específica en un Tratado de asistencia jurídica, se aplicará lo dispuesto en este Código.

Artículo 436. Principios

La asistencia jurídica internacional deberá regirse por los siguientes principios:

I. Conexidad. Toda petición de asistencia para ser procedente necesariamente debe estar vinculada a una investigación o proceso en curso;

II. Especificidad. Las solicitudes de asistencia jurídica internacional deben contener hechos concretos y requerimientos precisos;

III. Identidad de Normas. Se prestará la asistencia con independencia de que el hecho que motiva la solicitud constituya o no delito según las leyes del Estado requerido. Se exceptúa de lo anterior el supuesto de que la asistencia se solicite para la ejecución de las medidas de aseguramiento o embargo, cateo o registro domiciliario o decomiso o incautación, en cuyo caso será necesario que el hecho que da lugar al procedimiento sea también considerado como delito por la legislación del Estado requerido, y

IV. Reciprocidad. Consiste en la colaboración internacional entre Estados soberanos en los que priva la igualdad.

Artículo 437. Autoridad Central

La Autoridad Central en materia de asistencia jurídica internacional será la Procuraduría General de la República quien ejercerá las atribuciones establecidas en este Código.

Cualquier solicitud de asistencia jurídica formulada con base en los instrumentos internacionales vigentes, de conformidad con el principio de reciprocidad internacional, podrá presentarse para su trámite y atención ante la Autoridad Central, o a través de la vía diplomática.

Artículo 438. Reciprocidad

En ausencia de convenio o Tratado internacional, los Estados Unidos Mexicanos prestarán ayuda bajo el principio de reciprocidad internacional, la cual estará subordinada a la existencia u ofrecimiento por parte del Estado o autoridad requirente a cooperar en casos similares. Dicho compromiso deberá asentarse por escrito en los términos que para tales efectos establezca la Autoridad Central.

Artículo 439. Alcances

La asistencia jurídica comprenderá:

I. Notificación de documentos procesales;

II. Obtención de pruebas;

III. Intercambio de información e iniciación de procedimientos penales en la parte requerida;

IV. Localización e identificación de personas y objetos;

V. Recepción de declaraciones y testimonios, así como práctica de dictámenes periciales;

VI. Ejecución de órdenes de cateo o registro domiciliario y demás medidas cautelares; aseguramiento de objetos, productos o instrumentos del delito;

VII. Citación de imputados, testigos, víctimas y peritos para comparecer voluntariamente ante autoridad competente en la parte requirente;

VIII. Citación y traslado temporal de personas privadas de libertad en la parte requerida, a fin de comparecer como testigos o víctimas ante la parte requirente, o para otras actuaciones procesales indicadas en la solicitud de asistencia;

IX. Entrega de documentos, objetos y otros medios de prueba;

X. Autorización de la presencia o participación, durante la ejecución de una solicitud de asistencia jurídica de representantes de las autoridades competentes del Estado o autoridad requirente, y

XI. Cualquier otra forma de asistencia, siempre y cuando no esté prohibida por la legislación mexicana.

Artículo 440. Denegación o aplazamiento

La asistencia jurídica solicitada podrá ser denegada cuando:

I. El cumplimiento de la solicitud pueda contravenir la seguridad y el orden público;

II. El cumplimiento de la solicitud sea contrario a la legislación nacional;

III. La ejecución de la solicitud sea contraria a las obligaciones internacionales adquiridas por los Estados Unidos Mexicanos;

IV. La solicitud se refiera a delitos del fuero militar;

V. La solicitud se refiera a un delito que sea considerado de carácter político por el Gobierno mexicano;

VI. La solicitud de asistencia jurídica se refiera a un delito sancionado con pena de muerte, a menos que la parte requirente otorgue garantías suficientes de que no se impondrá la pena de muerte o de que, si se impone, no será ejecutada;

VII. La solicitud de asistencia jurídica se refiera a hechos con base en los cuales la persona sujeta a investigación o a proceso haya sido definitivamente absuelta o condenada por la parte requerida.

Se podrá diferir el cumplimiento de la solicitud de asistencia jurídica cuando la Autoridad Central considere que su ejecución puede perjudicar u obstaculizar una investigación o procedimiento judicial en curso.

En caso de denegar o diferir la asistencia jurídica, la Autoridad Central lo informará a la parte requirente, expresando los motivos de tal decisión.

Artículo 441. Solicitudes

Toda solicitud de asistencia deberá formularse por escrito y en tratándose de casos urgentes la misma podrá ser enviada a la Autoridad Central por fax, correo electrónico o mediante cualquier otro medio de comunicación permitido, bajo el compromiso de remitir el documento original a la brevedad posible. Tratándose de solicitudes provenientes de autoridades extranjeras, la misma deberá estar acompañada de su respectiva traducción al idioma español.

Artículo 442. Requisitos esenciales

Se tienen como requisitos mínimos que toda petición de asistencia jurídica debe contener, los siguientes:

I. La identidad de la autoridad que hace la solicitud;

II. El asunto y la naturaleza de la investigación, el procedimiento o diligencia;

III. Una breve relatoría de los hechos;

IV. El propósito para el que se requieren las pruebas; la información o la actuación;

V. Los métodos de ejecución a seguirse;

VI. De ser posible, la identidad, ubicación y nacionalidad de toda persona interesada, y

VII. La transcripción de las disposiciones legales aplicables.

Artículo 443. Ejecución de las solicitudes de asistencia jurídica de autoridad extranjera

La Autoridad Central analizará si la solicitud de asistencia jurídica cumple con los requisitos esenciales y si se encuentra apegada a los términos del convenio o Tratado internacional, si lo hubiere en su caso procederá al desahogo de la misma de acuerdo con las formas y procedimientos especiales indicados en la solicitud por la parte requirente, salvo cuando éstos sean incompatibles con la legislación interna.

La Autoridad Central remitirá oportunamente la información o la actuación y, en su caso, las pruebas obtenidas como resultado de la ejecución de la solicitud a la parte requirente.

Cuando no sea posible cumplir con la solicitud, en todo o en parte, la Autoridad Central lo hará saber inmediatamente a la parte requirente e informará de las razones que impidan su ejecución.

Artículo 444. Confidencialidad y limitaciones en el uso de la información

La Autoridad Central, así como aquellas autoridades que tengan conocimiento o participen en la ejecución y desahogo de alguna solicitud de asistencia, están obligadas a mantener confidencialidad sobre el contenido de la misma y de los documentos que la sustenten.

La obtención de información y pruebas suministradas en atención a una solicitud de asistencia jurídica internacional, sólo podrán ser utilizadas para el objetivo por el que fue solicitada y para la investigación o proceso judicial que se trate, salvo que se obtenga el consentimiento expreso y por escrito del Estado o la autoridad requirente para su uso con fines diversos.

CAPÍTULO II
FORMAS ESPECÍFICAS DE ASISTENCIA

Artículo 445. Notificación de documentos procesales

En aquellas asistencias que tengan como finalidad la notificación de documentos, se deberá especificar el nombre y domicilio de la persona o personas a quienes se deba notificar.

Cuando la notificación tenga por objeto hacer del conocimiento alguna diligencia o actuación con una fecha determinada, la misma deberá enviarse con una anticipación razonable respecto de la fecha de la diligencia.

En todos los casos, la Autoridad Central, sin demora, procederá a realizar o tramitar la notificación de documentos procesales aportados por el Estado o la autoridad requirente, en la forma y términos solicitados.

La autoridad que realice la notificación levantará un acta circunstanciada o bien una declaración fechada y firmada por el destinatario, en la que conste el hecho, la fecha y la forma de notificación.

Artículo 446. Recepción de testimonios o declaraciones de personas

La autoridad requirente deberá proporcionar el nombre completo de la persona a quien deberá recabarse su declaración o testimonio, el domicilio en donde se le puede ubicar, su fecha de nacimiento y un pliego de preguntas a contestar.

Artículo 447. Suministro de documentos, registros o pruebas

En la solicitud de asistencia, el Estado o la autoridad requirente deberá indicar la ubicación de los registros o documentos requeridos, y tratándose de instituciones financieras, el nombre y en la medida de lo posible el número de cuenta respectivo, este último requisito podrá variar de conformidad con el convenio o Tratado que aplique en su caso.

Artículo 448. Localización e identificación de personas u objetos

A petición de la parte requirente, la parte requerida adoptará todas las medidas contempladas en su legislación para la localización e identificación de personas y objetos indicados en la solicitud, y mantendrá informada a la requirente del avance y los resultados de sus investigaciones.

Artículo 449. Cateo, inmovilización y aseguramiento de bienes

En el caso de diligencias ordenadas por autoridades judiciales que tengan como finalidad la realización de un cateo o medidas tendentes a la inmovilización y aseguramiento de bienes, el Estado o autoridad requirente deberá proporcionar:

I. La ubicación exacta de los bienes;

II. Tratándose de instituciones financieras, el nombre y la dirección de la institución y el número de cuenta respectiva;

III. La documentación en donde se acredite la relación entre las medidas solicitadas y los elementos de prueba con los que se cuente, y

IV. Las razones y argumentos que se tienen para creer que los objetos, productos o instrumentos de un delito se encuentran en el territorio de la parte requerida.

Artículo 450. Videoconferencia

Se podrá solicitar la declaración de personas a través del sistema de videoconferencias. Para tal efecto, el procedimiento se efectuará de acuerdo con la legislación vigente, dichas declaraciones se recibirán en audiencia por el Órgano jurisdiccional y con las formalidades del desahogo de prueba.

Artículo 451. Traslado de personas detenidas

Cuando sea necesaria la presencia de una persona que está detenida en el territorio de la parte requerida, el Estado o la autoridad requirente deberá manifestar las causas suficientes que acrediten la necesidad del traslado a efecto de hacer del conocimiento, y en caso de que resulte procedente, obtener la autorización por parte de la autoridad ante la cual la persona detenida se encuentra a disposición.

Igualmente, para los efectos de traslado es requisito indispensable contar con el consentimiento expreso de la persona detenida; en este caso, el Estado o la autoridad requirente se deberá comprometer a tener bajo su custodia a la persona y tramitar su retorno en cuanto la solicitud de asistencia haya culminado, por lo que deberá establecerse entre la autoridad requerida y la autoridad requirente un acuerdo en el que se fije una fecha para su regreso, la cual podrá ser prorrogable sólo en caso de no existir impedimento legal alguno.

Artículo 452. Decomiso de bienes

En caso de que la asistencia se refiera al decomiso de bienes relacionados con la comisión de un delito o cualquiera otra figura con los mismos efectos, el Estado o la autoridad requirente deberá presentar conjuntamente con la solicitud una copia de la orden de decomiso debidamente certificada por el funcionario que la expidió, así como información sobre las pruebas que sustenten la base sobre la cual se dictó la orden de decomiso e indicación de que la sentencia es firme.

En el caso de solicitudes de asistencia jurídica provenientes del extranjero, además de los requisitos antes señalados y los estipulados en el convenio o Tratado del que se trate, dicho procedimiento será desahogado en los términos establecidos por este Código para regular la figura de decomiso.

Artículo 453. Presencia y participación de representantes de la parte requirente en la ejecución

Cuando el Estado o la autoridad requirente solicite autorización para la presencia y participación de sus representantes en calidad de observadores, será facultad discrecional de la Autoridad Central requerida el otorgamiento de dicha autorización.

En caso de emitir la aprobación respectiva, la Autoridad Central informará con antelación al Estado o a la autoridad requirente sobre la fecha y el lugar de la ejecución de la solicitud.

El Estado o la autoridad requirente remitirá la relación de los nombres, cargos y motivo de la presencia de sus representantes, con un plazo razonable de anticipación a la fecha de la ejecución de la solicitud.

La diligencia a desahogar será conducida en todo momento por el agente del Ministerio Público designado para tal efecto, quien de considerarlo procedente podrá permitir que los representantes del Estado o la autoridad requirente formulen preguntas u observaciones por su conducto.

Artículo 454. Gastos de cumplimentación

El Estado mexicano sufragará todos los gastos relacionados con el cumplimiento de una solicitud de asistencia jurídica internacional, salvo los honorarios legales de peritos y los relacionados con el traslado de testigos.

La Autoridad Central tiene la facultad de determinar, de acuerdo con la naturaleza de la solicitud, aquellos casos en los que no sea posible cubrir el costo de su desahogo, lo que comunicará de inmediato al Estado o a la autoridad requirente para que sufrague los mismos, o en su defecto decida o no continuar cumplimentando la petición.

CAPÍTULO III
DE LA ASISTENCIA INFORMAL

Artículo 455. Asistencia informal

Toda aquella información o documentación que puede ser obtenida de manera informal por la Autoridad Central, sin que medie una solicitud oficial basada en un convenio o Tratado internacional ni formalidad alguna, es una asistencia informal.

Este tipo de información o documentación sólo servirá como indicio a la autoridad investigadora y en ningún caso podrá formalizarse, a menos que sea requerida mediante la figura de asistencia jurídica internacional, cubriendo todos los requisitos señalados en los convenios y Tratados de conformidad con los preceptos establecidos en el presente Código.

TÍTULO XII
RECURSOS

CAPÍTULO I
DISPOSICIONES COMUNES

Artículo 456. Reglas generales

Las resoluciones judiciales podrán ser recurridas sólo por los medios y en los casos expresamente establecidos en este Código.

Para efectos de su impugnación, se entenderán como resoluciones judiciales, las emitidas oralmente o por escrito.

Párrafo adicionado DOF 17-06-2016

El derecho de recurrir corresponderá tan sólo a quien le sea expresamente otorgado y pueda resultar afectado por la resolución.

En el procedimiento penal sólo se admitirán los recursos de revocación y apelación, según corresponda.

Artículo 457. Condiciones de interposición

Los recursos se interpondrán en las condiciones de tiempo y forma que se determinan en este Código, con indicación específica de la parte impugnada de la resolución recurrida.

Artículo 458. Agravio

Las partes sólo podrán impugnar las decisiones judiciales que pudieran causarles agravio, siempre que no hayan contribuido a provocarlo.

El recurso deberá sustentarse en la afectación que causa el acto impugnado, así como en los motivos que originaron ese agravio.

Artículo 459. Recurso de la víctima u ofendido

La víctima u ofendido, aunque no se haya constituido como coadyuvante, podrá impugnar por sí o a través del Ministerio Público, las siguientes resoluciones:

I. Las que versen sobre la reparación del daño causado por el delito, cuando estime que hubiere resultado perjudicado por la misma;

II. Las que pongan fin al proceso, y

III. Las que se produzcan en la audiencia de juicio, sólo si en este último caso hubiere participado en ella.

Cuando la víctima u ofendido solicite al Ministerio Público que interponga los recursos que sean pertinentes y éste no presente la impugnación, explicará por escrito al solicitante la razón de su proceder a la mayor brevedad.

Artículo 460. Pérdida y preclusión del derecho a recurrir y desistimiento

Se tendrá por perdido el derecho a recurrir una resolución judicial cuando se ha consentido expresamente la resolución contra la cual procediere.

Precluye el derecho a recurrir una resolución judicial cuando, una vez concluido el plazo que la ley señala para interponer algún recurso, éste no se haya interpuesto.

Quienes hubieren interpuesto un recurso podrán desistir de él antes de su resolución. En todo caso, los efectos del desistimiento no se extenderán a los demás recurrentes o a los adherentes del recurso.

El Ministerio Público podrá desistirse del recurso interpuesto mediante determinación motivada y fundada en términos de las disposiciones aplicables. Para que el desistimiento del Defensor sea válido se requerirá la autorización expresa del imputado.

Artículo 461. Alcance del recurso

El Órgano jurisdiccional ante el cual se haga valer el recurso, dará trámite al mismo y corresponderá al Tribunal de alzada competente que deba resolverlo, su admisión o desechamiento, y sólo podrá pronunciarse sobre los agravios expresados por los recurrentes, quedando prohibido extender el examen de la decisión recurrida a cuestiones no planteadas en ellos o más allá de los límites del recurso, a menos que se trate de un acto violatorio de derechos fundamentales del imputado. En caso de que el Órgano jurisdiccional no encuentre violaciones a derechos fundamentales que, en tales términos, deba reparar de oficio, no estará obligado a dejar constancia de ello en la resolución.

Si sólo uno de varios imputados por el mismo delito interpusiera algún recurso contra una resolución, la decisión favorable que se dictare aprovechará a los demás, a menos que los fundamentos fueren exclusivamente personales del recurrente.

Artículo 462. Prohibición de modificación en perjuicio

Cuando el recurso ha sido interpuesto sólo por el imputado o su Defensor, no podrá modificarse la resolución recurrida en perjuicio del imputado.

Artículo 463. Efectos de la interposición de los recursos

La interposición de un recurso no suspenderá la ejecución de la decisión, salvo las excepciones previstas en este Código.

Artículo 464. Rectificación

Los errores de derecho en la fundamentación de la sentencia o resolución impugnadas que no hayan influido en la parte resolutiva, así como los errores de forma en la transcripción, en la designación o el cómputo de las penas no anularán la resolución, pero serán corregidos en cuanto sean advertidos o señalados por alguna de las partes, o aún de oficio.

CAPÍTULO II
RECURSOS EN PARTICULAR

SECCIÓN I
REVOCACIÓN

Artículo 465. Procedencia del recurso de revocación

El recurso de revocación procederá en cualquiera de las etapas del procedimiento penal en las que interviene la autoridad judicial en contra de las resoluciones de mero trámite que se resuelvan sin sustanciación.

El objeto de este recurso será que el mismo Órgano jurisdiccional que dictó la resolución impugnada, la examine de nueva cuenta y dicte la resolución que corresponda.

Artículo 466. Trámite

El recurso de revocación se interpondrá oralmente, en audiencia o por escrito, conforme a las siguientes reglas:

I. Si el recurso se hace valer contra las resoluciones pronunciadas durante audiencia, deberá promoverse antes de que termine la misma. La tramitación se efectuará verbalmente, de inmediato y de la misma manera se pronunciará el fallo, o

II. Si el recurso se hace valer contra resoluciones dictadas fuera de audiencia, deberá interponerse por escrito en un plazo de dos días siguientes a la notificación de la resolución impugnada, expresando los motivos por los cuales se solicita. El Órgano jurisdiccional se pronunciará de plano, pero podrá oír previamente a las demás partes dentro del plazo de dos días de interpuesto el recurso, si se tratara de un asunto cuya complejidad así lo amerite.

La resolución que decida la revocación interpuesta oralmente en audiencia, deberá emitirse de inmediato; la resolución que decida la revocación interpuesta por escrito deberá emitirse dentro de los tres días siguientes a su interposición; en caso de que el Órgano jurisdiccional cite a audiencia por la complejidad del caso, resolverá en ésta.

SECCIÓN II
APELACIÓN

APARTADO I
REGLAS GENERALES DE LA APELACIÓN

Artículo 467. Resoluciones del Juez de control apelables

Serán apelables las siguientes resoluciones emitidas por el Juez de control:

I. Las que nieguen el anticipo de prueba;

II. Las que nieguen la posibilidad de celebrar acuerdos reparatorios o no los ratifiquen;

III. La negativa o cancelación de orden de aprehensión;

IV. La negativa a autorizar actos y técnicas de investigación que requieran control judicial previo;

Fracción reformada DOF 26-01-2024

V. Las que se pronuncien sobre las providencias precautorias o medidas cautelares;

VI. Las que pongan término al procedimiento o lo suspendan;

VII. El auto que resuelve la vinculación y la no vinculación del imputado a proceso;

Fracción reformada DOF 26-01-2024

VIII. Las que concedan, nieguen o revoquen la suspensión condicional del proceso;

IX. La negativa de abrir el procedimiento abreviado;

X. La sentencia definitiva dictada en el procedimiento abreviado;

Fracción reformada DOF 26-01-2024

XI. Las que excluyan algún medio de prueba o lo admitan cuando no cumpla con los requisitos legales, o sean ofrecidas fuera del término procesal correspondiente y no tengan el carácter de supervenientes y estén debidamente justificadas;

Fracción reformada DOF 26-01-2024

XII. Las que determinen la ilicitud o ilegalidad de algún dato o medio de prueba, o la prueba, cuando ésta sea anticipada;

Fracción adicionada DOF 26-01-2024

XIII. La que determine la legalidad o ilegalidad de la detención;

Fracción adicionada DOF 26-01-2024

XIV. Las que determinen la incompetencia del órgano jurisdiccional;

Fracción adicionada DOF 26-01-2024

XV. La negativa a autorizar la prórroga del plazo en la investigación complementaria;

Fracción adicionada DOF 26-01-2024

XVI. La que resuelva la solicitud de la orden de comparecencia;

Fracción adicionada DOF 26-01-2024

XVII. Las que se pronuncien sobre la restitución de bienes, objetos, instrumentos o productos del delito, o

Fracción adicionada DOF 26-01-2024

XVIII. La que se pronuncie sobre el no ejercicio de la acción penal.

Fracción adicionada DOF 26-01-2024

Artículo 468. Resoluciones del Tribunal de enjuiciamiento apelables

Serán apelables las siguientes resoluciones emitidas por el Tribunal de enjuiciamiento:

I. Las que versen sobre el desistimiento de la acción penal por el Ministerio Público;

II. La sentencia definitiva en relación a aquellas consideraciones contenidas en la misma, distintas a la valoración de la prueba siempre y cuando no comprometan el principio de inmediación, o bien aquellos actos que impliquen una violación grave del debido proceso.

Artículo 469. Solicitud de registro para apelación

Inmediatamente después de pronunciada la resolución judicial que se pretenda apelar, las partes podrán solicitar copia del registro de audio y video de la audiencia en la que fue emitida sin perjuicio de obtener copia de la versión escrita que se emita en los términos establecidos en el presente Código.

Artículo 470. Inadmisibilidad del recurso

El Tribunal de alzada declarará inadmisible el recurso cuando:

I. Haya sido interpuesto fuera del plazo;

II. Se deduzca en contra de resolución que no sea impugnable por medio de apelación;

III. Lo interponga persona no legitimada para ello, o

IV. El escrito de interposición carezca de fundamentos de agravio o de peticiones concretas.

APARTADO II
TRÁMITE DE APELACIÓN

Artículo 471. Trámite de la apelación

El recurso de apelación contra las resoluciones del Juez de control se interpondrá por escrito ante el mismo Juez que dictó la resolución, dentro de los tres días contados a partir de aquel en el que surta efectos la notificación si se tratare de auto o cualquier otra providencia y de cinco días si se tratare de sentencia definitiva.

En los casos de apelación sobre el desistimiento de la acción penal por el Ministerio Público se interpondrá ante el Tribunal de enjuiciamiento que dictó la resolución dentro de los tres días contados a partir de que surte efectos la notificación. El recurso de apelación en contra de las sentencias definitivas dictadas por el Tribunal de enjuiciamiento se interpondrá ante el Tribunal que conoció del juicio, dentro de los diez días siguientes a la notificación de la resolución impugnada, mediante escrito en el que se precisarán las disposiciones violadas y los motivos de agravio correspondientes.

En el escrito de interposición de recurso deberá señalarse el domicilio o autorizar el medio para ser notificado; en caso de que el Tribunal de alzada competente para conocer de la apelación tenga su sede en un lugar distinto al del proceso, las partes deberán fijar un nuevo domicilio en la jurisdicción de aquél para recibir notificaciones o el medio para recibirlas.

Los agravios deberán expresarse en el mismo escrito de interposición del recurso; el recurrente deberá exhibir una copia para el registro y una para cada una de las otras partes. Si faltan total o parcialmente las copias, se le requerirá para que presente las omitidas dentro del término de veinticuatro horas. En caso de que no las exhiba, el Órgano jurisdiccional las tramitará e impondrá al promovente multa de diez a ciento cincuenta días de salario, excepto cuando éste sea el imputado o la víctima u ofendido.

Interpuesto el recurso, el Órgano jurisdiccional deberá correr traslado del mismo a las partes para que se pronuncien en un plazo de tres días respecto de los agravios expuestos y señalen domicilio o medios en los términos del segundo párrafo del presente artículo.

Al interponer el recurso, al contestarlo o al adherirse a él, los interesados podrán manifestar en su escrito su deseo de exponer oralmente alegatos aclaratorios sobre los agravios ante el Tribunal de alzada.

Artículo 472. Efecto del recurso

Por regla general la interposición del recurso no suspende la ejecución de la resolución judicial impugnada.

En el caso de la apelación contra la exclusión de pruebas, la interposición del recurso tendrá como efecto inmediato suspender el plazo de remisión del auto de apertura de juicio al Tribunal de enjuiciamiento, en atención a lo que resuelva el Tribunal de alzada competente.

Artículo 473. Derecho a la adhesión

Quien tenga derecho a recurrir podrá adherirse, dentro del término de tres días contados a partir de recibido el traslado, al recurso interpuesto por cualquiera de las otras partes, siempre que cumpla con los demás requisitos formales de interposición. Quien se adhiera podrá formular agravios. Sobre la adhesión se correrá traslado a las demás partes en un término de tres días.

Artículo 474. Envío a Tribunal de alzada competente

Concluidos los plazos otorgados a las partes para la sustanciación del recurso de apelación, el Órgano jurisdiccional enviará los registros correspondientes al Tribunal de alzada que deba conocer del mismo.

Artículo 475. Trámite del Tribunal de alzada

Recibidos los registros correspondientes del recurso de apelación, el Tribunal de alzada se pronunciará de plano sobre la admisión del recurso.

Artículo 476. Emplazamiento a las otras partes

Si al interponer el recurso, al contestarlo o al adherirse a él, alguno de los interesados manifiesta en su escrito su deseo de exponer oralmente alegatos aclaratorios sobre los agravios, o bien cuando el Tribunal de alzada lo estime pertinente, decretará lugar y fecha para la celebración de la audiencia, la que deberá tener lugar dentro de los cinco y quince días después de que fenezca el término para la adhesión.

El Tribunal de alzada, en caso de que las partes soliciten exponer oralmente alegatos aclaratorios o en caso de considerarlo pertinente, citará a audiencia de alegatos para la celebración de la audiencia para que las partes expongan oralmente sus alegatos aclaratorios sobre agravios, la que deberá tener lugar dentro de los cinco días después de admitido el recurso.

Artículo 477. Audiencia

Una vez abierta la audiencia, se concederá la palabra a la parte recurrente para que exponga sus alegatos aclaratorios sobre los agravios manifestados por escrito, sin que pueda plantear nuevos conceptos de agravio.

En la audiencia, el Tribunal de alzada podrá solicitar aclaraciones a las partes sobre las cuestiones planteadas en sus escritos.

Artículo 478. Conclusión de la audiencia

La sentencia que resuelva el recurso al que se refiere esta sección, podrá ser dictada de plano, en audiencia o por escrito dentro de los tres días siguientes a la celebración de la misma.

Artículo 479. Sentencia

La sentencia confirmará, modificará o revocará la resolución impugnada, o bien ordenará la reposición del acto que dio lugar a la misma.

En caso de que la apelación verse sobre exclusiones probatorias, el Tribunal de alzada requerirá el auto de apertura al Juez de control, para que en su caso se incluya el medio o medios de prueba indebidamente excluidos, y hecho lo anterior lo remita al Tribunal de enjuiciamiento competente.

Artículo 480. Efectos de la apelación por violaciones graves al debido proceso

Cuando el recurso de apelación se interponga por violaciones graves al debido proceso, su finalidad será examinar que la sentencia se haya emitido sobre la base de un proceso sin violaciones a derechos de las partes y determinar, si corresponde, cuando resulte estrictamente necesario, ordenar la reposición de actos procesales en los que se hayan violado derechos fundamentales.

Artículo 481. Materia del recurso

Interpuesto el recurso de apelación por violaciones graves al debido proceso, no podrán invocarse nuevas causales de reposición del procedimiento; sin embargo, el Tribunal de alzada podrá hacer valer y reparar de oficio, a favor del sentenciado, las violaciones a sus derechos fundamentales.

Artículo 482. Causas de reposición

Habrá lugar a la reposición del procedimiento por alguna de las causas siguientes:

I. Cuando en la tramitación de la audiencia de juicio oral o en el dictado de la sentencia se hubieren infringido derechos fundamentales asegurados por la Constitución, las leyes que de ella emanen y los Tratados;

II. Cuando no se desahoguen las pruebas que fueron admitidas legalmente, o no se desahoguen conforme a las disposiciones previstas en este Código;

III. Cuando si se hubiere violado el derecho de defensa adecuada o de contradicción siempre y cuando trascienda en la valoración del Tribunal de enjuiciamiento y que cause perjuicio;

IV. Cuando la audiencia del juicio hubiere tenido lugar en ausencia de alguna de las personas cuya presencia continuada se exija bajo sanción de nulidad;

V. Cuando en el juicio oral hubieren sido violadas las disposiciones establecidas por este Código sobre publicidad, oralidad y concentración del juicio, siempre que se vulneren derechos de las partes, o

VI. Cuando la sentencia hubiere sido pronunciada por un Tribunal de enjuiciamiento incompetente o que, en los términos de este Código, no garantice su imparcialidad.

En estos supuestos, el Tribunal de alzada determinará, de acuerdo con las circunstancias particulares del caso, si ordena la reposición parcial o total del juicio.

La reposición total de la audiencia de juicio deberá realizarse íntegramente ante un Tribunal de enjuiciamiento distinto. Tratándose de la reposición parcial, el Tribunal de alzada determinará si es posible su realización ante el mismo Órgano jurisdiccional u otro distinto, tomando en cuenta la garantía de la inmediación y el principio de objetividad del Órgano jurisdiccional, establecidos en las fracciones II y IV del Apartado A del artículo 20 de la Constitución y el artículo 9o. de este Código.

Para la declaratoria de nulidad y la reposición será aplicable también lo dispuesto en los artículos 97 a 102 de este Código.

En ningún caso habrá reposición del procedimiento cuando el agravio se fundamente en la inobservancia de derechos procesales que no vulneren derechos fundamentales o que no trasciendan a la sentencia.

Artículo 483. Causas para modificar o revocar la sentencia

Será causa de nulidad de la sentencia la transgresión a una norma de fondo que implique una violación a un derecho fundamental.

En estos casos, el Tribunal de alzada modificará o revocará la sentencia. Sin embargo, si ello compromete el principio de inmediación, ordenará la reposición del juicio, en los términos del artículo anterior.

Artículo 484. Prueba

Podrán ofrecerse medios de prueba cuando el recurso se fundamente en un defecto del proceso y se discuta la forma en que fue llevado a cabo un acto, en contraposición a lo señalado en las actuaciones, en el acta o registros del debate, o en la sentencia.

También es admisible la prueba propuesta por el imputado o en su favor, incluso relacionada con la determinación de los hechos que se discuten, cuando sea indispensable para sustentar el agravio que se formula.

Las partes podrán ofrecer medio de prueba esencial para resolver el fondo del reclamo, sólo cuando tengan el carácter de superveniente.

TÍTULO XIII
RECONOCIMIENTO DE INOCENCIA DEL SENTENCIADO Y ANULACIÓN DE SENTENCIA

CAPÍTULO ÚNICO
PROCEDENCIA

Artículo 485. Causas de extinción de la acción penal

La pretensión punitiva y la potestad para ejecutar las penas y medidas de seguridad se extinguirán por las siguientes causas:

I. Cumplimiento de la pena o medida de seguridad;

II. Muerte del acusado o sentenciado;

III. Reconocimiento de inocencia del sentenciado o anulación de la sentencia;

IV. Perdón de la persona ofendida en los delitos de querella o por cualquier otro acto equivalente;

V. Indulto;

VI. Amnistía;

VII. Prescripción;

VIII. Supresión del tipo penal;

IX. Existencia de una sentencia anterior dictada en proceso instaurado por los mismos hechos, o

X. El cumplimiento del criterio de oportunidad o la solución alterna correspondiente.

Artículo 486. Reconocimiento de inocencia

Procederá cuando después de dictada la sentencia aparezcan pruebas de las que se desprenda, en forma plena, que no existió el delito por el que se dictó la condena o que, existiendo éste, el sentenciado no participó en su comisión, o bien cuando se desacrediten formalmente, en sentencia irrevocable, las pruebas en las que se fundó la condena.

Artículo 487. Anulación de la sentencia

La anulación de la sentencia ejecutoria procederá en los casos siguientes:

I. Cuando el sentenciado hubiere sido condenado por los mismos hechos en juicios diversos, en cuyo caso se anulará la segunda sentencia, y

II. Cuando una ley se derogue, o se modifique el tipo penal o en su caso, la pena por la que se dictó sentencia o la sanción impuesta, procediendo a aplicar la más favorable al sentenciado.

La sola causación del resultado no podrá fundamentar, por sí sola, la responsabilidad penal. Por su parte los tipos penales estarán limitados a la exclusiva protección de los bienes jurídicos necesarios para la adecuada convivencia social.

Artículo 488. Solicitud de declaración de inocencia o anulación de la sentencia

El sentenciado que se crea con derecho a obtener el reconocimiento de su inocencia o la anulación de la sentencia por concurrir alguna de las causas señaladas en los artículos anteriores, acudirá al Tribunal de alzada que fuere competente para conocer del recurso de apelación; le expondrá detalladamente por escrito la causa en que funda su petición y acompañarán a su solicitud las pruebas que correspondan u ofrecerá exhibirlas en la audiencia respectiva.

En relación con las pruebas, si el recurrente no tuviere en su poder los documentos que pretenda presentar, deberá indicar el lugar donde se encuentren y solicitar al Tribunal de alzada que se recaben.

Al presentar su solicitud, el sentenciado designará a un licenciado en Derecho o abogado con cédula profesional como Defensor en este procedimiento, conforme a las disposiciones conducentes de este Código; si no lo hace, el Tribunal de alzada le nombrará un Defensor público.

Artículo 489. Trámite

Recibida la solicitud, el Tribunal de alzada que corresponda pedirá inmediatamente los registros del proceso al juzgado de origen o a la oficina en que se encuentren y, en caso de que el promovente haya protestado exhibir las pruebas, se le otorgará un plazo no mayor de diez días para su recepción.

Recibidos los registros y, en su caso las pruebas del promovente, el Tribunal de alzada citará al Ministerio Público, al solicitante y a su Defensor, así como a la víctima u ofendido y a su Asesor jurídico, a una audiencia que se celebrará dentro de los cinco días siguientes al recibo de los registros y de las pruebas. En dicha audiencia se desahogarán las pruebas ofrecidas por el promovente y se escuchará a éste y al Ministerio Público, para que cada uno formule sus alegatos.

Dentro de los cinco días siguientes a la formulación de los alegatos y a la conclusión de la audiencia, el Tribunal de alzada dictará sentencia. Si se declara fundada la solicitud de reconocimiento de inocencia o modificación de sentencia, el Tribunal de alzada resolverá anular la sentencia impugnada y dará aviso al Tribunal de enjuiciamiento que condenó, para que haga la anotación correspondiente en la sentencia y publicará una síntesis del fallo en los estrados del Tribunal; asimismo, informará de esta resolución a la autoridad competente encargada de la ejecución penal, para que en su caso sin más trámite ponga en libertad absoluta al sentenciado y haga cesar todos los efectos de la sentencia anulada, o bien registre la modificación de la pena comprendida en la nueva sentencia.

Artículo 490. Indemnización

En caso de que se dicte reconocimiento de inocencia, en ella misma se resolverá de oficio sobre la indemnización que proceda en términos de las disposiciones aplicables. La indemnización sólo podrá acordarse a favor del beneficiario o de sus herederos, según el caso.

TRANSITORIOS

Artículo Primero. Declaratoria

Para los efectos señalados en el párrafo tercero del artículo segundo transitorio del Decreto por el que se reforman y adicionan diversas disposiciones de la Constitución Política de los Estados Unidos Mexicanos, publicado en el Diario Oficial de la Federación el 18 de junio de 2008, se declara que la presente legislación recoge el sistema procesal penal acusatorio y entrará en vigor de acuerdo con los artículos siguientes.

Artículo Segundo. Vigencia

Este Código entrará en vigor a nivel federal gradualmente en los términos previstos en la Declaratoria que al efecto emita el Congreso de la Unión previa solicitud conjunta del Poder Judicial de la Federación, la Secretaría de Gobernación y de la Procuraduría General de la República, sin que pueda exceder del 18 de junio de 2016.

En el caso de las Entidades federativas y del Distrito Federal, el presente Código entrará en vigor en cada una de ellas en los términos que establezca la Declaratoria que al efecto emita el órgano legislativo correspondiente, previa solicitud de la autoridad encargada de la implementación del Sistema de Justicia Penal Acusatorio en cada una de ellas.

En todos los casos, entre la Declaratoria a que se hace referencia en los párrafos anteriores y la entrada en vigor del presente Código deberán mediar sesenta días naturales.

Artículo Tercero. Abrogación

El Código Federal de Procedimientos Penales publicado en el Diario Oficial de la Federación el 30 de agosto de 1934, y los de las respectivas entidades federativas vigentes a la entrada en vigor del presente Decreto, quedarán abrogados para efectos de su aplicación en los procedimientos penales que se inicien a partir de la entrada en vigor del presente Código, sin embargo respecto a los procedimientos penales que a la entrada en vigor del presente ordenamiento se encuentren en trámite, continuarán su sustanciación de conformidad con la legislación aplicable en el momento del inicio de los mismos.

En consecuencia el presente Código será aplicable para los procedimientos penales que se inicien a partir de su entrada en vigor, con independencia de que los hechos hayan sucedido con anterioridad a la entrada en vigor del mismo.

Artículo reformado DOF 17-06-2016

Artículo Cuarto. Derogación tácita de preceptos incompatibles

Quedan derogadas todas las normas que se opongan al presente Decreto, con excepción de las leyes relativas a la jurisdicción militar así como de la Ley Federal contra la Delincuencia Organizada.

Artículo Quinto. Convalidación o regularización de actuaciones

Cuando por razón de competencia por fuero o territorio, se realicen actuaciones conforme a un fuero o sistema procesal distinto al que se remiten, podrá el Órgano jurisdiccional receptor convalidarlas, siempre que de manera, fundada y motivada, se concluya que se respetaron las garantías esenciales del debido proceso en el procedimiento de origen.

Asimismo, podrán regularizarse aquellas actuaciones que también de manera fundada y motivada el Órgano jurisdiccional que las recibe, determine que las mismas deban ajustarse a las formalidades del sistema procesal al cual se incorporarán.

Artículo Sexto. Prohibición de acumulación de procesos

No procederá la acumulación de procesos penales, cuando alguno de ellos se esté tramitando conforme al presente Código y el otro proceso conforme al código abrogado.

Artículo Séptimo. De los planes de implementación y del presupuesto

El Consejo de la Judicatura Federal, el Instituto de la Defensoría Pública Federal, la Procuraduría General de la República, la Secretaría de Gobernación, la Secretaría de Hacienda y Crédito Público y toda dependencia de las Entidades federativas a la que se confieran responsabilidades directas o indirectas por la entrada en vigor de este Código, deberán elaborar los planes y programas necesarios para una adecuada y correcta implementación del mismo y deberán establecer dentro de los proyectos de presupuesto respectivos, a partir del año que se proyecte, las partidas necesarias para atender la ejecución de esos programas, las obras de infraestructura, la contratación de personal, la capacitación y todos los demás requerimientos que sean necesarios para cumplir los objetivos para la implementación del sistema penal acusatorio.

Artículo Octavo. Legislación complementaria

En un plazo que no exceda de doscientos setenta días naturales después de publicado el presente Decreto, la Federación y las entidades federativas deberán publicar las reformas a sus leyes y demás normatividad complementaria que resulten necesarias para la implementación de este ordenamiento.

Artículo Noveno. Auxilio procesal

Cuando una autoridad penal reciba por exhorto, mandamiento o comisión, una solicitud para la realización de un acto procesal, deberá seguir los procedimientos legales vigentes para la autoridad que remite la solicitud, salvo excepción justificada.

Artículo Décimo. Cuerpos especializados de Policía

La Federación y las entidades federativas a la entrada en vigor del presente ordenamiento, deberán contar con cuerpos especializados de Policía con capacidades para procesar la escena del hecho probablemente delictivo, hasta en tanto se capacite a todos los cuerpos de Policía para realizar tales funciones.

Artículo Décimo Primero. Adecuación normativa y operativa

A la entrada en vigor del presente Código, en aquellos lugares donde se inicie la operación del proceso penal acusatorio, tanto en el ámbito federal como en el estatal, se deberá contar con el equipamiento necesario y con protocolos de investigación y de actuación del personal sustantivo y los manuales de procedimientos para el personal administrativo, pudiendo preverse la homologación de criterios metodológicos, técnicos y procedimentales, para lo cual podrán coordinarse los órganos y demás autoridades involucradas.

Artículo Décimo Segundo. Comité para la Evaluación y Seguimiento de la Implementación del Nuevo Sistema

El Consejo de Coordinación para la Implementación del Sistema de Justicia Penal, instancia de coordinación nacional creada por mandato del artículo noveno transitorio del Decreto de reformas y adiciones a la Constitución Política de los Estados Unidos Mexicanos publicado el 18 de junio de 2008, constituirá un Comité para la Evaluación y Seguimiento de la Implementación del Nuevo Sistema, el cual remitirá un informe semestral al señalado Consejo.

Artículo Décimo Tercero. Revisión legislativa

A partir de la entrada en vigor del Código Nacional de Procedimientos Penales, el Poder Judicial de la Federación, la Procuraduría General de la República, la Comisión Nacional de Seguridad, la Comisión Nacional de Tribunales Superiores de Justicia de los Estados Unidos Mexicanos y la Conferencia Nacional de Procuradores remitirán, de manera semestral, la información indispensable a efecto de que las Comisiones de Justicia de ambas Cámaras del Congreso de la Unión evalúen el funcionamiento y operatividad de las disposiciones contenidas en el presente Código.

México, D.F., a 5 de febrero de 2014.- Sen. **Raúl Cervantes Andrade**, Presidente.- Dip. **Ricardo Anaya Cortés**, Presidente.- Sen. **Lilia Guadalupe Merodio Reza**, Secretaria.- Dip. **Javier Orozco Gómez**, Secretario.- Rúbricas."

En cumplimiento de lo dispuesto por la fracción I del Artículo 89 de la Constitución Política de los Estados Unidos Mexicanos, y para su debida publicación y observancia, expido el presente Decreto en la Residencia del Poder Ejecutivo Federal, en la Ciudad de México, Distrito Federal, a cuatro de marzo de dos mil catorce.- **Enrique Peña Nieto**.- Rúbrica.- El Secretario de Gobernación, **Miguel Ángel Osorio Chong**.- Rúbrica.

Selección Jurisprudencial

Registro digital: 2031533

SUSPENSIÓN CONDICIONAL DEL PROCESO. ESTÁNDAR PARA CALIFICAR LA OPOSICIÓN DE LA VÍCTIMA U OFENDIDO A ESA FORMA DE SOLUCIÓN ALTERNA DEL PROCEDIMIENTO PENAL.

Hechos: En el desarrollo de la etapa intermedia, en su fase oral, dentro de un procedimiento penal seguido por el delito de violencia familiar, se planteó la suspensión condicional del proceso. Al actualizarse la oposición fundada de la víctima y advertirse el incumplimiento de la reparación integral del daño fue negada por el Juez de Control. Dicha determinación fue confirmada por el tribunal de alzada, por lo cual el imputado promovió amparo alegando desproporcional la decisión, ya que para tener acceso a la solución alterna se contemplaron dos rubros: la reparación del daño moral y el resultado de la práctica de un estudio de daño emergente y lucro cesante, extremos que desde su óptica se encontraban colmados con el plan de pagos propuesto.

Criterio jurídico: Este Tribunal Colegiado de Circuito determina que para evaluar la oposición fundada de la víctima u ofendido en la autorización de la suspensión condicional de proceso, únicamente deben tomarse en consideración los argumentos que guarden relación con los hechos y datos de prueba existentes hasta ese momento y su vinculación con los requisitos de procedencia previstos en el artículo 192 del Código Nacional de Procedimientos Penales.

Justificación: La suspensión condicional del proceso tiene como premisa la voluntad de las partes (imputado y víctima u ofendido) involucradas en la controversia para evitar el procedimiento penal a través de este proceso restaurativo, en el que el investigado acepte los hechos materia de imputación (o al menos no los cuestione, sin que ello implique aceptar su culpabilidad) y, derivado de un ejercicio de conciliación con la víctima, acepte pagar la reparación del daño causado de manera integral. En caso contrario, al existir una oposición a la forma alterna de solución del procedimiento ésta debe ser fundada y sustentarse estrictamente en aspectos objetivos que guarden relación con los hechos hasta ese momento verificables, sin que resulten justificables argumentos subjetivos o diversos a los requisitos legales establecidos, por no guardar pertinencia con la suspensión condicional. Ello, bajo la consideración de que un ejercicio de valoración probatoria no es propio de la naturaleza de este mecanismo.

Registro digital: 2031515

VIDEOGRABACIONES DE LAS AUDIENCIAS DESAHOGADAS EN EL PROCESO PENAL ACUSATORIO CONTENIDAS EN DISPOSITIVOS DE ALMACENAMIENTO DIGITAL SIN AUTENTICAR. SU NATURALEZA JURÍDICA Y VALOR PROBATORIO.

Hechos: Una persona reclamó en amparo indirecto la imposición de una medida cautelar y solicitó la suspensión con efectos restitutorios. En la demanda ofreció como prueba un dispositivo de almacenamiento portátil que contenía los registros de audio y video de la audiencia en la que se emitió el acto reclamado. El Juzgado de Distrito negó la suspensión con efectos restitutorios. La parte quejosa interpuso recurso de queja argumentando que no se tomaron en consideración las videograbaciones exhibidas.

Criterio jurídico: Los dispositivos de almacenamiento digital que contienen las videograbaciones de las audiencias desahogadas en el proceso penal acusatorio, cuyo contenido no ha sido autenticado por autoridad competente: 1) tienen la naturaleza jurídica de prueba documental electrónica, y 2) no tienen el valor probatorio pleno que tienen las documentales públicas, pero poseen eficacia demostrativa sujeta al arbitrio del juzgador y, por regla general, su contenido debe ser adminiculado, corroborado o robustecido con otros elementos probatorios.

Justificación: De los artículos 93, fracción VII y 210-A del Código Federal de Procedimientos Civiles, de aplicación supletoria a la Ley de Amparo, se advierte que se reconoce como prueba a todos aquellos elementos aportados por los descubrimientos de la ciencia, entre otros, la información generada o comunicada que conste en medios electrónicos, ópticos o en cualquier otra tecnología. Por tanto, el dispositivo de información electrónica que contiene las videograbaciones de audiencias celebradas en procedimientos penales de corte acusatorio tiene el carácter de prueba electrónica. En cuanto a su valor probatorio, se tomará en cuenta primordialmente la fiabilidad del método en que haya sido generada, comunicada, recibida o archivada y, en su caso, si es posible atribuir a las personas obligadas el contenido de la información relativa y ser accesible para su ulterior consulta. En consecuencia, la eficacia demostrativa de las videograbaciones de audiencias penales contenidas en un dispositivo como prueba documental electrónica está limitada en función de la posibilidad que en cada caso tenga el juzgador, de confirmar que se trata precisamente de la o las audiencias relacionadas con el acto reclamado, de las mismas partes involucradas, y que los registros de audio y video que contiene no presentan ediciones, supresiones o alteraciones. De no poder confirmar con otros elementos de convicción que el contenido no ha sido alterado, deberá considerar que ese medio de prueba es insuficiente para formar convicción y decidir exclusivamente con base en él.

Registro digital: 2031504

PROCEDIMIENTO ABREVIADO. SU NATURALEZA LIMITA AL JUEZ DE CONTROL PARA MODIFICAR LA FORMA DE INTERVENCIÓN DE LA PERSONA IMPUTADA PLANTEADA POR EL MINISTERIO PÚBLICO.

Hechos: El Ministerio Público solicitó el procedimiento abreviado para una persona imputada a quien atribuyó su participación como coautor del delito, en términos del artículo 13, fracción III, del Código Penal Federal. El Juez de Control aceptó la solicitud y condenó al acusado, pero precisó que la forma de intervención se llevó a cabo como auxiliador del delito, conforme a la fracción VI del referido artículo. En consecuencia y de acuerdo con el artículo 64 Bis del citado ordenamiento, redujo la pena de prisión solicitada por la Fiscalía.

Criterio jurídico: Este Tribunal Colegiado de Circuito determina que la naturaleza del procedimiento abreviado limita al Juez de Control para modificar la forma de intervención de la persona imputada planteada por el Ministerio Público.

Justificación: De conformidad con los artículos 20, apartado A, fracción VII, de la Constitución Política de los Estados Unidos Mexicanos, 201, 203, 205 y 206, del Código Nacional de Procedimientos Penales, la acusación derivada de la solicitud de procedimiento abreviado debe contener la enunciación de los hechos atribuidos al acusado, su clasificación jurídica y el grado de su intervención, así como las penas y el monto de reparación del daño. En tal virtud, acorde con lo resuelto por la Primera Sala de la Suprema Corte de Justicia de la Nación en los amparos directos en revisión 1619/2015, 532/2019 y 2990/2022, en el amparo en revisión 100/2021 y en la contradicción de criterios 50/2019, así como con el criterio del entonces Pleno del Decimoséptimo Circuito en la contradicción de tesis 3/2019, el Juez de Control sólo participa como mediador del acuerdo al que lleguen las partes a fin de concluir el proceso penal con una admisión de responsabilidad sobre los hechos de la acusación. Esto es, su función es verificar el cumplimiento de los requisitos inherentes a la aceptación y consentimiento del imputado a fin de admitir la solicitud, o en su defecto, rechazar la petición al advertir incongruencias o irregularidades en los planteamientos del Ministerio Público, limitándose a analizar la congruencia, idoneidad, pertinencia y suficiencia de los medios de convicción invocados en la acusación para justificar la sentencia de condena. De ahí que su función en el marco del procedimiento abreviado no es modular el acuerdo alcanzado entre las partes, sino verificar que se cumplan los requisitos que le dan validez.

Registro digital: 2031463

IMPRESCRIPTIBILIDAD DE LOS DELITOS COMETIDOS CONTRA NIÑAS, NIÑOS Y ADOLESCENTES. EL ARTÍCULO 106, ÚLTIMO PÁRRAFO, DE LA LEY GENERAL DE LOS DERECHOS DE NIÑAS, NIÑOS Y ADOLESCENTES, ES APLICABLE A TODOS LOS PROCEDIMIENTOS PENALES.

Hechos: Los Tribunales Colegiados de Circuito contendientes sustentaron criterios contradictorios al analizar si la porción normativa referida, al prever que no podrá declararse la caducidad ni la prescripción en perjuicio de niñas, niños y adolescentes, impide la prescripción de la acción penal en todos los delitos, o si su aplicación se limita a procedimientos civiles o administrativos, dejando la prescripción penal sujeta a la legislación local.

Criterio jurídico: La imprescriptibilidad prevista en el artículo 106, último párrafo, de la Ley General de los Derechos de Niñas, Niños y Adolescentes es aplicable a todos los procedimientos penales cuando las víctimas pertenezcan a este grupo vulnerable.

Justificación: Conforme a la jurisprudencia de la Suprema Corte de Justicia de la Nación, el principio del interés superior de la niñez se configura como: 1) derecho sustantivo; 2) principio jurídico interpretativo fundamental; y 3) norma de procedimiento. Esto último faculta a las personas juzgadoras a flexibilizar excepcionalmente normas procesales —como plazos, caducidad o cosa juzgada— si repercuten desproporcionadamente en los derechos de niñas, niños y adolescentes, sin imponer cargas indebidas a terceros ni afectar la eficacia judicial.

Lo anterior encuentra respaldo en los artículos 1o. y 4o. de la Constitución Política de los Estados Unidos Mexicanos, 19 de la Convención Americana sobre Derechos Humanos y 3 de la Convención sobre los Derechos del Niño, que consagran: a) el principio pro persona y la obligación de adoptar la interpretación más favorable, integrando a los tratados internacionales como vinculantes; b) el interés superior de la niñez como criterio rector en todas las decisiones del Estado; c) la obligación de garantizar medidas especiales de protección y el acceso efectivo a la justicia; y d) la priorización del interés superior de la niñez en decisiones judiciales y administrativas, velando por su bienestar y acceso a la justicia. Por su parte, la Primera Sala del Máximo Tribunal del país en el amparo directo 16/2024, del que derivó la tesis aislada 1a. XIV/2025 (11a.), de rubro: "DELITOS SEXUALES COMETIDOS EN CONTRA DE PERSONAS MENORES DE EDAD. LA APLICACIÓN DE LA LEY GENERAL DE LOS DERECHOS DE NIÑAS, NIÑOS Y ADOLESCENTES NO VULNERA EL PRINCIPIO DE NO RETROACTIVIDAD DE LA LEY.", interpretó el artículo 106, último párrafo, como una norma procedimental aplicable a todos los procedimientos jurisdiccionales, incluidos los penales, sin limitarse a la materia civil o administrativa, partiendo del principio "donde la ley no distingue, no es dable distinguir". Ello, para evitar interpretaciones restrictivas.

Lo anterior se armoniza con el principio de progresividad de los derechos humanos, reflejado en las reformas al Código Penal para la Ciudad de México que incorporaron la imprescriptibilidad de los delitos sexuales cometidos contra menores de edad, aplicable a cualquier delito que los afecte. En consecuencia, el artículo 106, último párrafo, de la Ley General de los Derechos de Niñas, Niños y Adolescentes, emitida con fundamento en el artículo 73, fracción XXIX-P, de la Constitución Política de los Estados Unidos Mexicanos, opera como una norma de orden público y de aplicación general, que impide declarar prescrita la acción penal en perjuicio de ese grupo vulnerable, asegurando la tutela efectiva de sus derechos y la sanción de los responsables, conforme a los principios de progresividad de los derechos humanos, pro persona y del interés superior de la niñez.

Registro digital: 2031425

DECLARACIÓN DE UN TESTIGO PROTEGIDO. SI EN SU DESAHOGO SE VIOLÓ EL PRINCIPIO DE INMEDIACIÓN, DEBE ORDENARSE LA REPOSICIÓN DEL PROCEDIMIENTO PARA QUE SE DESARROLLE UN NUEVO JUICIO ORAL, SIN QUE ELLO VULNERE SU DERECHO A RESGUARDAR SU IDENTIDAD Y SEGURIDAD.

Hechos: En la audiencia de juicio oral se desahogó la declaración de la víctima del delito en el área de testigos protegidos, mediante sistema de videoconferencia con la proyección en la sala de audiencias de una imagen distorsionada que impedía al Tribunal de Enjuiciamiento observar su persona y rostro.

Criterio jurídico: Este Tribunal Colegiado de Circuito determina que cuando en el desahogo de la declaración de un testigo protegido se vulnera el principio de inmediación, al carecer del componente consistente en la percepción directa y personal de los elementos probatorios que deben tener los Jueces, debe ordenarse la reposición del procedimiento para que se desarrolle un nuevo juicio oral, sin que lo anterior implique vulneración a su derecho de resguardar su identidad y seguridad.

Justificación: La Primera Sala de la Suprema Corte de Justicia de la Nación, al resolver el amparo directo en revisión 492/2017 definió los tres componentes del principio de inmediación establecido en el artículo 20, apartado A, fracción II, de la Constitución Política de los Estados Unidos Mexicanos y determinó que su vulneración constituye una violación procesal que amerita reponer el juicio oral, ante la falta de fiabilidad en la debida integración de la prueba.

No se desconoce que debe salvaguardarse el derecho de las víctimas y/o de los testigos que requieran medidas especiales de protección, de resguardar su identidad y seguridad, de conformidad con los artículos 12, fracción VIII, de la Ley General de Víctimas y 109, fracción XXVI, 366 y 367 del Código Nacional de Procedimientos Penales.

Sin embargo, tal obligación admite una excepción, pues debe ponderarse y aquilatarse de forma que no vulnere el derecho de defensa adecuada del acusado, ni los principios que rigen el sistema de justicia penal acusatorio, en el caso concreto, el de inmediación, en su componente de la percepción directa y personal que deben tener los Jueces sobre el desahogo de la prueba.

Cuando se vulnera el principio de inmediación en el desahogo de la declaración de un testigo protegido, debe ordenarse la reposición del procedimiento para que se desarrolle un nuevo juicio oral, con la precisión de que el Tribunal de Enjuiciamiento puede emplear las medidas necesarias durante la audiencia de juicio, a fin de salvaguardar el derecho de las víctimas y/o testigos protegidos o especiales, a que se garantice el resguardo de su identidad y seguridad, así como el de respetar el principio de inmediación en su componente de recepción directa y sin obstáculos de la prueba producida, esto es, que prevalezcan simultáneamente tanto el referido derecho de las víctimas y testigos especiales, como el respeto al principio de inmediación en todos sus componentes.

Registro digital: 2031421

ORDEN DE CATEO. SU EJECUCIÓN NO CONSTITUYE UN ACTO CONSUMADO DE MODO IRREPARABLE, POR LO QUE PROCEDE EL AMPARO INDIRECTO CONTRA SUS EFECTOS Y CONSECUENCIAS.

Hechos: Los Tribunales Colegiados de Circuito contendientes sustentaron criterios contradictorios al analizar si procede el amparo indirecto contra los efectos y consecuencias de la orden de cateo y su ejecución. Mientras que uno estimó que al haberse ejecutado la orden de cateo debía considerarse como acto consumado de forma irreparable, lo que actualiza la causa de improcedencia contenida en el artículo 61, fracción XVI, de la Ley de Amparo; el otro sostuvo que los efectos que genera la ejecución de la orden de cateo se proyectan en el tiempo, por lo que debe analizarse el fondo del asunto, de ahí que no se actualiza dicha causal de improcedencia.

Criterio jurídico: El Pleno Regional en Materias Penal y de Trabajo de la Región Centro-Sur, con residencia en la Ciudad de México, determina que la ejecución de una orden de cateo no constituye un acto consumado de modo irreparable, por lo que contra sus efectos y consecuencias procede el amparo indirecto.

Justificación: La ejecución de la orden de cateo constituye un acto de autoridad cuyos efectos y consecuencias tienen la capacidad de infringir derechos fundamentales de manera continua y persistente. Por tanto, no puede considerarse como un acto consumado de modo irreparable en términos del artículo 61, fracción XVI, de la Ley de Amparo.

Al reconocer la procedencia del amparo indirecto se constata el estricto apego de la orden de cateo y su ejecución a los requisitos de los artículos 16 de la Constitución Federal y 283 del Código Nacional de Procedimientos Penales. Asimismo, se permite la restitución efectiva de los derechos a la dignidad humana, a la seguridad jurídica, a la propiedad o a la posesión que el quejoso reclame como afectados por la ejecución de la orden de cateo.

Registro digital: 2031370

ORDEN DE APREHENSIÓN. PREVIAMENTE A ANALIZAR SI SE JUSTIFICA LA NECESIDAD DE CAUTELA PARA SU EMISIÓN, EL JUEZ DEBE VERIFICAR QUE SE CUMPLAN LOS REQUISITOS FORMALES Y DE FONDO.

Hechos: Una persona acusada del delito de violación promovió amparo indirecto contra la orden de aprehensión librada en su contra. El Juzgado de Distrito, sin analizar los requisitos formales y de fondo establecidos para su emisión, concedió el amparo al estimar que el Juez de Control no motivó exhaustivamente la necesidad de cautela advertida por el Ministerio Público pues, a su consideración, en este segmento de la resolución (necesidad de cautela) se limitó a enunciar los datos de prueba que tomó en consideración en otros apartados del fallo (hecho delictivo y presunta responsabilidad), sin abundar ni realizar el análisis lógico-jurídico respectivo. Contra esta determinación la parte tercero interesada interpuso recurso de revisión.

Criterio jurídico: Este Tribunal Colegiado de Circuito determina que para librar una orden de aprehensión (como medida excepcional de conducción al proceso), la persona juzgadora debe verificar, previo a analizar el tema de la necesidad de cautela, que se cumplan los requisitos formales y de fondo.

Justificación: El dictado de una orden de aprehensión constituye una misma resolución con independencia de que en ella se deba abordar tanto lo relativo al acreditamiento de los requisitos formales y de fondo, exigidos por los artículos 16 constitucional y 141, fracción III, del Código Nacional de Procedimientos Penales (atinentes al acreditamiento preliminar del hecho delictivo y la probable responsabilidad), así como lo referente a la justificación de la necesidad de cautela. Sin embargo, no es factible ocuparse solamente de este último tema sin verificar previamente la justificación de la medida de conducción. La persona juzgadora debe analizar, previo al tema de la necesidad de cautela, los requisitos formales y de fondo del asunto, esto es, que se cumpla con lo establecido constitucional y legalmente para su emisión, y no limitarse de manera exclusiva al estudio de la cautela, pues existe una prelación lógica en esos aspectos, que inicia por la justificación de la conducción al proceso y luego a la de la forma excepcional de hacerlo, ya que se trata de una misma resolución secuenciada en cuanto al orden en que deben ser analizados los aspectos (tópicos) que la conforman y la "cautela" como regla de justificación de la forma de conducción; no es lo primero sino el aspecto final necesario, pero sólo si previamente se reúnen los requisitos constitucionales y legales para justificar la necesidad de conducción a proceso en sí misma como orden de aprehensión. Por tanto, no es legal ni racionalmente correcto ocuparse únicamente de la cautela y no de los requisitos constitucionales previos.

Registro digital: 2031281

ORDEN DE APREHENSIÓN. LA VÍCTIMA DEL DELITO TIENE INTERÉS JURÍDICO PARA RECLAMAR EN AMPARO INDIRECTO LA OMISIÓN DE LA AUTORIDAD MINISTERIAL DE EJECUTARLA.

Hechos: El apoderado legal de una empresa promovió amparo indirecto contra la omisión de la autoridad ministerial de ejecutar la orden de aprehensión librada contra uno de sus exempleados por el delito de robo en una causa penal en la que tiene el carácter de ofendida. El Juzgado de Distrito desechó de plano la demanda, al estimar actualizada de manera manifiesta e indudable la causa de improcedencia relativa a la falta de interés jurídico. Contra esta determinación interpuso recurso de queja.

Criterio jurídico: Este Tribunal Colegiado de Circuito determina que la víctima del delito cuenta con interés jurídico para reclamar en amparo indirecto la omisión de la autoridad ministerial de ejecutar la orden de aprehensión librada contra el imputado.

Justificación: De los artículos 16, párrafo cuarto, 20, apartado C, fracciones I, II y VII, y 21, párrafos primero y segundo, de la Constitución Política de los Estados Unidos Mexicanos y 145 del Código Nacional de Procedimientos Penales, se advierte el interés jurídico de la víctima u ofendido del delito para reclamar en amparo indirecto la omisión de ejecutar la orden de aprehensión por parte del agente del Ministerio Público y de otras autoridades auxiliares encargadas de cumplimentarla. La ejecución de la orden de aprehensión y la vigilancia de que se realice corresponden a la autoridad ministerial y a la policía ministerial bajo su mando. La víctima u ofendido del delito cuenta con el derecho a: 1) ser informado del procedimiento penal; 2) que se desahoguen las diligencias correspondientes; y 3) impugnar las omisiones del Ministerio Público. Por tanto, procede el amparo indirecto contra la omisión de ejecutar la orden de aprehensión contra el imputado, pues su ejecución representa una diligencia tendente a poner al detenido a disposición del Juez de Control, para efecto de que el Ministerio Público solicite la celebración de la audiencia inicial a partir de la formulación de la imputación.

Registro digital: 2031268

RECURSO INNOMINADO PREVISTO EN EL ARTÍCULO 258 DEL CÓDIGO NACIONAL DE PROCEDIMIENTOS PENALES. POR REGLA GENERAL, LA OPORTUNIDAD DE SU INTERPOSICIÓN DEBE ANALIZARSE PREVIO A CONVOCAR A LA AUDIENCIA RESPECTIVA.

Hechos: En una carpeta de investigación, la víctima impugnó la determinación del Ministerio Público de no ejercer la acción penal mediante el recurso innominado previsto en el precepto mencionado. En la audiencia respectiva el Juez de Control decretó la extemporaneidad del recurso con base en el debate entre las partes. Contra esta determinación se promovió amparo indirecto. El Juzgado de Distrito lo negó al considerar correcto que la oportunidad del recurso se dilucidara con base en el debate entre las partes, porque así se observó el principio de contradicción.

Criterio jurídico: Este Tribunal Colegiado de Circuito determina que, por regla general, la oportunidad del recurso innominado previsto en el artículo 258 del Código Nacional de Procedimientos Penales, al ser un presupuesto procesal, debe analizarse por el Juez de Control de manera oficiosa antes de convocar a las partes a la audiencia relativa.

Justificación: El artículo mencionado no establece el momento procesal en el que la persona juzgadora debe verificar si los presupuestos procesales del recurso que regula se actualizan. Sin embargo, su interpretación lógica y funcional conduce a afirmar que dicho estudio debe realizarse antes de que las partes sean convocadas a la audiencia respectiva, la cual tiene como propósito decidir en definitiva la cuestión planteada. Esto es, si fue correcta la determinación del Ministerio Público sobre la abstención de investigar, el archivo temporal, la aplicación de un criterio de oportunidad o el no ejercicio de la acción penal. Ese estudio no podría realizarse ante la ausencia de los presupuestos procesales, lo cual presupone que este último tópico debe analizarse por el Juez de Control, por regla general, previo a dicha audiencia, para lo cual, de ser el caso, deberá recabar las constancias necesarias para ello. No tendría sentido que convocara a las partes a una audiencia que se tornaría estéril e innecesaria si en ella se declarara incompetente para conocer del recurso o lo declarara extemporáneo o improcedente.

Registro digital: 2031267

RECURSO INNOMINADO PREVISTO EN EL ARTÍCULO 258 DEL CÓDIGO NACIONAL DE PROCEDIMIENTOS PENALES. EL ANÁLISIS DE SUS PRESUPUESTOS PROCESALES NO ESTÁ SUJETO AL PRINCIPIO DE CONTRADICCIÓN.

Hechos: En una carpeta de investigación la víctima impugnó la determinación del Ministerio Público de no ejercer la acción penal mediante el recurso innominado previsto en el precepto mencionado. En la audiencia respectiva el Juez de Control decretó la extemporaneidad del recurso con base en el debate entre las partes. Contra esta determinación se promovió amparo indirecto. El Juzgado de Distrito lo negó al considerar correcto que la oportunidad del recurso se dilucidara con base en el debate entre las partes, porque así se observó el principio de contradicción.

Criterio jurídico: Este Tribunal Colegiado de Circuito determina que el análisis de los presupuestos procesales del recurso innominado previsto en el artículo 258 del Código Nacional de Procedimientos Penales no está sujeto al principio de contradicción.

Justificación: El principio de contradicción en el sistema penal acusatorio implica que toda afirmación, petición o pretensión formulada por una de las partes en el proceso debe comunicarse a la contraria para que pueda expresar su conformidad u oposición y sus razones, con el objeto de que influyan en la decisión judicial. Sin embargo, ello no debe llegar al extremo de que el examen de los presupuestos procesales de los medios de impugnación deba sujetarse al debate entre las partes, ya que de aquéllos depende su validez o procedencia.

Sostener lo contrario implicaría que pudieran desecharse recursos que conforme a la ley fueran procedentes o, peor aún, que se admitieran los que legalmente no lo sean, lo cual no sólo desvirtuaría el sistema impugnativo previsto en el Código Nacional de Procedimientos Penales, sino que podría incidir en que no se logren los objetivos que persigue dicho ordenamiento: esclarecer los hechos, proteger al inocente, procurar que el culpable no quede impune y que se repare el daño.

Tratándose del recurso innominado establecido en el artículo 258 referido, el principio de contradicción opera por lo que hace al fondo del asunto, esto es, a lo fundado o infundado del recurso, mas no al examen de los presupuestos procesales, habida cuenta que, por regla general, éstos deben examinarse de oficio y con todo cuidado por la autoridad jurisdiccional, previo a convocar a las partes a la audiencia respectiva.

Registro digital: 2031237

RECONOCIMIENTO DEL ACUSADO EN LA SALA DE AUDIENCIA DE JUICIO ORAL. REQUIERE DEL APORTE DE INFORMACIÓN OBJETIVA Y SUFICIENTE.

Hechos: En la sala de audiencia de juicio oral la víctima identificó al acusado debido a que lo había visto en otras audiencias del proceso y porque terceras personas le dijeron que él era responsable de los hechos. Esa declaración fue fundamental para sustentar la sentencia de condena.

Criterio jurídico: Este Tribunal Colegiado de Circuito determina que el señalamiento o imputación que un testigo realiza contra la persona acusada en la audiencia de juicio, requiere que aquél aporte información objetiva y suficiente para estimar que el reconocimiento es genuino.

Justificación: El diseño estructural de las salas en las que se llevan a cabo los juicios penales y se desarrollan las audiencias es un factor determinante para inducir el reconocimiento de la persona acusada. En gran parte de los casos, ésta se encuentra en un espacio físico comúnmente denominado "burbuja", ubicado frente a los testigos, y es señalada por las partes y el órgano jurisdiccional como persona "investigada", "imputada", "acusada" o "sentenciada". En ocasiones el propio órgano jurisdiccional o la Fiscalía, previamente a la declaración de un testigo, le refieren en dónde se ubica la persona acusada. Incluso, en algunos casos en que se debe recibir el testimonio en una sala distinta de la del juicio, el declarante tiene a la vista a la persona acusada por medio de videograbación y en ella se agrega la leyenda de "imputada" o "acusada".

Estos escenarios no son apropiados para realizar el reconocimiento de la persona acusada, porque el diseño de la sala y la dinámica de la audiencia parten de la identificación y participación de las partes, por lo que ninguna identificación sería libre de inducción. Por ello, no basta el simple señalamiento o imputación que un testigo realice en la audiencia de juicio, sino que requiere del aporte de información objetiva y suficiente que permita al órgano jurisdiccional llegar al convencimiento de que el reconocimiento es genuino y no consecuencia de la inducción derivada de la sala de audiencia.

Registro digital: 2031207

RECURSO INNOMINADO PREVISTO EN EL ARTÍCULO 258 DEL CÓDIGO NACIONAL DE PROCEDIMIENTOS PENALES. PROCEDE EN CONTRA DE LA ABSTENCIÓN, OMISIÓN O NO ADMISIÓN DE RECIBIR LA DENUNCIA O REALIZAR ACTOS DE INVESTIGACIÓN POR PARTE DEL MINISTERIO PÚBLICO.

Hechos: Una persona denunció ante el Ministerio Público hechos posiblemente constitutivos del delito de fraude genérico, ya sea consumado o en grado de tentativa. Sin ordenar diligencia alguna que le permitiera esclarecer los hechos, la representación social se abstuvo de realizar los actos de investigación, al considerar que la conducta puesta a su consideración no encuadraba en el tipo penal planteado. Tal determinación fue confirmada por el Juez de Control.

Criterio jurídico: Este Tribunal Colegiado determina que las determinaciones del Ministerio Público consistentes en la no admisión de la querella o denuncia, la abstención de iniciar actos de investigación o darle continuidad, el archivo temporal, la aplicación de un criterio de oportunidad y el no ejercicio de la acción penal, pueden ser impugnadas ante el Juez de control mediante el recurso innominado previsto por el artículo 258 del Código Nacional de Procedimientos Penales.

Justificación: Es así, porque el artículo 109, fracción XXI, del Código Nacional, establece que el derecho de la víctima u ofendido a impugnar las abstenciones o negligencias que cometa el Ministerio Público en el desempeño de sus funciones, debe hacerse valer en los términos previstos en el mismo código y en las demás disposiciones legales aplicables, de ahí que, el medio de defensa previsto en el artículo 258 sea el idóneo para impugnar las omisiones del Ministerio Público, como pueden ser la no admisión de la denuncia o querella, paralización o evasión de indagar, todo ello encuadra en su función como órgano encargado de investigar los hechos constitutivos de algún delito.

Registro digital: 2031138

CALIDAD DE VÍCTIMA EN LA CARPETA DE INVESTIGACIÓN. PARA DETERMINAR SI LA TIENE EL DENUNCIANTE, EL MINISTERIO PÚBLICO DEBE FUNDAMENTAR SU

ANÁLISIS EN LOS HECHOS DENUNCIADOS Y NO EN LA CLASIFICACIÓN JURÍDICA QUE AQUÉL HAYA SEÑALADO.

Hechos: Una persona acudió al Ministerio Público a denunciar a un servidor público por hechos probablemente constitutivos de delitos y solicitó que se le reconociera la calidad de víctima. El Ministerio Público determinó que no le correspondía ese carácter, al considerar que los hechos posiblemente constitutivos de delitos se cometieron en agravio de la sociedad, y hasta el momento no existían datos de prueba que acreditaran que el denunciante sufrió un daño o menoscabo en sus derechos. Inconforme, promovió juicio de amparo. El Juzgado de Distrito negó la protección constitucional.

Criterio jurídico: Este Tribunal Colegiado de Circuito considera que para determinar si el denunciante tiene el carácter de víctima en la carpeta de investigación, el Ministerio Público debe fundamentar su análisis en los hechos denunciados y no en la clasificación jurídica que aquél les haya otorgado.

Justificación: El artículo 21 de la Constitución Federal establece que el Ministerio Público es la autoridad facultada para investigar los delitos y ejercer la acción penal ante la autoridad judicial. En su calidad de órgano técnico tiene la obligación de realizar la investigación de manera inmediata, eficiente, exhaustiva, profesional e imparcial, libre de estereotipos y discriminación. Además, conforme al artículo 212 del Código Nacional de Procedimientos Penales debe explorar todas las líneas de investigación posibles para recabar datos que permitan esclarecer el hecho señalado por la ley como delito, así como identificar a la persona que lo cometió.

La obligación de agotar todas las líneas de investigación reviste especial relevancia, ya que es el Ministerio Público —y no el denunciante— quien ostenta la facultad de ejercer la acción penal y posee la capacidad técnico-jurídica para hacerlo, siendo además el único órgano competente para establecer una clasificación jurídica preliminar.

La calidad de víctima del delito se determina a partir de los hechos denunciados y no de la clasificación jurídica que el denunciante les atribuya, ya que corresponde al Ministerio Público establecer una clasificación jurídica preliminar al ejercer la acción penal. Incluso conforme al artículo 316, penúltimo párrafo, del mencionado código, el Juez de Control puede modificarla, siempre que no se alteren los hechos materia de la investigación. Por ello, resulta fundamental que tanto la investigación como la determinación del carácter de víctima se analicen con base en los hechos denunciados y no en la clasificación jurídica que el denunciante haya señalado.

Registro digital: 2029311

DATOS DE PRUEBA PRESENTADOS POR LA PERSONA IMPUTADA O SU DEFENSOR EN EL PLAZO CONSTITUCIONAL O SU AMPLIACIÓN. NO LES ES APLICABLE LA CARGA DE JUSTIFICAR SU PERTINENCIA.

Hechos: La defensa de la persona imputada ofreció diversos datos y medios de prueba, en términos del artículo 314 del Código Nacional de Procedimientos Penales, los cuales fueron desechados. En amparo indirecto se estimó que, en relación con un dato de prueba, fue correcto el desechamiento porque se omitió justificar su pertinencia.

Criterio jurídico: Este Tribunal Colegiado de Circuito determina que a los datos de prueba presentados por la persona imputada o su defensor en el plazo constitucional o su ampliación, no les es aplicable la carga de justificar su pertinencia.

Justificación: La Primera Sala de la Suprema Corte de Justicia de la Nación, al resolver el amparo en revisión 1070/2019, del que derivó la tesis aislada 1a. XX/2020 (10a.), estableció que conforme al artículo 314, segundo párrafo, del Código Nacional de Procedimientos Penales, como regla general, la persona imputada o su defensor podrán, durante el plazo constitucional o su ampliación, presentar los datos de prueba que consideren necesarios, y sólo en caso de delitos que ameriten prisión preventiva oficiosa u otra medida cautelar personal, podrá admitirse el desahogo de medios de prueba ofrecidos por aquéllos cuando, al inicio de la audiencia o su continuación, se justifique su pertinencia.
Conforme a esa regla general, la persona imputada o su defensor pueden presentar los datos de prueba que consideren necesarios sin mayor formalidad para su ofrecimiento y sin que pueda hacerse extensiva a éstos la carga impuesta en el referido precepto para los medios de prueba, consistente en justificar su pertinencia.
Dicha interpretación garantiza un efectivo acceso a la justicia y es acorde con el principio pro persona, pues permite que la imputada o su defensor presenten datos de prueba, sin imponerles un requisito que no está expresamente previsto.

Registro digital: 2029296

ORDEN DE APREHENSIÓN EN EL SISTEMA PENAL ACUSATORIO. EL CÓMPUTO DEL PLAZO DE QUINCE DÍAS PARA PROMOVER AMPARO INDIRECTO EN SU CONTRA, INICIA A PARTIR DEL DÍA SIGUIENTE AL EN QUE LA PERSONA QUEJOSA HAYA TENIDO CONOCIMIENTO DE AQUÉLLA O DE SU EJECUCIÓN, O AL EN QUE SE HAYA OSTENTADO SABEDORA DE SU EXISTENCIA.

Hechos: Una persona promovió amparo indirecto contra la orden de aprehensión girada en su contra en el proceso penal acusatorio; sin embargo, no lo hizo dentro del plazo genérico de quince días previsto en el artículo 17 de la Ley de Amparo, a pesar de que, bajo protesta de decir verdad, manifestó que tuvo conocimiento de su existencia por el dicho de sus vecinos, quienes le informaron que policías ministeriales se constituyeron en su domicilio con la finalidad de cumplimentarla.

Criterio jurídico: Este Tribunal Colegiado de Circuito determina que el cómputo del plazo de quince días para promover la demanda de amparo indirecto contra la orden de aprehensión en el sistema penal acusatorio y oral, inicia a partir del día siguiente al en que la persona quejosa haya tenido conocimiento de aquélla o de su ejecución, por cualquier medio, o al en que se haya ostentado sabedora de su existencia, sin necesidad de que hubiere tenido conocimiento completo o integral de su contenido.

Justificación: De la tesis de jurisprudencia P./J. 115/2010, del Pleno de la Suprema Corte de Justicia de la Nación, se advierte que, por regla general, el plazo para promover amparo debe computarse a partir del día siguiente al en que la persona quejosa tenga conocimiento completo del acto reclamado; sin embargo, ese criterio encuentra una salvedad tratándose de una orden de aprehensión emitida dentro de un procedimiento seguido bajo las reglas del sistema penal acusatorio y oral, pues dada su naturaleza y la fase en que se emite, destaca la necesidad de su sigilo, ya que los datos recabados por el Ministerio Público deben mantenerse en reserva, para que no se ponga en peligro el éxito de la investigación; aunado a que se traduce en una forma excepcional de conducción al proceso de la persona imputada, donde se han descartado la citación u orden de comparecencia. Situación que justifica y torna indispensable darle un trato distinto con respecto al criterio general sostenido por el Alto Tribunal, con el objeto de dar operatividad a los artículos 17 y 18 de la Ley de Amparo, y evitar el uso indefinido e indiscriminado de la acción de control constitucional que puede derivar en perjuicio de las personas víctimas u ofendidas o de la sociedad en general, a la luz de los principios de seguridad y certeza jurídicas. Ello, en la medida en que el espacio temporal previsto en el artículo 17 citado tiene como propósito que no se menoscaben los derechos fundamentales de otras personas, particularmente el de seguridad jurídica, de modo que se requiere armonizar el inicio del plazo para reclamar actos como el que nos ocupa, con el derecho de los terceros —incluida la sociedad en general— que están en espera de la certidumbre que les brinda la firmeza de la decisión de la autoridad, pues en estos casos el acceso a la justicia y la seguridad jurídica constituyen derechos de un mismo rango que, por la independencia que les caracteriza, exigen de un necesario equilibrio, en aras de obtener su respeto integral con el menor sacrificio posible de su tutela.

Sin que esta circunstancia implique vulnerar las defensas de la persona quejosa, pues en este caso es viable la suplencia de la queja deficiente en términos del artículo 79, fracción III, inciso a), de la Ley de Amparo, de modo que basta con que se presente la demanda, sin mayor asesoría y sin necesidad de formular conceptos de violación, para que el órgano de amparo examine oficiosamente la legalidad de la orden de aprehensión; aunado a que en el trámite del proceso constitucional puede ampliarse la demanda respecto de los conceptos de violación, al tenor de la fracción II del artículo 111 de la propia ley, una vez que sean notificados los informes justificados y se conozca plenamente el acto reclamado; a lo que se suma que la manifestación de la quejosa con respecto a la fecha en que tuvo conocimiento del acto reclamado, constituye una confesión que hace prueba plena.

Registro digital: 2029263

AUTO DE VINCULACIÓN A PROCESO. AL RECLAMARSE EN EL JUICIO DE AMPARO INDIRECTO, EL JUEZ DE DISTRITO SÓLO DEBE CONSTATAR SU LEGALIDAD Y CONSTITUCIONALIDAD, SIN PONDERAR LOS DATOS DE PRUEBA QUE PERMITIERON SU DICTADO PUES, DE ACUERDO CON LOS PRINCIPIOS DE CONTRADICCIÓN E INMEDIACIÓN, ELLO CORRESPONDE AL JUEZ DE CONTROL.

Hechos: Una persona promovió amparo indirecto contra el auto de vinculación a proceso dictado en su contra; como se negó la protección constitucional, interpuso recurso de revisión, en el que alegó que el Juez de Distrito no realizó un ejercicio de ponderación probatoria respecto de los datos de prueba incorporados en la carpeta de investigación.

Criterio jurídico: Este Tribunal Colegiado de Circuito determina que al reclamarse en amparo indirecto el auto de vinculación a proceso, el Juez de Distrito sólo debe constatar su legalidad y constitucionalidad, sin ponderar los datos de prueba que permitieron su dictado pues, de acuerdo con los principios de contradicción e inmediación, ello corresponde al Juez de Control.

Justificación: La Primera Sala de la Suprema Corte de Justicia de la Nación, al resolver la contradicción de tesis 87/2016, de la que derivó la tesis de jurisprudencia 1a./J. 35/2017 (10a.), estableció que para la emisión del auto de vinculación a proceso no se exige la comprobación del cuerpo del delito ni la justificación de la probable responsabilidad, sino que basta con que el Juez de Control encuadre la conducta a la norma penal, que permita identificar, con independencia de la metodología que adopte, el tipo penal aplicable, a fin de fijar la materia de la investigación complementaria y el eventual juicio; luego, si "la oralidad" constituye el instrumento que permite que se materialicen durante el desarrollo del procedimiento, entre otros, los principios de contradicción e inmediación, es incuestionable que los juzgadores deben dirimir verbalmente los conflictos que les sean planteados por los intervinientes, al exponer en la audiencia respectiva, fundada y motivadamente, el sentido de sus resoluciones, en cumplimiento al artículo 16 de la Constitución Política de los Estados Unidos Mexicanos, mediante la videograbación en la que se registra el desarrollo de la audiencia en la que se dictó el auto aludido; de ahí que si éste se reclama en el juicio de amparo indirecto, habrá de analizarse en sede constitucional la determinación emitida oralmente; por consiguiente, el ejercicio de ponderación corresponde llevarlo a cabo al Juez de Control, al tener contacto directo con el dato de prueba idóneo y pertinente para establecer razonablemente la existencia de un hecho delictivo y la probable participación del imputado, bajo el método de la libre apreciación, no así al órgano de control constitucional, toda vez que el juicio de amparo se circunscribe al análisis de la legalidad y consecuente constitucionalidad del acto reclamado.

Registro digital: 2029241

DOCUMENTOS COMO EVIDENCIA MATERIAL EN EL SISTEMA PENAL ACUSATORIO. SU VALORACIÓN POR EL TRIBUNAL DE ENJUICIAMIENTO SIN QUE SE HAYAN INCORPORADO AL DEBATE EN EL JUICIO ES ILEGAL.

Hechos: En la audiencia intermedia se ofreció y admitió como medio de prueba la entrevista realizada a una persona que falleció durante el proceso penal, así como el acta de defunción correspondiente; elementos que debían incorporarse por el policía ministerial que recabó ese registro de investigación. Durante el juicio oral el Ministerio Público desistió del testimonio del policía y leyó de manera directa el dato relativo a la entrevista, sin efectuar la incorporación de dicha acta. En el fallo condenatorio se otorgó valor probatorio a la lectura de la entrevista, bajo el argumento de que se demostró el fallecimiento del testigo con el acta de defunción admitida en el auto de apertura a juicio oral.

Criterio jurídico: Este Tribunal Colegiado de Circuito determina que la valoración por el Tribunal de Enjuiciamiento de documentos como evidencia material en el sistema penal acusatorio, sin que se hayan incorporado al debate en el juicio es ilegal.

Justificación: El sistema penal acusatorio se rige por los principios de inmediación y contradicción, además de ser de corte acusatorio y oral, lo que implica que es a las partes a quienes corresponde producir el debate ante el Tribunal de Enjuiciamiento con la finalidad de crear convicción en éste sobre los temas materia de controversia. El artículo 383, primer párrafo, del Código Nacional de Procedimientos Penales establece que los documentos, objetos y otros elementos de convicción, previamente a su incorporación a juicio, deben exhibirse al imputado, a los testigos o intérpretes y a los peritos, para que los reconozcan o informen sobre ellos; de lo que se obtiene que un documento que se admitió en el auto de apertura a juicio oral, no puede valorarse directamente por el Tribunal de Enjuiciamiento, sino que tiene que incorporarse al debate mediante la persona que lo produjo o recabó, es decir, no es suficiente que haya sido admitido por la persona juzgadora de Control, sino que debe desahogarse en el juicio a través de su incorporación.

Registro digital: 2029262

SUSTRACCIÓN A LA ACCIÓN DE LA JUSTICIA. NO ES NECESARIO QUE PREVIO A SU DECLARATORIA SE FORMULE LA IMPUTACIÓN (ARTÍCULO 141, PÁRRAFO CUARTO, DEL CÓDIGO NACIONAL DE PROCEDIMIENTOS PENALES).

Hechos: Los Tribunales Colegiados de Circuito contendientes sustentaron criterios contradictorios al analizar si para declarar al imputado sustraído de la acción de la justicia, conforme al párrafo cuarto del artículo 141 del Código Nacional de Procedimientos Penales, es necesario que previamente se le haya formulado la imputación. Mientras que uno consideró que no es necesario que previamente se haya celebrado audiencia inicial y formulado la imputación, ya que puede ocurrir en la fase de investigación inicial o en una citación judicial como forma de conducción a la audiencia inicial; el otro estimó que es necesario que el imputado esté sometido al proceso, es decir, que se haya presentado a la audiencia inicial de formulación de la imputación.

Criterio jurídico: El Pleno Regional en Materias Penal y de Trabajo de la Región Centro-Norte, con residencia en la Ciudad de México, determina que para que la autoridad judicial declare sustraído de la acción de la justicia a cierta persona no es necesario que previamente se le haya formulado imputación.

Justificación: De la interpretación sistemática de los artículos 62, 90, 141, párrafo cuarto, 142, 143, y 145, del Código Nacional de Procedimientos Penales, y acorde con lo desarrollado por la Suprema Corte de Justicia de la Nación respecto de la orden de aprehensión prevista en el párrafo tercero del artículo 16 de la Constitución Política de los Estados Unidos Mexicanos, para declarar sustraído de la acción de la justicia a cierta persona no es necesario que previamente se le haya formulado imputación.

En caso de acreditarse una injustificada inasistencia a una citación judicial, el Ministerio Público deberá solicitar la comparecencia del imputado y de no haber acudido, solicitar el libramiento de una orden de aprehensión.

Por otra parte, si el párrafo cuarto del citado artículo 141 incluye como causa de aprehensión no haber comparecido a una "citación judicial", y su fracción I prevé la orden judicial de "citatorio al imputado para la audiencia inicial", ello pone de manifiesto que puede haber supuestos de incumplimiento a una citación judicial antes de la audiencia inicial.
Que el imputado se fugue del lugar donde está detenido puede configurarse previo a que tenga cualquier contacto con la autoridad judicial, esto es, en investigación inicial cuando es detenido en flagrancia. Respecto a que se ausente del domicilio sin avisar y tenga la obligación de informarlo, puede ocurrir en una detención en flagrancia en la que se otorgue la libertad durante la investigación y se le imponga la obligación de no ausentarse o cambiar de domicilio, informarlo a la autoridad, o bien, comparecer cuantas veces sea citado para la práctica de diligencias de investigación.
En cualquiera de esos escenarios la autoridad ministerial podrá solicitar una orden de aprehensión contra el imputado por haberse sustraído de la acción de la justicia. Ello demuestra que esos supuestos no necesariamente ocurren una vez que el fiscal tuvo éxito en llevar la investigación a la fase complementaria, sino también en la de investigación inicial.

Registro digital: 2029222

SENTENCIA ESCRITA EN MATERIA PENAL. NO PUEDE INCORPORAR ELEMENTOS DE JUICIO QUE EL TRIBUNAL DE ENJUICIAMIENTO NO MENCIONÓ AL DICTAR EL FALLO EN LA AUDIENCIA ORAL.

Hechos: En la audiencia de juicio oral, el Tribunal de Enjuiciamiento afirmó que los hechos imputados al sentenciado se acreditaron con los medios de prueba que se desahogaron en esa diligencia, y respecto a la valoración probatoria "se abundaría en la sentencia respectiva", es decir, se haría en la sentencia escrita que se emitiría con posterioridad; además, en esta última valoró un elemento de juicio no referido explícitamente en el respectivo fallo oral.

Criterio jurídico: Este Tribunal Colegiado de Circuito determina que la sentencia escrita no puede incorporar elementos de juicio que el Tribunal de Enjuiciamiento no mencionó al dictar el fallo en la audiencia oral.

Justificación: De conformidad con el primer párrafo del artículo 20 de la Constitución Política de los Estados Unidos Mexicanos, el principio de oralidad constituye una característica fundamental del sistema de justicia penal acusatorio, lo que se refleja en el contenido de las audiencias orales, para generar mayor transparencia en el proceso, lo cual es acorde con el diverso principio de inmediación. Los artículos

67, 400, 401, 403 y 404 del Código Nacional de Procedimientos Penales prevén que si bien las resoluciones se emitirán oralmente, también deben constar por escrito con posterioridad; sin embargo, el primero de los preceptos citados restringe en su penúltimo párrafo dicha facultad al disponer: "En ningún caso, la resolución escrita deberá exceder el alcance de la emitida oralmente", lo cual es acorde con el principio de inmediatez, que se refleja en el plazo dispuesto para dictar la sentencia escrita con posterioridad al fallo verbal, y la forma en que surtirá efectos. No obsta a lo anterior que en el propio código también se establezca que la motivación que sustenta el fallo debe ser sucinta, pues no debe llegar al extremo de que el fallo verbal sea incompleto o inexacto y que, con posterioridad, en la versión escrita se permita subsanar dichas omisiones, lo que generaría que el fallo dependa de los términos de la decisión escrita, y la finalidad del sistema de justicia oral es la contraria, esto es, que el contenido del fallo escrito se sustente en las bases de apreciación expuestas en la audiencia de juicio oral. De ahí que si el Tribunal de Enjuiciamiento, al dictar la sentencia oral, enuncia que alguna decisión o motivación se reflejará cuando se emita la escrita e incorpora en ésta elementos de juicio que omitió mencionar en aquélla, el tribunal de apelación debe considerarla ilegal.

Registro digital: 2028998

TESTIMONIO DE OÍDAS. ES UNA FORMA ESPECÍFICA DE PRUEBA DE REFERENCIA POR LO QUE, POR REGLA GENERAL, NO ES SUSCEPTIBLE DE SER VALORADO EN EL DICTADO DE LA SENTENCIA.

Hechos: Dos personas condenadas por el delito de privación de la libertad en su modalidad de secuestro exprés agravado promovieron amparo contra la sentencia definitiva. Reclamaron que se les condenó con base en "testimonios de oídas", ya que las víctimas no comparecieron a la audiencia de juicio y sus declaraciones se incorporaron mediante las testimoniales de los elementos aprehensores que refirieron haberlas entrevistado. El Tribunal Colegiado de Circuito negó el amparo, pues consideró que, dado que el sistema penal acusatorio se rige por un sistema de valoración de las pruebas libre y lógica, lo trascendente son las razones objetivas que se plasmen respecto del valor probatorio que se les confiera. Los sentenciados recurrieron dicha determinación.

Criterio jurídico: El testimonio de oídas es una forma específica de prueba de referencia, por lo que, por regla general, no constituye prueba válida susceptible de ser valorada en el dictado de la sentencia, pues contraviene los principios de inmediación y contradicción.

Justificación: Por testimonio de oídas se entiende la declaración de un testigo que dice haber percibido una comunicación de un tercero, con la cual se pretende acreditar que lo comunicado por el tercero es cierto. El testimonio de oídas es una forma específica de prueba de referencia, la cual se entiende como toda declaración (escrita, oral, corporal o de cualquier otra índole) realizada fuera de juicio oral, que se introduce a juicio oral con el propósito de demostrar la veracidad de su contenido. No es testimonio de oídas ni prueba de referencia la referencia al dicho de otra persona cuando sólo pretende demostrarse la existencia de la comunicación, con independencia de la veracidad de lo dicho. Por ejemplo, cuando se utiliza para impugnar la credibilidad de un testigo o porque la existencia de la comunicación constituye un elemento del tipo, o en cualquier otro contexto en el que la existencia de la declaración sea relevante para la demostración de los hechos materia de la acusación, siempre y cuando quien da cuenta de la comunicación tenga conocimiento directo de ésta. Un mismo testigo puede ser directo sobre algunas cuestiones (que dice conocer por haberlas percibido con sus propios sentidos) y de oídas respecto de otras (que dice conocer porque alguien más se lo dijo). Por tal motivo, la distinción no siempre puede establecerse con base en la persona que rinde el testimonio, sino de las manifestaciones que pretenda introducir y la forma en la que dice haber adquirido conocimiento de ellas. En el sistema penal adversarial, los principios de inmediación y contradicción regulan el modo en que debe formarse e incorporarse la prueba a fin de garantizar que los hechos no se demuestren a cualquier costo y por cualquier medio, sino sólo a través de las pruebas obtenidas con pleno respeto a los derechos fundamentales y principios que rigen al proceso penal. Conforme al párrafo primero y las fracciones II, III y IV del apartado A del artículo 20 constitucional, el testimonio de oídas no constituye prueba válida para soportar una sentencia penal, pues no se desahoga por el sujeto de prueba de manera oral, personal y directa ante el Tribunal de Enjuiciamiento ni es sometida al escrutinio de un ejercicio contradictorio.

Registro digital: 160184

SISTEMA PROCESAL PENAL ACUSATORIO Y ORAL. SE SUSTENTA EN EL PRINCIPIO DE CONTRADICCIÓN.

Del primer párrafo del artículo 20 de la Constitución Política de los Estados Unidos Mexicanos, reformado mediante Decreto publicado en el Diario Oficial de la Federación el 18 de junio de 2008, se advierte que el sistema procesal penal acusatorio y oral se sustenta en el principio de contradicción que contiene, en favor de las partes, el derecho a tener acceso directo a todos los datos que obran en el legajo o carpeta de la investigación llevada por el Ministerio Público (exceptuando los expresamente establecidos en la ley) y a los ofrecidos por el imputado y su defensor para controvertirlos; participar en la audiencia pública en que se incorporen y desahoguen, presentando, en su caso, versiones opuestas e interpretaciones de los resultados de dichas diligencias; y, controvertirlos, o bien, hacer las aclaraciones que estimen pertinentes, de manera que tanto el Ministerio Público como el imputado y su defensor, puedan participar activamente inclusive en el examen directo de las demás partes intervinientes en el proceso tales como peritos o testigos. Por ello, la presentación de los argumentos y contraargumentos de las partes procesales y de los datos en que sustenten sus respectivas teorías del caso (vinculación o no del imputado a proceso), debe ser inmediata, es decir, en la propia audiencia, a fin de someterlos al análisis directo de su contraparte, con el objeto de realzar y sostener el choque adversarial de las pruebas y tener la misma oportunidad de persuadir al juzgador; de tal suerte que ninguno de ellos tendrá mayores prerrogativas en su desahogo.

Registro digital: 2018012

PRINCIPIO DE INMEDIACIÓN COMO REGLA PROCESAL. REQUIERE LA NECESARIA PRESENCIA DEL JUEZ EN EL DESARROLLO DE LA AUDIENCIA.

En el procedimiento penal acusatorio, adversarial y oral, el mecanismo institucional que permite a los jueces emitir sus decisiones es la realización de una audiencia, en la cual las partes —cara a cara— presentan verbalmente sus argumentos, la evidencia que apoya su posición y cuentan, además, con la oportunidad de controvertir oralmente las afirmaciones de su contraparte. Acorde con esa lógica operativa, el artículo 20, apartado A, fracción II, de la Constitución Política de los Estados Unidos Mexicanos en vigor, dispone que "toda audiencia se desarrollará en presencia del juez", lo que implica que el principio de inmediación en esta vertiente busca como objetivos: garantizar la corrección formal del proceso y velar por el debido respeto de los derechos de las partes, al asegurar la presencia del juez en las actuaciones judiciales, así como evitar una de las prácticas más comunes que llevaron al agotamiento del procedimiento penal tradicional, en el que la mayoría de las audiencias no se dirigían por un juez, sino que su realización se delegó al secretario del juzgado y, en esa misma proporción, también se delegaron el desahogo y la valoración de las pruebas.

Registro digital: 2005716

DERECHO AL DEBIDO PROCESO. SU CONTENIDO.

Dentro de las garantías del debido proceso existe un "núcleo duro", que debe observarse inexcusablemente en todo procedimiento jurisdiccional, y otro de garantías que son aplicables en los procesos que impliquen un ejercicio de la potestad punitiva del Estado. Así, en cuanto al "núcleo duro", las garantías del debido proceso que aplican a cualquier procedimiento de naturaleza jurisdiccional son las que esta Suprema Corte de Justicia de la Nación ha identificado como formalidades esenciales del procedimiento, cuyo conjunto integra la "garantía de audiencia", las cuales permiten que los gobernados ejerzan sus defensas antes de que las autoridades modifiquen su esfera jurídica definitivamente. Al respecto, el Tribunal en Pleno de esta Suprema Corte de Justicia de la Nación, en la jurisprudencia P./J. 47/95, publicada en el Semanario Judicial de la Federación y su Gaceta, Novena Época, Tomo II, diciembre de 1995, página 133, de rubro: "FORMALIDADES ESENCIALES DEL PROCEDIMIENTO. SON LAS QUE GARANTIZAN UNA ADECUADA Y OPORTUNA DEFENSA PREVIA AL ACTO PRIVATIVO.", sostuvo que las formalidades esenciales del procedimiento son: (i) la notificación del inicio del procedimiento; (ii) la oportunidad de ofrecer y desahogar las pruebas en que se finque la defensa; (iii) la oportunidad de alegar; y, (iv) una resolución que dirima las cuestiones debatidas y cuya impugnación ha sido considerada por esta Primera Sala como parte de esta formalidad. Ahora bien, el otro núcleo es identificado comúnmente con el elenco de garantías mínimo que debe tener toda persona cuya esfera jurídica pretenda modificarse mediante la actividad punitiva del Estado, como ocurre, por ejemplo, con el derecho penal, migratorio, fiscal o administrativo, en donde se exigirá que se hagan compatibles las garantías con la materia específica del asunto. Por tanto, dentro de esta categoría de garantías del debido proceso, se identifican dos especies: la primera, que corresponde a todas las personas independientemente de su condición, nacionalidad, género, edad, etcétera, dentro de las que están, por ejemplo, el derecho a contar con un abogado, a no declarar contra sí mismo o a conocer la causa del procedimiento sancionatorio; y la segunda, que es la combinación del elenco mínimo de garantías con el derecho de igualdad ante la ley, y que protege a aquellas personas que pueden encontrarse en una situación de desventaja frente al ordenamiento jurídico, por pertenecer a algún grupo vulnerable, por ejemplo, el derecho a la notificación y asistencia consular, el derecho a contar con un traductor o intérprete, el derecho de las niñas y los niños a que su detención sea notificada a quienes ejerzan su patria potestad y tutela, entre otras de igual naturaleza.

Registro digital: 2012336

DERECHO DEL INCULPADO A SER JUZGADO EN UN PLAZO RAZONABLE. PARA DETERMINAR SI EXISTE VIOLACIÓN A ESTA PRERROGATIVA, PREVISTA EN EL ARTÍCULO 20, APARTADO B, FRACCIÓN VII, DE LA CONSTITUCIÓN FEDERAL, ES NECESARIO ACUDIR A LA FIGURA DEL "PLAZO RAZONABLE", ESTABLECIDA EN EL SISTEMA INTERAMERICANO DE DERECHOS HUMANOS Y ANALIZAR CADA CASO CONCRETO.

Para determinar si existe violación al precepto mencionado y, por ende, a la prerrogativa del inculpado de ser juzgado en un plazo razonable, es necesario acudir a la figura del "plazo razonable" establecida en el derecho internacional de los derechos humanos, en específico, al contenido de ese tema en el sistema interamericano de derechos humanos, aun cuando el referido artículo constitucional disponga que debe ser antes de cuatro meses —tratándose de delitos cuya pena máxima no exceda de dos años de prisión— y antes de un año —si la pena excediere de ese tiempo—. Lo anterior, toda vez que la Corte Interamericana de Derechos Humanos ha considerado que no siempre es posible para las autoridades judiciales cumplir con los plazos legalmente establecidos y, por tanto, ciertos retrasos justificados pueden ser válidos para resolver de mejor forma el caso; por lo que si lo que resulta improcedente o incompatible con las previsiones de la Convención Americana sobre Derechos Humanos, es que se produzcan dilaciones indebidas o arbitrarias, procede que, en cada caso en concreto, se analice si hay motivos que justifiquen la dilación o si, por el contrario, se trata de un retraso indebido o arbitrario.

Registro digital: 2021097

DEFENSA ADECUADA EN SU VERTIENTE MATERIAL. DIRECTRICES A SEGUIR PARA EVALUAR SI ESTE DERECHO HA SIDO VIOLADO.

En virtud de que el órgano jurisdiccional durante el procedimiento penal se encuentra obligado a cerciorarse de que el derecho a gozar de una defensa adecuada no se torne ilusorio a través de una asistencia jurídica inadecuada, es procedente que los juzgadores evalúen la defensa proporcionada por el abogado. Por lo anterior, esta Primera Sala de la Suprema Corte de Justicia de la Nación considera que para determinar si el citado derecho en su vertiente material fue violado, dado que no toda deficiencia o error en la conducción de la defensa implica dicha vulneración, el juzgador debe seguir las siguientes directrices: a) analizar que las supuestas deficiencias sean ajenas a la voluntad del imputado y corresponden a la incompetencia o negligencia del defensor y no a una intención del inculpado de entorpecer o evadir indebidamente el proceso; b) evaluar que las fallas de la defensa no sean consecuencia de la estrategia defensiva del abogado, valorando las cuestiones de hecho más que de fondo para enfocarse principalmente en la actitud del abogado frente al proceso penal; y, c) valorar si la falta de defensa afectó en el sentido del fallo en detrimento del inculpado tomando en consideración caso por caso al apreciar el juicio en su conjunto. Ahora bien, si después de realizar esta tarea evaluativa el Juez determina que alguna de las citadas fallas resultó en la vulneración del derecho del imputado a contar con una defensa adecuada en su vertiente material, tendrá la obligación de informarle tal circunstancia con la finalidad de otorgarle la posibilidad de decidir si desea cambiar de abogado, ya sea que él nombre a uno particular, se le asigne uno de oficio, o continuar con su mismo defensor; si éste opta por cambiar de abogado, el Juez deberá otorgar tiempo suficiente para preparar nuevamente su defensa y poder subsanar las fallas o deficiencias de la defensa anterior. Por otro lado, si decide mantener a su defensor particular, el Juez nombrará un defensor público para que colabore en la defensa y pueda evitarse que se vulneren sus derechos.

Registro digital: 2008181

VÍCTIMA. ALCANCE DEL CONCEPTO PREVISTO EN EL ARTÍCULO 4 DE LA LEY GENERAL DE VÍCTIMAS.

Conforme al artículo 4, primer párrafo, de la Ley General de Víctimas, se denominan "víctimas directas" aquellas personas físicas que hayan sufrido algún daño o menoscabo económico, físico, mental, emocional o, en general, cualquier puesta en peligro o lesión a sus bienes jurídicos o derechos como consecuencia de la comisión de un delito o de violaciones a sus derechos humanos reconocidos en la Constitución Política de los Estados Unidos Mexicanos y en los tratados internacionales de los que el Estado Mexicano sea parte. Así, de una interpretación sistemática de dicho precepto se colige que existen dos connotaciones del carácter señalado: una que surge de un acto delictivo y otra que se produce con la violación a uno o más derechos humanos. Por tanto, toda persona a la que se le concede el amparo y protección de la Justicia Federal adquiere la calidad de víctima directa, para efectos de la ley mencionada, al haberse demostrado la violación a sus derechos humanos.

Registro digital: 2011486

REPARACIÓN DEL DAÑO DERIVADA DEL DELITO. SE RIGE POR LOS PRINCIPIOS CONSTITUCIONALES DE INDEMNIZACIÓN JUSTA E INTEGRAL.

Toda indemnización correspondiente a la reparación del daño debe ser justa e integral. Tal alcance cobra mayor relevancia cuando se trata de reparar los daños y perjuicios que ha sufrido la víctima del delito, en tanto que el derecho a la reparación se encuentra previsto expresamente en la Constitución General y tomando en consideración que el hecho ilícito que da lugar a la reparación constituye un delito y no un simple evento dañoso. Así, el derecho fundamental de las víctimas a ser resarcidas por los daños derivados de un delito, contenido en el artículo 20 de la Constitución General, debe interpretarse como el derecho de la víctima del delito a una indemnización "justa". Esto es, proporcional a la gravedad de las violaciones y al daño sufrido, atendiendo a las directrices y principios que han establecido los organismos internacionales en la materia.

Registro digital: 2011533

REPARACIÓN DEL DAÑO EN MATERIA PENAL. PARA SU CUANTIFICACIÓN, EL JUEZ DEBE VALORAR LOS DAÑOS PRESENTES, ASÍ COMO LAS CONSECUENCIAS FUTURAS.

Tanto los daños patrimoniales como los morales, tienen dos tipos de proyecciones: presentes y futuras. Se considera que el daño es actual cuando éste se encuentra ya producido al momento de dictarse sentencia. Este daño comprende todas las pérdidas efectivamente sufridas. Por su parte, el daño futuro es aquel que todavía no se ha producido al dictarse sentencia, pero se presenta como una previsible prolongación o agravación de un daño actual, o como un nuevo menoscabo futuro, derivado de una situación del hecho actual. Para que los daños futuros puedan dar lugar a una reparación, la probabilidad de que el beneficio ocurriera debe ser real y seria, y no una mera ilusión o conjetura del damnificado. Así pues, para determinar el alcance real de la reparación del daño derivado del delito, el juez debe valorar no sólo las afectaciones actuales, sino también las consecuencias futuras.

Registro digital: 2021167

DERECHO DE LA VÍCTIMA U OFENDIDO A SER INFORMADO POR EL MINISTERIO PÚBLICO DEL DESARROLLO DEL PROCEDIMIENTO PENAL ACUSATORIO. CUANDO LO SOLICITE RESPECTO DE LA RECOLECCIÓN DE INDICIOS O DATOS DE PRUEBA EN LA ETAPA INICIAL, A FIN DE SATISFACER LOS REQUISITOS DE FUNDAMENTACIÓN Y MOTIVACIÓN, LA RESPUESTA NO SE AGOTA SI NO SE PRECISAN, POR LO MENOS, LAS LÍNEAS DE INVESTIGACIÓN QUE JUSTIFIQUEN LA NECESIDAD DE ORDENAR DILIGENCIAS PERTINENTES Y ÚTILES.

El artículo 109, fracción V, del Código Nacional de Procedimientos Penales establece que la víctima u ofendido tiene derecho a ser informado, cuando así lo solicite, del desarrollo del procedimiento penal, entre otros, por el Ministerio Público. Por otro lado, si bien es cierto que la etapa de investigación inicial tiene por objeto que la representación social reúna los indicios necesarios para el esclarecimiento de los hechos y, en su caso, los datos de prueba para sustentar el ejercicio de la acción penal; además, en términos del artículo 131, fracción V, del citado código, el Ministerio Público tiene la obligación de ordenar la recolección de indicios y medios de prueba que deberán servir para sus respectivas resoluciones; también lo es que conforme al artículo 212 de la referida legislación, existe el deber de investigación penal, lo que implica que la indagatoria deberá realizarse de manera inmediata, eficiente, exhaustiva, profesional e imparcial, libre de estereotipos y discriminación, pero orientada a explorar todas las líneas de investigación posibles que permitan allegarse de datos para el esclarecimiento del hecho que la ley señala como delito, así como la identificación de quien lo cometió o participó en él. Por consiguiente, cuando la víctima u ofendido solicite información respecto de la recolección de indicios o datos de prueba ordenados por el Ministerio Público en la referida fase inicial, a fin de satisfacer los requisitos de fundamentación y motivación previstos en el artículo 16 de la Constitución Política de los Estados Unidos Mexicanos, la respuesta no se agota si no se precisan, por lo menos, las líneas de investigación que justifiquen la necesidad de ordenar diligencias pertinentes y útiles para demostrar los tópicos aludidos; lo anterior, pues al constituir un derecho para la víctima u ofendido el que esté informado del desarrollo del procedimiento penal, el Ministerio Público queda conminado a precisar la estrategia de persecución penal que amerita el caso particular, esto es, la metodología de priorización, ya que su función es la conducción de la investigación y la decisión sobre el ejercicio de la acción penal; por tanto, sus actuaciones deben guiarse por los principios relativos al deber de lealtad y el de objetividad.

Registro digital: 2013214

PRESUNCIÓN DE INOCENCIA COMO REGLA DE TRATO EN SU VERTIENTE EXTRAPROCESAL. ELEMENTOS A PONDERAR PARA DETERMINAR SI LA EXPOSICIÓN DE DETENIDOS ANTE MEDIOS DE COMUNICACIÓN PERMITE CUESTIONAR LA FIABILIDAD DEL MATERIAL PROBATORIO.

La sola exhibición de personas imputadas en los medios de comunicación representa una forma de maltrato que favorece el terreno de ilegalidad y que propicia otras violaciones a derechos humanos. Por tanto, estas acciones deben ser desalentadas con independencia de si ello influye en el dicho de quienes atestiguan contra el inculpado. Al respecto, pueden consultarse las tesis aisladas de la Primera Sala de la Suprema Corte de Justicia de la Nación: 1a. CLXXVI/2013 (10a.) y 1a. CLXXVIII/2013

(10a.), (1) de rubros: "PRESUNCIÓN DE INOCENCIA COMO REGLA DE TRATO EN SU VERTIENTE EXTRAPROCESAL. SU CONTENIDO Y CARACTERÍSTICAS." y "PRESUNCIÓN DE INOCENCIA Y DERECHO A LA INFORMACIÓN. SU RELACIÓN CON LA EXPOSICIÓN DE DETENIDOS ANTE LOS MEDIOS DE COMUNICACIÓN.". Ahora bien, cuando se plantea una violación en este sentido, la exposición mediática (y la información asociada a ella) tienen que ser suficientemente robustas para que pueda considerarse que han generado una percepción estigmatizante y que ésta ha elevado, de modo indudablemente significativo, la probabilidad de que los testimonios y las pruebas recabadas contengan información parcial y, por ende, cuestionable. Algunos de los elementos que el juez puede ponderar al llevar a cabo esta operación son: 1. El grado de intervención y participación del Estado en la creación y/o en la divulgación de la información. Cuando el Estado es quien deliberadamente interviene para crear una imagen negativa y contribuye a su formación, los jueces deben ser especialmente escépticos para juzgar el material probatorio. 2. La intensidad del ánimo estigmatizante que subyace a la acusación y su potencial nocividad. 3. La diversidad de fuentes noticiosas y el grado de homogeneidad en el contenido que las mismas proponen. Con apoyo en este criterio, el juez valora si el prejuicio estigmatizante ha sido reiterado en diversas ocasiones y analiza su nivel de circulación. También analiza si existen posiciones contrarias a este estigma que, de facto, sean capaces de contrarrestar la fuerza de una acusación. Cabe aclarar que si bien la existencia de una sola nota o la cobertura en un solo medio puede generar suficiente impacto, eso ocurriría en situaciones excepcionales, donde el contenido y la gravedad de la acusación fueran suficientemente gravosas por sí mismas para generar un efecto estigmatizante. 4. La accesibilidad que los sujetos relevantes tienen a esa información. Al valorar este aspecto, el juez puede analizar el grado de cercanía que él mismo, los testigos o los sujetos que intervienen en el proceso tienen con respecto a la información cuestionada. Si la información es demasiado remota, existirán pocas probabilidades de que el juzgador o tales sujetos hayan tenido acceso a la misma; consecuentemente, la fiabilidad de las pruebas difícilmente podría ser cuestionada. Estos criterios no pretenden ser una solución maximalista, capaz de cubrir todos los supuestos. Se trata, tan sólo, de criterios orientadores que facilitan la tarea de los tribunales al juzgar este tipo de alegatos. Es decir, se trata de indicadores que, por sí mismos, requieren apreciación a la luz de cada caso concreto. De ningún modo deben interpretarse en el sentido de que sólo existirá impacto en el proceso cuando un supuesto reúna todos los elementos ahí enunciados. En conclusión, el solo hecho de que los medios de comunicación generen publicaciones donde las personas sean concebidas como "delincuentes", ciertamente viola el principio de presunción de inocencia en su vertiente de regla procesal. Sin embargo, para evaluar el impacto que estas publicaciones pueden tener en un proceso penal, es necesario que los jueces realicen una ponderación motivada para establecer si se está en condiciones de dudar sobre la fiabilidad del material probatorio.

Registro digital: 2017515

AUDIENCIAS EN EL SISTEMA PROCESAL PENAL ACUSATORIO Y ORAL. EL JUZGADOR NO ESTÁ IMPEDIDO PARA DESARROLLAR UNA TÉCNICA DE DIRECCIÓN DE AQUÉLLAS, SIEMPRE QUE EXISTA RESPETO AL EQUILIBRIO PROCESAL Y SE GARANTICE A LAS PARTES SU DERECHO A MANIFESTAR LIBREMENTE SUS PROPIAS ALEGACIONES O LAS DE LA CONTRARIA.

El sistema procesal penal acusatorio y oral se rige por los principios de publicidad, contradicción, concentración, continuidad e inmediación, y se basa en una metodología de audiencias, cuyos ejes rectores se establecen en el artículo 20 de la Constitución Política de los Estados Unidos Mexicanos, entre otros, que las audiencias se desarrollarán en presencia del Juez, sin que pueda delegar en ninguna persona el desahogo y la valoración de los aspectos que en ella deban hacerse. De esta manera, el Juez, con base en el principio de contradicción indicado, si bien es cierto que sólo puede decidir sobre lo que aduzcan los asistentes, respetando el equilibrio procesal entre las partes, esto es, únicamente está facultado para pronunciarse respecto de los argumentos jurídicos expuestos por éstas; también lo es que dicha limitación dispositiva no le impide destacar o señalar, en un primer orden, al inicio de la diligencia, la naturaleza de ésta, su esencia, objeto o litis, cuya dirección le atañe (ordenar el debate) y, en su caso, cuestionar a los intervinientes con preguntas aclaratorias neutras, sobre contenidos o datos necesarios para pronunciarse e, incluso, hacer notar deficiencias o incongruencias que advierta (administrar el debate), pero siempre respetando el equilibrio procesal y garantizando el derecho de las partes a manifestar libremente sus propias alegaciones o las de la contraria (racionabilidad argumentativa). Lo anterior tiene su justificación, si se estima que los operadores jurídicos a nivel nacional, transitan en un periodo de adaptación a un nuevo sistema procesal, lo que implica concebir que el Juez debe guiar o dirigir (no sustituir) el debido ejercicio de las partes, pero sin rayar en protagonismos que se traduzcan en obstáculo para que éstas, bajo el pretexto de simples formulismos, puedan ejercer su libertad de argumentación y correspondiente prueba; de ahí que la consabida dirección finalmente debe tender a la obtención, captura y procesamiento de la información necesaria y suficiente para resolver lo conducente en cada diligencia judicial.

Registro digital: 2028952

INDIVIDUALIZACIÓN DE LA SANCIÓN PENAL. LA SALA CUENTA CON ARBITRIO JUDICIAL PARA MODIFICAR EL GRADO DE CULPABILIDAD DE LA PERSONA SENTENCIADA ESTABLECIDO EN PRIMERA INSTANCIA Y, COMO CONSECUENCIA, IMPONER LA PENA CORRESPONDIENTE.

Hechos: En el recurso de apelación interpuesto contra la sentencia definitiva condenatoria, al estudiar la forma de intervención de la persona sentenciada, la Sala resolvió que fue a título de coautor material y no de auxiliador como lo indicó la persona juzgadora de la causa; sin embargo, en observancia al principio non reformatio in peius, al establecer el grado de culpabilidad la ubicó en un rango medio, el cual se dispuso con antelación a uno de sus cosentenciados, en cumplimiento a lo ordenado en un juicio de amparo, e indicó que era procedente aplicar la disminución de las tres cuartas partes de la pena, en términos del artículo 64 bis del Código Penal para el Distrito Federal (abrogado), no obstante ser menor a la que le correspondería si se hubiera atendido al grado de culpabilidad precisado.

Criterio jurídico: Este Tribunal Colegiado de Circuito determina que al individualizar la sanción penal la Sala cuenta con arbitrio judicial para modificar el grado de culpabilidad de la persona sentenciada establecido en primera instancia y, como consecuencia, imponer la pena correspondiente.

Justificación: La cuantificación de la pena corresponde exclusivamente a la autoridad judicial, quien goza de autonomía para fijar el monto que en su amplio arbitrio estime justo dentro de los máximos y mínimos señalados en la ley, lo cual debe efectuar de manera fundada y motivada.
En el recurso de apelación la Sala no está obligada a asignar la pena mínima, sino que debe atender al caso concreto e imponer fundada y motivadamente la que considere pertinente acorde al grado de culpabilidad, ya que de lo contrario la individualización de la sanción penal no sería discrecional como lo establece la ley, sino un acto reglado u obligatorio.

Registro digital: 2028878

DERECHO A LA VERDAD Y DERECHO A UNA RESPUESTA JUDICIAL EFECTIVA A FAVOR DE LAS VÍCTIMAS DEL DELITO. SU CUMPLIMIENTO A TRAVÉS DE UNA SENTENCIA CONDENATORIA.

Hechos: Una persona fue condenada por el delito de homicidio cometido en agravio de una mujer, quien al momento de su muerte tenía diecinueve años y era estudiante. El Tribunal de Alzada modificó la sentencia sólo por la individualización de la pena, por lo que la madre de la víctima (víctima indirecta) promovió amparo directo en el que argumentó que ese órgano jurisdiccional no cumplió con la obligación de juzgar con perspectiva de género, lo que impidió reclasificar el delito a feminicidio. El Tribunal Colegiado de Circuito del conocimiento negó el amparo porque no advirtió una situación de violencia o vulnerabilidad que, por cuestiones de género, ameritara un método destinado a remediar un efecto discriminatorio por razón del sexo al que pertenece la víctima. Contra esta resolución la quejosa interpuso el recurso de revisión.

Criterio jurídico: La Primera Sala de la Suprema Corte de Justicia de la Nación determina que para las víctimas u ofendidos de los delitos, el dictado de una sentencia condenatoria no sólo representa un presupuesto necesario para acceder a la reparación del daño, sino que también constituye, por sí misma, una forma de reparación vinculada con el derecho a la verdad, pues conlleva un reconocimiento de que una persona ha sufrido un ilícito, el correlativo fracaso del Estado en su deber de prevenir el delito, y que ha sido perseguido y sancionado conforme a las leyes penales aplicables.

Justificación: La obligación de juzgar con perspectiva de género e interseccionalidad no se agota con la investigación eficaz de los hechos y el acceso a la justicia en las etapas procesales de los juicios penales porque ello derivaría en una tutela judicial incompleta para las víctimas, lo que tornaría nugatorio ese derecho y otros derivados, como el derecho a la reparación y el derecho a la verdad. La verdad es un reconocimiento del sufrimiento de las víctimas y no solamente una decisión de adecuación típica, que consiste en la entrega de un relato correspondiente con los hechos, suficientemente probado y surgido de una investigación exhaustiva y diligentemente conducida. La verdad no es cualquier versión. Las explicaciones para los hechos inconsistentes con la evidencia disponible o producto de una selección o interpretación arbitraria de la misma no satisfacen el derecho a la verdad. El derecho a una respuesta judicial efectiva se entiende como la determinación de los hechos en la vía penal, que constituye una explicación suficiente y satisfactoria sobre los hechos victimizantes y, por ende, debe erigirse como una explicación congruente y respetuosa de los mismos. Para que una sentencia condenatoria cumpla con los estándares mencionados, lo que de suyo implica la atención del mandato de fundamentación y motivación a que hace referencia el marco constitucional, es necesario que garantice la reivindicación del derecho vulnerado por el ilícito y la convicción de que no habrá impunidad.

Registro digital: 2028864

BIEN JURÍDICO TUTELADO. PARA DETERMINARLO COMO MERECEDOR DE LA PROTECCIÓN POR LAS NORMAS PENALES, EL PODER LEGISLATIVO DEBE JUSTIFICAR SU IMPORTANCIA SOCIAL SUFICIENTE Y LA NECESIDAD DE SU PROTECCIÓN PENAL.

Hechos: Una persona dedicada a la prestación del servicio público de transporte promovió juicio de amparo indirecto en el que reclamó, entre otros artículos, el 250 Ter del Código Penal para el Estado de Baja California por estimarlo incompatible con los principios de lesividad e intervención mínima, en relación con el de proporcionalidad en materia penal. La persona Juzgadora de Distrito sobreseyó en el juicio; inconforme la parte quejosa interpuso recurso de revisión. El Tribunal Colegiado de Circuito del conocimiento levantó el sobreseimiento.

Criterio jurídico: La Primera Sala de la Suprema Corte de Justicia de la Nación considera que, para la imposición de un bien jurídico como merecedor de protección por las normas penales, es indispensable que los presupuestos relativos a su importancia social suficiente y necesidad de protección penal hayan pasado por un ejercicio auténtico de discusión y consenso en sede legislativa.

Justificación: La Primera Sala, en la jurisprudencia 1a./J. 114/2010 de rubro: "PENAS Y SISTEMA PARA SU APLICACIÓN. CORRESPONDE AL PODER LEGISLATIVO JUSTIFICAR EN TODOS LOS CASOS Y EN FORMA EXPRESA, LAS RAZONES DE SU ESTABLECIMIENTO EN LA LEY.", determinó que las autoridades legislativas están obligadas a justificar, en todos los casos y en forma expresa, las razones del establecimiento de las penas y el sistema de su aplicación cuando una persona despliega una conducta considerada como delito. Así, para la definición legislativa de un bien jurídico como tutelable por las normas penales, dentro de ese ejercicio de justificación se encuentra la obligación de los órganos legislativos de motivar la importancia social suficiente del bien en cuestión y la necesidad de su protección por las normas penales. Ahora bien, la autoridad legislativa correspondiente, para justificar la importancia social suficiente del bien jurídico en cuestión, debe realizar lo siguiente: a) identificar el fundamento constitucional sustantivo del bien cuya protección penal se pretenda; b) realizar un ejercicio reflexivo tendente a reconocer si se trata de un bien considerado socialmente como indiscutido, en la medida en que pertenece a una conciencia social determinada y cuya vulneración implique una afectación directa sobre la individualidad de las personas; y, c) identificar y graduar la afectación real que la conducta que se pretende disuadir ha provocado, provoca o puede llegar a provocar sobre el ejercicio efectivo de los derechos humanos. Por otro lado, la autoridad legislativa, para justificar la necesidad de proteger el bien jurídico en cuestión por las normas penales, debe demostrar que son insuficientes otros medios de defensa menos lesivos de los derechos humanos de las personas, particularmente, la libertad personal; para lo cual se debe considerar seriamente que la protección penal de un bien sólo es necesaria frente a formas de ataque que son especialmente peligrosas y efectivamente lesivas de un bien jurídico o que lo colocan suficientemente en peligro de ser lesionado; además de que la medida penal debe constituirse siempre como la más ventajosa para la protección del bien jurídico en cuestión dentro de todas las alternativas posibles y existentes en el propio ordenamiento.

Registro digital: 2028676

PRUEBA TESTIMONIAL EN LA AUDIENCIA DE JUICIO ORAL. CARECE DE VALOR PROBATORIO LA RENDIDA POR UN POLICÍA DE INVESTIGACIÓN CUANDO VERSE SOBRE LO DICHO EN ENTREVISTAS EFECTUADAS EN LA INVESTIGACIÓN DEL DELITO SI LAS PERSONAS ENTREVISTADAS NO COMPARECEN A JUICIO.

Hechos: Los Tribunales Colegiados de Circuito contendientes sustentaron criterios contradictorios al analizar el valor probatorio de las testimoniales rendidas por policías de investigación en la audiencia de juicio oral, cuando versen sobre lo dicho en entrevistas efectuadas en la investigación del delito, si las personas entrevistadas no comparecen a juicio. Mientras que uno sostuvo que tienen valor probatorio de indicio, y adminiculadas con otros medios de prueba pueden generar convicción sobre los hechos; el otro estimó que carecen de ese valor, al tratarse de una versión de los hechos conocida por referencia de terceros en torno a aspectos que no les constan de manera directa.

Criterio jurídico: El Pleno Regional en Materias Penal y de Trabajo de la Región Centro-Norte, con residencia en la Ciudad de México, determina que carece de valor probatorio la prueba testimonial rendida por un policía de investigación en la audiencia de juicio oral, cuando verse sobre lo dicho en entrevistas efectuadas en cumplimiento de sus obligaciones enunciadas en el artículo 132 del Código Nacional de Procedimientos Penales, si las personas entrevistadas no comparecen a juicio.

Justificación: Conforme a los artículos 20, apartado A, de la Constitución Política de los Estados Unidos Mexicanos, 6o., 9o., 259, 261, 263 y 385 del Código Nacional de Procedimientos Penales, que regulan los principios rectores del procedimiento penal acusatorio de inmediación y contradicción, así como la valoración de la prueba testimonial, toda información incorporada al juicio oral por medio de esa probanza, independientemente del encargado de rendirla (sujeto, parte o tercero), debe satisfacer el parámetro constitucional y legal de la prueba, que implica atender a los principios mencionados.

La prueba rendida en los términos referidos no puede interpretarse como una de las excepciones al desahogo del testimonio conforme a las reglas generales de producción de la testimonial, pues éstas deben interpretarse en sentido estricto y restringido al implicar un menoscabo al ejercicio de defensa, por lo que es necesario: 1) que se superen las condiciones de oportunidad de interrogar y contrainterrogar al testigo en audiencias previas cuando no sea posible la producción de la prueba testimonial en juicio, y 2) que ésta no constituya el principal sustento de la acusación y el fallo.

Registro digital: 2028561

REGLAS DE LA SANA CRÍTICA (LÓGICA, MÁXIMAS DE LA EXPERIENCIA Y CONOCIMIENTO CIENTÍFICO). SU CONCEPTO PARA EFECTOS DE VALORACIÓN DE PRUEBAS POR PARTE DEL TRIBUNAL DE ENJUICIAMIENTO EN EL SISTEMA PENAL ACUSATORIO.

Hechos: Los Tribunales Colegiados de Circuito analizaron asuntos relacionados con la valoración por parte del Tribunal de Enjuiciamiento de las pruebas aportadas al juicio en el Sistema Penal Acusatorio, con base en las reglas de la sana crítica (lógica, máximas de la experiencia o conocimiento científico).

Criterio jurídico: El Pleno Regional en Materias Penal y de Trabajo de la Región Centro-Norte, con residencia en la Ciudad de México, sostiene que la sana crítica es el conjunto de reglas establecidas para orientar la actividad intelectual en la apreciación de las pruebas y una fórmula de valoración en la que se interrelacionan las reglas de la lógica, los conocimientos científicos y las máximas de la experiencia, las cuales influyen en la autoridad como fundamento de la razón, en función al conocimiento de las cosas, dado por la ciencia o por la experiencia, y que deben ser aplicadas al valorar las pruebas aportadas al juicio.

Justificación: La Primera Sala de la Suprema Corte de Justicia de la Nación, en el amparo directo en revisión 945/2018 precisó que: 1. la valoración de la prueba constituye la fase decisoria del procedimiento probatorio, ya que es el pronunciamiento judicial sobre el conflicto sometido a enjuiciamiento; y 2. cuando se aduce que las pruebas se apreciarán de conformidad con las reglas de la sana crítica, no se está haciendo referencia a una sujeción del juzgador a la ley, que le establece el valor a la prueba, ni tampoco a una absoluta libertad que implicaría arbitrariedad (íntima convicción), sino a una libertad reglada, ya que para valorar la prueba debe tener en cuenta que su conclusión no sea contraria a las reglas de la lógica, las máximas de la experiencia ni a los conocimientos científicos.

La lógica es entendida como la ciencia que estudia los pensamientos en cuanto a sus formas mentales para facilitar el raciocinio correcto y verdadero, y permite apreciar con corrección, claridad, orden, profundidad e ilación de los hechos.
El conocimiento científico implica el saber sistematizado, producto de un proceso de comprobación, y por regla general es aportado al juicio por expertos en un sector específico del conocimiento.
Las máximas de la experiencia son normas de conocimiento general que surgen de lo ocurrido habitualmente en múltiples casos, y por ello pueden aplicarse en todos los demás, de la misma especie, porque están fundadas en el saber común de la gente, dado por las vivencias y la experiencia social, en un lugar y un momento determinados.

Registro digital: 2028458

ASEGURAMIENTO DE VEHÍCULO POR EL MINISTERIO PÚBLICO. ES UNA TÉCNICA DE INVESTIGACIÓN QUE REQUIERE CONTROL JUDICIAL PREVIO.

Hechos: El Ministerio Público decretó el aseguramiento de un vehículo relacionado con un hecho con apariencia de delito, respecto del que una persona tercera ajena a la carpeta de investigación respectiva dijo ser propietaria y adquirente de buena fe, sin agotar previamente el procedimiento previsto en el artículo 252 del Código Nacional de Procedimientos Penales, es decir, sin solicitar la autorización previa de un Juez de Control y definir la temporalidad durante la cual permanecerá el bien sujeto al aseguramiento.

Criterio jurídico: Este Tribunal Colegiado de Circuito determina que el aseguramiento de vehículos por el Ministerio Público es una técnica de investigación que requiere control judicial previo.

Justificación: Conforme al artículo 252 del Código Nacional de Procedimientos Penales, requieren autorización previa del Juez de Control todos los actos de investigación que impliquen afectación a derechos establecidos en la Constitución Política de los Estados Unidos Mexicanos y, en el caso, el aseguramiento de vehículo, que es de carácter temporal y provisional, es un acto de molestia que puede menoscabar los derechos de propiedad y posesión, al restringir temporalmente la libre disposición de ese bien, aunado a que esa técnica de investigación no se encuentra dentro de las hipótesis relativas a los actos de investigación exentos de dicho control judicial, establecidas en el artículo 252 del mismo ordenamiento.
Máxime que el precepto señalado es acorde con la institución del control judicial previo en materia penal, prevista en el artículo 16, párrafo décimo cuarto, constitucional, así como con lo resuelto por el Pleno de la Suprema Corte de Justicia de la

Nación, en relación con el alcance de esa disposición fundamental, en la acción de inconstitucionalidad 10/2014 y su acumulada 11/2014, al analizar la validez del artículo 242 del Código Nacional de Procedimientos Penales, relativo al aseguramiento de bienes o derechos relacionados con operaciones financieras.

Registro digital: 2019618

ORDEN DE APREHENSIÓN. REQUISITOS MÍNIMOS QUE DEBE CONTENER LA CONSTANCIA EMITIDA POR EL JUEZ DE CONTROL PARA LOGRAR SU EJECUCIÓN.

La orden de aprehensión para su emisión, conforme al nuevo sistema de justicia penal, requiere de datos que establezcan que se cometió un hecho señalado por la ley como delito y que existe la probabilidad de que el indiciado lo cometió o participó en su comisión, ya que el objetivo es poner al detenido a disposición del juez de control para que el Ministerio Público formule imputación y exprese los datos de prueba correspondientes, a fin de que se dicte el auto de vinculación a proceso y se formalice la investigación. Así, para que se pueda llevar a cabo la ejecución de la orden de detención, es necesario que el juez de control proporcione a los elementos aprehensores una constancia que contenga los puntos resolutivos de la determinación que emitió de manera oral, así como copia del audio y video de la audiencia relativa, que les permita identificar plenamente al gobernado y que éste pueda imponerse adecuadamente de la decisión que afecta su derecho a la libertad personal, por tanto, los requisitos mínimos que debe contener la aludida constancia son los siguientes: a) el nombre y apellidos de la persona que se pretende detener; b) la causa penal instruida por su probable participación en la comisión de un hecho que la ley señala como delito, previsto y sancionado en el ordenamiento sustantivo aplicable; c) el juez de control que la pronunció y d) la fecha en que se expidió. Con tales elementos se otorgará certeza y seguridad jurídica al particular, y se asegurará la prerrogativa de defensa contra una detención que no cumpla con la exigencia constitucional.

Registro digital: 2018006

PROCEDIMIENTO ABREVIADO. SU NATURALEZA FRENTE A LOS DERECHOS DE LA VÍCTIMA U OFENDIDO DEL DELITO.

El procedimiento abreviado no debe equipararse con un "mini juicio", "procedimiento reducido en tiempo", "sumario" o "corto", en atención sólo al interés del imputado, si conforme a su naturaleza, se trata de una solución anticipada al conflicto penal que presupone, en esencia, una forma de resolución preacordada que desde el punto de vista político-criminológico pretende no sólo solucionar dicho conflicto anticipadamente, desde una perspectiva de tiempo, sino también, y esto como condición, garantizando los derechos de la sociedad, representada por el Ministerio Público, a fin de evitar la impunidad y, además, los derechos de la víctima u ofendido del delito que, en su caso, igualmente exigen su derecho de acceso a la justicia, conocimiento de la verdad y reparación del daño, esto es, de una tutela judicial efectiva ante los tribunales.

Registro digital: 2031528

PROCEDIMIENTO ABREVIADO. UNA VEZ FORMULADA LA SOLICITUD RESPECTIVA Y ACEPTADA POR EL IMPUTADO, SU TRAMITACIÓN QUEDA SUJETA AL JUEZ DE CONTROL, POR LO QUE RESULTA JURÍDICAMENTE INADMISIBLE QUE EL MINISTERIO PÚBLICO PRETENDA RETIRARLA DEJANDO A UN LADO EL CONTROL JUDICIAL.

Hechos: El representante social de la Federación como parte en el proceso penal acusatorio, solicitó al Juez de Control la apertura del procedimiento abreviado previo acuerdo entre las partes. En la audiencia respectiva la defensa solicitó a la persona juzgadora ejercer su facultad constitucional para ajustar las penas conforme a las reglas relativas al concurso real, lo que se analizó y resolvió en la sentencia respectiva con la reducción de las penas correspondientes.

Inconforme, el Ministerio Público interpuso recurso de apelación en el que el tribunal de alzada estimó fundado el agravio formulado al considerar que esa solicitud alteraba el consentimiento de las partes y revocó la sentencia dictada ordenando la tramitación del procedimiento ordinario. Ante ello, uno de los sentenciados promovió amparo indirecto, mismo que fue negado, por lo que interpuso recurso de revisión.

Criterio jurídico: Este Tribunal Colegiado de Circuito determina que una vez formulada la solicitud de procedimiento abreviado previo acuerdo entre las partes, su tramitación pasa a la esfera de control judicial, por lo que resulta jurídicamente inadmisible que la representación social retire la solicitud, pues corresponde al Juez de Control resolver sobre su procedencia, verificar la validez del consentimiento y, en su caso, imponer la pena correspondiente.

Justificación: Del análisis de los artículos 17, 20, apartado A, fracción VII y 21, párrafo tercero, de la Constitución Política de los Estados Unidos Mexicanos, 105, fracción V, 201 y 202 del Código Nacional de Procedimientos Penales, se desprende que el procedimiento abreviado es una forma de terminación anticipada sujeta a la autorización y supervisión del Juez de Control, lo que garantiza el respeto a los derechos humanos del imputado y de la víctima, entre ellos el derecho a una defensa adecuada.

En dicho procedimiento el Juez de Control actúa como garante del debido proceso en observancia al principio pro persona, por lo que su función no se limita a autorizar el acuerdo, sino que puede individualizar la pena dentro de los límites legales e incluso imponer una sanción menor a la propuesta cuando así lo justifiquen las reglas del concurso real de delitos.

En ese sentido, aun cuando la solicitud del procedimiento es facultad exclusiva del Ministerio Público, no debe ser considerada arbitraria, pues corresponde al Juez de Control, como rector del proceso, autorizar y resolver en audiencia sobre su procedencia.

Es por ello que el Ministerio Público, una vez formulada la solicitud y aceptada por las partes, no puede retirarla, pues el procedimiento se encuentra ya en sede judicial. Permitirlo implicaría desconocer la potestad jurisdiccional del Juez y debilitar el control de legalidad propio del sistema penal acusatorio.

***ACCESO GRATIS** a la Lectura en la Nube + Actualizaciones*

Para visualizar el libro electrónico en la nube de lectura envíe junto a su nombre y apellidos una fotografía del código de barras situado en la contraportada del libro y otra del ticket de compra a la dirección:

ebooktirant@tirant.com

En un máximo de 72 horas laborables le enviaremos el código de acceso con sus instrucciones.

La visualización del libro en **NUBE DE LECTURA** excluye los usos bibliotecarios y públicos que puedan poner el archivo electrónico a disposición de una comunidad de lectores. Se permite tan solo un uso individual y privado.